Das Buch

›Die Zeit drängt‹: Diesen Titel hat Carl Friedrich von Weizsäcker seinem Aufruf zu einer Weltversammlung der Christen für Gerechtigkeit, Frieden und die Bewahrung der Schöpfung gegeben. Er ist Ausdruck für die dringlich geforderte Wahrnehmung der drohenden Katastrophe, für den ultimativen Ernst der Warnung, für das unnachsichtige Eingeständnis von Angst als lebenerhaltender Kraft, für die drängende Ungeduld, mit der vernünftiges Handeln eingefordert wird, und für die Entschiedenheit des christlichen Glaubens.
Die unter dem Titel ›Das Ende der Geduld‹ versammelten Beiträge, unter anderem von Günter Altner, Kurt H. Biedenkopf und Erhard Eppler, sollen auf diese innere Bewegung antworten und sie zugleich fortsetzen. Sie sind je auf ihre Weise bestätigend, ungeduldig radikalisierend, zur Geduld mahnend, auf skeptische oder ermutigende Weise pragmatisch. Allen gemeinsam ist indes das Bewußtsein von der globalen Bedrohlichkeit der Situation, in der sich die Menschheit heute befindet.
Carl Friedrich von Weizsäcker fordert in seiner Antwort auf diese Beiträge einen Bewußtseinswandel. Das einzig Wahrscheinliche sei die Katastrophe, die einzige Möglichkeit, vor ihr bewahrt zu bleiben, sei, dies deutlich zu erkennen. Allein diese Einsicht vermag Vernunft, Entschiedenheit, Verzweiflung und Hoffnung zu verbinden.

Der Autor

Carl Friedrich von Weizsäcker, 1912 in Kiel geboren, studierte Physik und promovierte 1933 bei Werner Heisenberg. Nach seiner Habilitation 1936 lehrte er Physik in Straßburg und Göttingen, Philosophie in Hamburg. 1970–1980 war er Direktor des Max-Planck-Instituts in Starnberg. Wichtige Veröffentlichungen: ›Die Einheit der Natur‹ (1971), ›Wege in der Gefahr‹ (1976), ›Der Garten des Menschlichen‹ (1977), ›Deutlichkeit‹ (1978), ›Der bedrohte Friede‹ (1981), ›Wahrnehmung der Neuzeit‹ (1983), ›Der Aufbau der Physik‹ (1985), ›Bewußtseinswandel‹ (1988).

Carl Friedrich von Weizsäcker:
Die Zeit drängt – Das Ende der Geduld
Aufruf und Diskussion

Deutscher
Taschenbuch
Verlag

Von Carl Friedrich von Weizsäcker
sind im Deutschen Taschenbuch Verlag erschienen:
Wege in der Gefahr (1452)
Deutlichkeit (1687)
DieEinheitderNatur(10012)
Wahrnehmung der Neuzeit (10498)
Aufbau der Physik (10899)

Ungekürzte Ausgabe
1. Auflage August 1989
Deutscher Taschenbuch Verlag GmbH & Co. KG,
München
© 1986, 1987 Carl Hanser Verlag, München
ISBN 3-446-14650-4 (Die Zeit drängt)
ISBN 3-446-15015-3 (Das Ende der Geduld)
Umschlaggestaltung: Celestino Piatti
Gesamtherstellung: C. H. Beck'sche Buchdruckerei,
Nördlingen
Printed in Germany · ISBN 3-423-11109-7
1 2 3 4 5 6 · 94 93 92 91 90 89

Inhalt

Das Ende der Geduld
Carl Friedrich von Weizsäckers ›Die Zeit drängt‹
in der Diskussion

Dieses Taschenbuch vereinigt in sich zwei Bücher, die der Carl Hanser Verlag ursprünglich getrennt herausgegeben hatte: meine Schrift ›Die Zeit drängt‹ von 1986 und den vom Verlag veranstalteten Diskussionsband ›Das Ende der Geduld‹ von 1987. In meiner Schrift habe ich für die vorliegende Ausgabe im ersten Kapitel (›Vorgeschichte‹) ein paar Änderungen angebracht, die sich auf den heutigen Stand der Vorbereitungen beziehen (Anfang 1989). Nicht geändert habe ich die entsprechenden Betrachtungen im Schlußteil des Buchs, im 13. Kapitel; sie spiegeln den Stand von 1986. Ich erlaube mir daher hier im Vorwort ein paar grundsätzliche Bemerkungen zum Fortgang des »konziliaren Prozesses«.

Eine Versammlung, die einen an die kirchliche und die weltliche Öffentlichkeit gerichteten Text verabschiedet, muß von sich verlangen, daß dieser Text einen nichtleeren Konsens ausdrückt. »Leer« sind solche Formeln, die nur deshalb allgemeine Zustimmung finden, weil sie zwar wahr sind, aber kein Handeln von uns verlangen. Selbstverständlich sind in einer großen Versammlung sehr verschiedene Meinungen über das richtige Handeln vertreten. Nichtleerer Konsens ist also schwer zu erreichen. Eben darum ist er wichtig. Eine Versammlung, die nicht mit aller Kraft bemüht ist, ihn zu finden, ist nicht seriös; sie macht ihr eigenes Anliegen lächerlich und sollte lieber unterbleiben. Von den Schritten im konziliaren Prozeß, an denen ich bisher habe teilnehmen können, darf ich sagen, daß die Anstrengung um nichtleeren Konsens gemacht worden ist. Die ›Stuttgarter Erklärung‹ des bundesdeutschen Forums für Gerechtigkeit, Frieden und Bewahrung der Schöpfung ist ein Beleg dafür.

Selbstverständlich erfüllen Versammlungserklärungen, wie sie bisher verfaßt wurden und vorerst weiter zu erwarten sind, viele, auch berechtigte Wünsche nicht. Das hat zwei Gründe: die unzureichende Dauer der für ihre Formulierung verantwortlichen Versammlungen und die unvermeidliche Fortdauer entgegengesetzter Meinungen. Auf die unzureichende Dauer der Versammlungen habe ich im 13. Kapitel meiner Schrift hingewiesen. Vielleicht wird man erkennen, was künftig nötig sein wird, wenn die bisher geplanten, auf wenig mehr Zeit als je eine Woche beschränkten Versammlungen stattgefunden haben werden. Die Fortdauer entgegengesetzter Meinungen aber ist kein Schade, sondern ein Moment der Lebendigkeit des Prozesses. Jede nichtleere, im Konsens verabschiedete Äußerung wird von zwei Seiten Kritik auf sich ziehen: entweder, sie wage sich viel zu weit vor, oder, sie ersticke die notwendigen Forderungen in Kompromissen. Die Leidenschaft solcher Diskussionen ist sehr viel besser als eine gleichgültige Kenntnisnahme. In ihnen geht der Prozeß der Erkenntnis und des aktiven Einsatzes weiter, ein Prozeß, ohne den es keine Hoffnung gibt.

Deshalb bin ich dem Carl Hanser Verlag dafür dankbar, daß er in eigener Initiative die Diskussion angeregt hat, dem Deutschen Taschenbuch Verlag dafür, daß er diese bisherige Diskussion einem weiten Leserkreise zugänglich macht. Mich selbst hat die Bitte, ein Schlußwort zum ›Ende der Geduld‹ zu schreiben, weiterwirkend veranlaßt, 1988 im Hanser Verlag ein neues Buch unter dem Titel ›Bewußtseinswandel‹ zu veröffentlichen. Der Hanser Verlag hat den drei Büchern drei Titelbilder aus altkirchlichen Mosaiken vorangestellt: ›Die Zeit drängt‹ hat eine rasch voranfliegende weiße Taube; ›Das Ende der Geduld‹ einen um sich blickenden Adler; ›Bewußtseinswandel‹, auf meinen ausdrücklichen Wunsch, einen aus der Asche aufstrebenden Phönix, also das Gegenteil der von einem Rezensenten vermuteten Resignation. »Nicht aufgeben!« heißt die Devise.

Starnberg, Januar 1989   C. F. v. Weizsäcker

Carl Friedrich von Weizsäcker:
Die Zeit drängt
Eine Weltversammlung der Christen
für Gerechtigkeit, Frieden und die
Bewahrung der Schöpfung

Dieses kleine Buch fordert auf zu einer Weltversammlung der Christen für Gerechtigkeit, Frieden und die Bewahrung der Schöpfung.

Das Buch schildert im ersten Teil die Aufgabe, im fünften Teil den Weg zur Durchführung, die drei mittleren Teile besprechen die Probleme, um derentwillen die Versammlung einberufen werden soll. Dies geschieht in einem zweimaligen Durchgang. Die Kapitel 4 bis 7 (zweiter und dritter Teil) stellen die Probleme in der Sprache der heutigen weltlichen Politik und Wissenschaft dar. Die Kapitel 9 bis 12 (vierter Teil) versuchen dieselben Probleme in der christlichen Sprache zu verstehen. Kapitel 8 ist der Übergang zwischen dem dritten und vierten Teil.

In dieser Gliederung liegen eine methodische Absicht und eine inhaltliche Überzeugung. Die Kirche kann sich nicht glaubwürdig zu den brennenden Fragen der heutigen Welt äußern, wenn sie diese Fragen nicht mit weltlicher Genauigkeit angeschaut hat; deshalb kommt die weltliche Analyse zuerst. Die Fragen erscheinen aber in der heutigen Weltstruktur fast unlösbar. Sie führen denjenigen, der sich ihnen stellt, auf die Ausgangserfahrung der christlichen Kirche zurück. Deshalb folgt der Versuch, in der Sprache dieser Erfahrung von ihnen zu reden.

Der Autor dieser Schrift ist ein Privatmann. Ich spreche nicht im Auftrag einer Kirche oder einer anderen Gruppe. Ich stelle meine persönliche Ansicht dar, nicht um sie den Gesprächspartnern aufzunötigen, sondern um das Gespräch in Gang zu bringen.

In dieser Schrift, die sich an einen breiten Kreis von Lesern in der Welt wenden will, habe ich mir erlaubt, Passagen aus zum Teil schon veröffentlichten Texten zu übernehmen. In den kurzen Literaturangaben am Schluß nenne ich ein paar offizielle kirchliche Veröffentlichungen, ein paar Texte anderer Autoren, von denen ich Wesentliches gelernt habe, und einige in Buchform zugängliche eigene Äußerungen.

Das Buch wäre nicht möglich geworden ohne die Hilfe von vielen Gesprächspartnern, von den Freunden, die mich auf Reisen in der Sache der Weltversammlung begleitet haben, und ohne die Hilfe in der Erledigung der unermeßlichen in dieser Sache eingegangenen Post. Dank an alle!

Starnberg, Juli 1986   C. F. v. Weizsäcker

I. Die Aufgabe

1. Vorgeschichte

Zu einem ökumenischen Konzil hat Dietrich Bonhoeffer 1934 angesichts des herannahenden Zweiten Weltkrieges aufgerufen, das »den Frieden Christi ausruft über die rasende Welt«. Prophetische Worte eines einzelnen, die die Welt nicht erreichten.

Der Vollversammlung des Ökumenischen Rats der Kirchen lag 1983 ein Antrag vor, ein ökumenisches Konzil des Friedens einzuberufen. Der Ökumenische Rat verbreitete die Thematik, blieb aber zurückhaltend im Namen und im Zeitplan. Er beschloß, 1990 eine Weltkonferenz der Kirchen über Gerechtigkeit, Frieden und die Bewahrung der Schöpfung abzuhalten.

Der Deutsche Evangelische Kirchentag verabschiedete in Düsseldorf im Juni 1985 den folgenden Aufruf:

»Wir bitten die Kirchen der Welt, ein Konzil des Friedens zu berufen.

Der Friede ist heute Bedingung des Überlebens der Menschheit. Er ist nicht gesichert. Auf einem ökumenischen Konzil, das um des Friedens willen berufen wird, müssen die christlichen Kirchen in gemeinsamer Verantwortung ein Wort sagen, das die Menschheit nicht überhören kann.

Die Zeit drängt. Wir bitten die Kirchenleitungen, alles zu tun, damit das Konzil so rasch wie möglich zusammentritt.

Wir bitten die Gemeinden, dem Aufruf zu einem Konzil durch ihre ausdrückliche Unterstützung Kraft zu verleihen.«

Der Aufruf fand Unterstützung bei den Gemeinden und Kirchenleitungen der Evangelischen Kirche in Deutschland, beim Lutherischen Weltbund, bei einer Reihe weiterer Kirchen und kirchlichen Organisationen, vorerst vor allem in Mitteleuropa.

Es handelt sich jetzt um die ökumenische Verwirklichung.

Der Aufruf sollte niemals eine Alternative, sondern eine Verstärkung für den Beschluß des Ökumenischen Rates bedeuten. Inzwischen ist eine Reihe von Schritten getan worden. So fand in der DDR eine ökumenische Versammlung in Dresden statt, in der Bundesrepublik ein Forum für Gerechtigkeit, Frieden und Bewahrung der Schöpfung, getragen von der Arbeitsgemeinschaft christlicher Kirchen, paritätisch von der katholischen und evangelischen Kirche, den Freikirchen und den im Lande vertretenen orthodoxen Kirchen. Das Forum verabschiedete eine umfassende ›Stuttgarter Erklärung‹. In Basel tritt im Mai 1989 eine Europäische Konferenz für Frieden in Gerechtigkeit zusammen, gemeinsam getragen von den katholischen Bischofskonferenzen und der Konferenz europäischer Kirchen (KEK). Im März 1990 soll in Seoul (Korea) die christliche Weltversammlung stattfinden. Sie erfolgt auf Einladung des Ökumenischen Rates; die katholische Kirche wird durch Delegierte vertreten sein.

Inzwischen trafen sich im Oktober 1986 in Assisi auf Einladung des Papstes führende Vertreter der christlichen Kirchen und der nichtchristlichen Religionen zu einem Gebetstag für den Frieden. Was wird darauf folgen? Es ist undenkbar, daß es in Überlebensfragen der Menschheit bei einem einmaligen Gebetstag bleiben sollte. Wenn die christlichen Kirchen und die Weltreligionen durch die Tat bewiesen haben, daß sie zum Gebet zusammenkommen können, so werden sie eine Form finden, um auch zum verantwortlichen Gespräch zusammenzutreten.

Der Vorbereitung einer Versammlung für dieses Gespräch soll die gegenwärtige Schrift dienen. Wir wenden uns zunächst dem Namen der Versammlung zu, dann, im größten Teil der Schrift, ihren Sachthemen, und am Ende kurz dem organisatorischen Fortgang. Wir knüpfen zunächst an den Gedanken eines Konzils der Christen an.

2. Der Name

Wie hängen Hoffnung und Verwirklichung miteinander zusammen?

Dies ist die Grundfrage, vor der die Versammlung stehen wird. Das läßt sich schon an der Ungewißheit über ihren Namen ablesen.

Konzil, lateinisch *concilium*, griechisch *synodos*, was wörtlich Zusammenkunft heißt, ist der alte, überlieferte Name einer feierlichen und verbindlich redenden Versammlung der christlichen Kirche. Ökumenische Konzilien hat die Kirche in ihrer Geschichte berufen, wenn zentrale Fragen ihres Glaubens und Lebens spruchreif wurden. Deshalb hat Bonhoeffer diesen Namen gewählt, deshalb bewegt der Name heute wieder die Herzen. Seine Wahl will ausdrücken: Wir meinen es ernst. Wir wollen nicht eine der hundert einander ablösenden Konferenzen. Wir wollen schon durch die Form, schon durch den Namen der Zusammenkunft ausdrücken, daß wir uns selbst durch das, was wir dort sagen werden, verpflichten. Konzil als Name der Versammlung ist der Name der Hoffnung.

Aber gerade durch seine Vorgeschichte bringt dieser Name Schwierigkeiten der Verwirklichung. Durch die klassischen Konzilien der frühen Kirche hat der Name eine kirchenrechtliche Bedeutung bekommen; und das Recht ist eine anerkannte Norm der Verwirklichung. Die frühen Konzilien legten in umstrittenen Fragen die Lehre verbindlich fest und schlossen die Anhänger der entgegengesetzten Lehre von der anerkannten Rechtgläubigkeit, oft von der Kirchengemeinschaft aus. Die katholische und die orthodoxen Kirchen haben den rechtlich bindenden Konzilsbegriff nach ihrer Trennung jeweils im eigenen Bereich, in je eigener Form, festgehalten. Sie können, gerade wenn es ihnen mit der Verwirklichung ernst ist, einer gemeinschaftlichen Versammlung der vielen heutigen, seit Jahrhunderten organisatorisch, eucharistisch und in Glaubenssätzen voneinander getrennten Kirchen nicht den bindenden Charakter eines Konzils geben, dessen Beschlüssen sie sich vorweg zu unterwerfen hätten.

Die Vollversammlung des Ökumenischen Rats von 1983 hat in der Sache des Friedens und der Gerechtigkeit starke Worte der Hoffnung gewählt. Das Problem ist auch hier die Verwirklichung. Der Ökumenische Rat ist nicht selbst eine Kirchenleitung; er ist ein gemeinsames Organ rechtlich unabhängiger Kirchen. Für eine Versammlung, zu der er selbst einberufen kann, hat er den inoffensiven Namen »Weltkonferenz« gewählt. Das Gewicht der Hoffnung wurde zugleich vom Ereignis der Versammlung auf den vorbereitenden, begleitenden und nachfolgenden »konziliaren Prozeß« in der

Christenheit verlegt. Schlüsselwort hierfür ist der Begriff des »Bundes« *(covenant)*, der in der alttestamentlichen Tradition den Bund Gottes mit den Menschen bedeutet. Einen Bund des Friedens in Gerechtigkeit sollen die Christen im konziliaren Prozeß schließen.

Wesentlich ist, den Unterschied in der *Aufgabe* aller dieser Bestrebungen von der Aufgabe der älteren christlichen Konzilien zu sehen. Adressat der Lehr- und Ordnungsentscheidungen der früheren Konzilien war die Kirche selbst. Das war so, einerlei ob die Kirche eine machtlose Minderheit oder geistig und oft auch hierarchisch herrschend in ihrer Nation oder Kultur war. Adressat eines gegenwärtigen Konzils wäre hingegen die Welt, die Menschheit. Die Kirche ist heute weder machtlos noch herrschend; in der Mehrzahl auch der formell christlichen Nationen ist die aktive Kirche eine einflußreiche Minderheit. Die Ziele der Weltversammlung und des konziliaren Prozesses – Friede, Gerechtigkeit, Naturbewahrung – sind politische Ziele, die die ganze Menschheit betreffen. Die Kirche ist freilich Adressat von Weltversammlung und konziliarem Prozeß insofern, als von ihr gefordert wird, sich diese Ziele in der Tiefe ihres Bewußtseins und in wirksamer Weise zu eigen zu machen: ein Wort zu sprechen, das die Menschheit nicht überhören kann.

In dieser Sicht gehören Weltversammlung und konziliarer Prozeß untrennbar zusammen. Eine Versammlung, die nicht getragen wäre von einer breiten und tiefen Überzeugung unter den aktiven Christen der Welt, wäre so belanglos wie die meisten Konferenzen. Ein Prozeß aber, dessen Ziel nicht, als erster von mehreren Schritten, eine verantwortlich redende, weltweit wirksame Versammlung wäre, dürfte nicht das Prädikat »konziliar« in Anspruch nehmen; er wäre in Gefahr, nach kurzer Emotion zu versanden.

Wir kehren nach diesen Erwägungen zur Frage des Namens zurück. Der Name »Konferenz« ist mit Sicherheit zu blaß; er wirkt wie Resignation schon vor dem Ereignis. Der Name »Konzil« wird voraussichtlich nicht durchsetzbar sein. Freunde dieses Namens, gerade auch im katholischen Raum, haben darauf hingewiesen, daß man ihn bereits heute ohne Bedenken benutzt, soweit eine Konkurrenz mit dem Konzilsbegriff des klassischen Kirchenrechts nicht eintritt, so beim »Konzil der Jugend« in Taizé oder beim unbefangenen Reden von einem künftigen »Konzil der Weltreligionen«. Es ist auch mit Recht darauf hingewiesen worden, daß es bei den alten Konzilien oft Jahrzehnte gedauert hat, bis sich ihre Beschlüsse in der ganzen Kirche durchgesetzt haben. Gleichwohl benutzen wir den Namen in der jetzigen Schrift nur zur Erläuterung, aber fordern ihn nicht.

Englischsprechende Freunde haben den Namen »*convocation*«, Konvokation, vorgeschlagen. Das bedeutet Zusammenruf – ein treffender Ausdruck, denn offenbar ist es nicht möglich, von der gemeinten Sache zu reden, ohne Worte des Rufens zu benützen; das Gemeinte *ist* ein Ruf in letzter Stunde. Das Wort »*convocatio*« existiert im Lateinischen und daher in den romanischen Sprachen und im Englischen; im Deutschen ist es ein verständliches Fremdwort. Eine andere mögliche Bezeichnung ist »Weltversammlung der Christen«.

Mögen sich die Verantwortlichen in den Kirchen auf die Sache und auf einen starken und akzeptablen Namen einigen, und zwar bald!

3. Die Sache

Auch die Sache, um die es geht, läßt sich nur in der Spanne zwischen Hoffnung und Wirklichkeit erklären.

Ich spreche zunächst die naive Sprache der Hoffnung.

Drei Fragen werden oft gestellt, meist mit skeptischem Unterton:

Wie soll eine konziliare Versammlung denn zustande kommen? Was soll die Versammlung denn sagen? Was kann ihre Aussage denn bewirken?

Drei Antworten:

Wie wird die Versammlung zustande kommen? Dadurch, daß man sie will.

Was soll die Versammlung sagen? Die Wahrheit.

Was kann die Aussage bewirken? Die Wahrheit wirkt am tiefsten, wenn sie nicht aus Angst gesagt wird und nicht um einen Zweck zu erreichen, sondern weil sie die Wahrheit ist.

Diese Antworten sprechen von der erhofften Verwirklichung. Sie müssen erläutert werden.

Die Versammlung wird zustande kommen, wenn man sie wollen wird. Wenn sie nicht zustande kommt, dann nur, weil man sie nicht gewollt hat. Wenn sie spät zustande kommt, dann nur, weil man sie nicht für dringlich gehalten hat. Also weil man gedacht hat, Gott werde mit unserer Unentschlossenheit ja wohl noch Geduld haben. Dieser Gedanke freilich könnte sich als Irrtum erweisen.

»Wenn man sie wollen wird.« Wer ist hier »man«? Das sind die Kirchen. Wer sind die Kirchen? Das sind die Christen in der Welt. Wer sind die Christen? Zunächst ist es immer der gerade Redende und der gerade Angeredete: du und ich, der Leser und der Verfasser dieser Schrift. Einem Willen, den eine überzeugte Minderheit der Christen trägt, könnte sich auf die Dauer weder die Mehrheit noch eine Kirchenleitung entziehen.

Die Versammlung soll die Wahrheit sagen. Was heißt das: die Wahrheit? So hat schon Pilatus gefragt. Es ist *die* skeptische Frage schlechthin. Wenn wir uns ihr stellen, so führt sie uns mitten in die weltpolitischen Konflikte und folglich mitten in die kirchenpolitischen Konflikte hinein. Die Sachfragen, um die es geht, sind nicht nur politisch, sondern auch innerkirchlich hochbrisant. »Konservative« und »radikale« Richtungen haben in ihnen Auffassungen, die einander nicht nur politisch, sondern auch theologisch als unerträglich empfinden.

Hier setzen daher gerade die klugen und wohlmeinenden Kritiker ein. Sie sagen, der Gedanke eines Friedenskonzils erwecke auf den ersten Blick große Hoffnung; wenn man ihn gewissenhaft prüfe, erweise er sich aber als keiner erfolgreichen Verwirklichung fähig. Diese Kritiken sind, je nach dem theologischen und kirchenpolitischen Ort des Kritikers, verschieden artikuliert. Es gibt die Richtung, die ein politisches Engagement der Kirchen überhaupt verwirft. Es gibt politisch eher konservativ eingestellte Kritiker, welche warnen, die Kirche werde auf einer solchen Versammlung nur, zu ihrem eigenen Schaden, ihren inneren Meinungsstreit öffentlich bloßstellen und kein Unheil verhüten. Es gibt eher radikal eingestellte Kritiker, die ihre Hoffnung auf den Prozeß im Kirchenvolk setzen, aber von einer durch die Kirchenleitungen einberufenen Versammlung nur eine Erstickung der Initiative durch Kompromißformeln erwarten.

Es wäre unverzeihlicher Leichtsinn, diese Kritiken nicht

ernst zu nehmen. Nicht an ihnen vorbei, sondern nur durch sie hindurch können wir hoffen, die Erkenntnisse und Entschlossenheit zu gewinnen, die zur Verwirklichung führen.

Zuerst ist zu sehen, daß die Menschheit heute vor Aufgaben steht, denen sie sich auf keine Weise entziehen kann. Daher kann sich auch die Kirche ihrem Anteil daran nicht entziehen. Wir werden diese Aufgaben im zweiten Teil in ihrer rein weltlichen Gestalt besprechen, also in der Gestalt, in der sie sich der ganzen Menschheit unabhängig von religiösen Bekenntnissen darstellen. Jetzt fragen wir vorbereitend, wie sich die Kirche ihnen zu stellen hat. Am Schluß der Schrift werden wir zur Antwort der Kirche auf die weltliche Gestalt der Aufgaben zurückkommen.

Die aktuelle Aufgabe der Kirche sehen wir unter drei Titeln:
Gemeinsame Wahrheitssuche.
Bilder des Geschehens und inhaltliche Einsicht.
Rationales Denken und prophetische Rede.

Gemeinsame Wahrheitssuche. Christliche Konzilien sind mit dem Gebet um den Beistand des Heiligen Geistes eröffnet worden. Das Gebet beruft sich auf *Joh. 16,13*: »Wenn aber jener, der Geist der Wahrheit, kommen wird, der wird euch in alle Wahrheit leiten.«

Es ist wohl notwendig, dem Skeptiker zu sagen, daß dieses Gebet trotz des Machtmißbrauches, der zu allen Zeiten mit kirchlichen Formeln getrieben worden ist, keine leere Phrase ist. Es bezeichnet eine Erfahrung, die gemacht worden ist und die beschrieben werden kann. Der Geist der Wahrheit ist zugleich der Geist der Brüderlichkeit. Brüderlichkeit in Kontroversen heißt zunächst, dem Gegner zuhören zu können. Das ist Friede um der Wahrheit willen: gemeinsame Wahrheitssuche. Dies ist gerade dann eine Leistung, wenn jeder der Streitenden überzeugt ist, in der eigenen Meinung nicht bloß eine Interessengruppe, sondern bereits die rettende Wahrheit zu vertreten. Leichter war es auch in der Kirchengeschichte auf einem echten, umfassenden Konzil noch nie; denn Konzilien wären überflüssig gewesen, wenn es nicht um solche leidenschaftlichen Differenzen über die Wahrheit des Heils gegangen wäre. Leichter ist es natürlich auch nicht im rein weltlichen Konflikt der Mächte und Ideologien. Die Fähigkeit, dem anderen zuzuhören, heißt im

Konflikt der Mächte Kompromißbereitschaft, im Konflikt der Ideologien heißt sie Vernunft. Die seelische Grenze der Kompromißbereitschaft und der Vernunft ist meist der Affekt: das Begehren, der Haß und vor allem die gegenseitige Angst, die Angst vor dem Begehren und dem Haß des anderen.

Die Geschichte bietet Anlaß zu zweifeln, ob sich die christliche Kirche hierin besser verhält, wenn es um ihre eigene Macht, Angst oder Selbstgerechtigkeit geht. Die Kirche hat freilich eine Überlieferung von ihrem Ursprung her, auf die sie in jedem Jahrhundert ihrer Existenz aus ihrer eigenen Mitte angesprochen werden konnte und angesprochen worden ist. Auf diese Kraft der Kirche, sich an ihren eigenen Ursprung erinnern zu lassen, hoffen wir im Gedanken des Friedenskonzils. Die Versammlung wäre von vornherein zur Bedeutungslosigkeit verurteilt, wenn die streitenden Richtungen nicht in ihr voll vertreten wären. Die Kirche kann zu ihrer politischen Umwelt nicht mit wirksamer Autorität sprechen, wenn sie dieser nicht durch die Tat beweist, daß die streitenden Flügel zu einer gemeinsamen, formulierbaren Handlungsweise fähig sind. Dies zu versuchen, ist die eigentliche Belastungsprobe der Konvokation.

Bilder des Geschehens und inhaltliche Einsicht. Es ist das Ziel der gegenwärtigen Schrift, inhaltlich zu erwägen, in welcher Richtung die gemeinsame, formulierbare Denk- und Handlungsweise liegen sollte. Hier sei die Fragestellung skizziert.

Die Menschheit befindet sich in einer Krise, deren katastrophaler Höhepunkt wahrscheinlich noch vor uns liegt. Diese Einsicht wird das Ergebnis unserer rein weltlichen Analyse sein.

In dieser Lage bildet sich in zwei dem Anschein nach entgegengesetzten Gestalten eine Denkweise heraus, die als »Realeschatologie« bezeichnet werden könnte. Das neuzeitliche Fortschrittspathos, das an eine fast grenzenlose willentliche Veränderbarkeit der Welt glaubte, nimmt die Gestalt eines »verzweifelten Optimismus« an: »Fahrt nur so rasch wie möglich fort mit der technischen (oder der sozialistischen) Weltveränderung, und alle Krisen werden überwunden werden.« Auf der anderen Seite erzeugt die Angst vor den Folgen dieser Weltveränderung eine »pessimistische

Apokalyptik«: »Wir sind die Opfer des Wahnsinns der Herrschenden« oder der jeweiligen Gegner. Beide Eschatologien haben vermutlich die psychische Funktion von Träumen, nämlich ein ungelöstes, tief verdrängtes Problem symbolisch darzustellen.

Die abendländische Kultur, welche diese Phänomene erzeugt hat, wird hierdurch zu einer neuen Verständigung mit der Religion, also zunächst mit ihrer eigenen christlichen Überlieferung herausgefordert, die so wie heute noch nie möglich war. Das Christentum ist selbst eschatologisch. Jesus hat vom kommenden Gericht gesprochen und vom Himmelreich, das zu den Armen kommt und das verborgen schon gegenwärtig ist. In der auf Dauer angelegten Weltsicht des Römischen Reiches und der griechischen Philosophie blieb jedoch die christliche Eschatologie ein Fremdkörper. Die Geschichte der Kirche bliebe unverständlich ohne diese unaufgelöste Spannung von Hoffnung und Wirklichkeit. Gericht und Himmelreich waren in einer essentiell fortdauernden Welt nur als äußere, kosmische Katastrophe vorstellbar; als dann die Neuzeit ihre eigene, säkulare Hoffnung des grenzenlosen Fortschritts an die Stelle der statischen Weltordnung setzte, verdämmerten die eschatologischen Vorstellungen der Christen vielfach zu bloßen Gleichnissen der seelischen Innerlichkeit. Nur die neuzeitlichen politischen Revolutionen übernahmen in ihren militanten Frühphasen die Form der Hoffnung des christlichen Chiliasmus, der Hoffnung auf ein diesseitiges tausendjähriges* Reich Christi und seiner Heiligen.

Jetzt, da die neuzeitliche Zivilisation die reale Möglichkeit entdeckt, die Natur, von der sie lebt, selbst zu zerstören, treten die altüberlieferten Bilder vom Gericht zum ersten Mal aus der kosmischen Gleichnisrede in den Gesichtskreis unseres konkreten Handelns. Jetzt sind sie mit unserem Handeln nicht nur moralisch und jenseitig, sondern diesseitig-kausal verbunden. Wir können das Gericht über uns selbst herbeiführen. Könnte auch das Himmelreich in unsere Geschichte eintreten, wenn wir nur bereit wären, es zuzulassen?

Die Kirche und die neuzeitliche Kultur werden hierdurch gleichermaßen genötigt und befähigt, ihr eigenes Selbstver-

* *chilioi* (griechisch) = tausend

ständnis zu überprüfen. Die Aufgabe ist unermeßlich. Aber die Zeit drängt. Was kann die Weltversammlung der Kirchen, was kann der konziliare Prozeß, der sie vorbereitet, dazu beitragen?

Rationales Denken und prophetisches Reden. Im nizänischen Glaubensbekenntnis heißt es im Artikel über den Heiligen Geist: »der geredet hat durch die Propheten« *(qui locutus est per prophetas).* Befürworter des Friedenskonzils haben gehofft, daß das Konzil prophetisch rede. Besorgtere Geister wurden eben dadurch von dem Konzilsgedanken abgeschreckt, ernüchtert. Selbsternannten Propheten muß man nach vielen geschichtlichen Erfahrungen mißtrauen. Freilich ist mahnende, strafende, auch tröstende Prophetie eine geschichtliche Realität. Aber zum Schicksal des Propheten gehört seine menschliche Gegenwehr: »Herr, ich tauge nicht zu predigen« (Jeremia 1,6). Prophetie ist kein möglicher Vorsatz; sie ist für den Propheten selbst ein entsetzenerregender, unausweichlicher Auftrag.

Die Konzilsvorbereitung und die Teilnahme an der Versammlung erfordern als erstes feste moralische Entschlossenheit, dann aber unerschöpfliche Bereitschaft zum Gespräch, zum Zuhören, zum vernünftigen Kompromiß, zur selbstkritischen Vernunft, also zum rationalen, d.h. redefähigen Denken. Kommen die Vertreter der Kirchen mit dieser Bereitschaft zu der Versammlung, so werden sie selbst darüber staunen, was sie am Ende sagen werden. Ihre Rede kann gerade dann prophetische Qualität bekommen, wenn sie sich die Prophetie nicht zugetraut und nicht angemaßt haben.

Denn die Zeit ist reif.

Die Menschheit befindet sich heute in einer Krise, deren katastrophaler Höhepunkt wahrscheinlich noch vor uns liegt.

Diese Aussage ist das Ergebnis einer weltlichen Analyse. Wir folgen dieser Analyse nunmehr in drei Schritten, die sich der Anordnung der drei Themen Gerechtigkeit, Friede, Naturbewahrung anschließen.

Das Problem der Armut, der sozialen Ungerechtigkeit ist nicht gelöst; nach den gegenwärtigen Indizien wird es sich verschärfen. Kriege werden geführt wie eh und je; der jetzt vierzigjährige Waffenstillstand zwischen den Großmächten des Nordens sichert uns noch nicht vor dem dritten Weltkrieg. Bevölkerungswachstum und technische Weltveränderung heben das Gleichgewicht der Natur, in der wir leben, aus den Angeln.

Keine der drei Katastrophen ist notwendig oder gewiß. Aber ihre Verhütung erfordert ein Maß effektiver Vernunft, das bisher ebenso die Phantasie der Konservativen wie die Selbstkritik der Radikalen überfordert. Wir versuchen jetzt, im Abschnitt II, den notwendigen Wegen dieser weltlichen Vernunft ein paar Schritte weit nachzuforschen. Als Leitworte benützen wir dabei nicht die negativen Ausdrücke der Unheilspropheten, wie Elend, Krieg, Naturzerstörung, sondern die positiven weltlichen Begriffe soziale Gerechtigkeit, politischer Friede, Naturbewahrung. Diese Begriffe bezeichnen das, was geleistet werden müßte, um die Katastrophen zu verhindern. Sie bezeichnen ebenso das, worauf ein geläutertes Menschheitsbewußtsein nach einer partiellen Katastrophe zurückkommen müßte. Sie bezeichnen Forderungen der Vernunft.

4. Soziale Gerechtigkeit

Kein Friede ohne Gerechtigkeit, keine Gerechtigkeit ohne Frieden.

Dies ist nicht nur eine christliche Hoffnung. Es ist eine Forderung der aufgeklärten Vernunft. Wir erläutern sie in mehreren Schritten. Zunächst: was heißt in ihr »Gerechtigkeit«?

Das Wort hat verschiedene Bedeutungen, die aufeinander bezogen sind. Wir unterscheiden im Sprachgebrauch subjektive Gerechtigkeit, d.h. gerechtes Handeln von Menschen, und objektive Gerechtigkeit, d.h. einen gerechten gesellschaftlichen Zustand, eine gerechte Form menschlichen Zusammenlebens. Beides hängt zusammen. Das Handeln eines Menschen kann dann auch selbst objektiv gerecht genannt werden, wenn es einer geschriebenen oder ungeschriebenen Norm, einem Gesetz oder einer Sitte entspricht. Das können wir als legales oder korrektes Handeln unterscheiden von den Motiven der Handelnden, die auch bei korrektem Handeln ungerecht, selbstisch sein können und die in manchen Fällen auch bei inkorrektem Handeln gerecht sein mögen. Immanuel Kant unterscheidet Legalität, als Handeln gemäß dem Gesetz, von Moralität als Handeln aus Achtung vor dem Gesetz. Wiederum wird man einen Gesellschaftszustand nicht schon als gerecht bezeichnen, weil in ihm feste Normen gelten; wir beurteilen die Normen selbst als gerecht oder ungerecht. Schließlich – und das wird in diesem Kapitel das Entscheidende sein – können auch prinzipiell gerechte Normen unzureichend sein, wenn die realen gesellschaftlichen, d.h. ökonomischen und Macht-Verhältnisse die Menschen hindern, in den Genuß der Gerechtigkeit zu kommen.

In diesen abstrakt klingenden Unterscheidungen spiegeln sich bereits die großen gesellschaftlichen Konflikte unserer Zeit. Eine Vorbemerkung zum Umgang mit diesen Konflikten, nochmals zur Wahrheitssuche.

Es ist unmöglich, daß ein Autor, der eine Analyse dieser Konflikte vorlegt, keine eigene Stellung in den Konflikten bezogen hat. Er soll diese seine Stellung nicht verhehlen. Er wird bereit sein, eine gegnerische Meinung anzuhören. Auf diese Weise hat er selbst gelernt; seine heutige Stellungnahme spiegelt die Positionen, die er zu verstehen versucht hat.

Erst wer fähig wäre, ein zusammenhängendes Plädoyer für diejenigen Meinungen zu geben, die seiner eigenen Meinung entgegengesetzt sind, der ist reif, die eigene Meinung überzeugend zu vertreten. Das wäre Gerechtigkeit im Denken.

Bei dieser Anstrengung geht es darum, sowohl die Ansichten wie die Motive beider Seiten zu verstehen. Die Weisen, wie sich Motive in Ansichten spiegeln, nennt man Ideologien. Die Zweideutigkeit dieser Spiegelung zeigt sich in der Zweideutigkeit der Wortbedeutung. »Ideologie« ist zunächst ein lobendes Wort; es bedeutet griechisch das Aussprechen von Gestalten, modern einen konsistenten Zusammenhang von Gedanken. Aber wie eine uralte Erfahrung lehrt, sind die Ideale, die eine Person oder eine Gesellschaftsschicht ausspricht, sehr häufig so ausgewählt, daß sie ihren partikularen Interessen eine Deckung gewähren. »Wo euer Schatz ist, da ist euer Herz«, sagt Jesus; »sie sagen Christus und meinen Kattun«, sagten die Sozialisten des 19. Jahrhunderts. Ideologiekritik ist daher eine gängige Denkfigur unserer Zeit geworden, die fast jeder in der politischen Debatte beherrscht, aber fast keiner auf seine eigene Ideologie anwendet. Das heißt, Ideologiekritik wird meist ideologisch verwendet. Die eigenen ausgesprochenen Ansichten und die verborgenen Motive des Gegners meint jeder zu kennen. Die ausgesprochenen Ansichten des Gegners hält man darum der gründlichen Kenntnisnahme nicht für wert. Die eigenen verborgenen Motive hält derjenige bewußt versteckt, der die Charakterstärke hat, sich nicht selbst zu belügen. Wer es aber nicht erträgt, seine eigenen Motive zu erkennen, der verdrängt sie aus seinem Bewußtsein, und was sich nicht verdrängen läßt, nährt den Zynismus, den man der eigenen Partei zu gestatten pflegt. Es heißt aber »Liebe deinen Nächsten wie dich selbst«. Auch das läßt sich als eine Formel der schlichten Vernunft lesen. Du wirst erst lernen, dich selbst zu verstehen, wenn du deinen Nächsten verstehen gelernt hast. Wir müssen die Ideologien der anderen ernst zu nehmen lernen, sowohl als intelligente Ansichten wie als Ausdruck legitimer Motive. Erst dann werden wir begreifen lernen, wie unsere eigenen legitimen Motive sich in unseren eigenen Ansichten spiegeln. Schon in diesem Sinne des Gespräches gilt: Kein Friede ohne Gerechtigkeit.

Wir wenden uns zu den realen Gegensätzen in der heutigen Menschheit. Noch nie haben so viele Menschen im Wohlstand gelebt wie heute, in einem Wohlstand, der materiell denjenigen aller früheren Zeiten übertrifft. Noch nie haben so viele Menschen in Elend und Hunger gelebt wie jetzt; die Anzahl der Menschen, die an den Folgen von Hunger sterben, übertrifft die Anzahl der Toten aller Kriege unseres Jahrhunderts. Noch nie hat sich das Bewußtsein von der Ungerechtigkeit der Güterverteilung so weit verbreitet wie heute. Was ist zu tun?

Die banale Antwort, daß heute mehr Reiche und mehr Arme leben, weil sich die Menschenzahl auf der Erde in den letzten 60 Jahren verdoppelt, in den letzten 300 Jahren verzehnfacht hat, ist zutreffend, aber nicht ausreichend. Isoliert genommen, akzeptiert sie den uralten Gegensatz von Reich und Arm als ein Schicksal und bleibt insofern eine Ideologie der Reichen. Gefragt ist, ob die moderne Zivilisation nicht imstande sein sollte, den Gegensatz von Reich und Arm zu überwinden oder doch zu mildern. Erst im Rahmen dieser Frage werden wir Ursachen und Wirkungen des Bevölkerungswachstums besprechen können.

Klassenherrschaft, soziale Ungleichheit gibt es, seit es Hochkulturen gibt, seit wenigstens 6000 Jahren. Die reichen Herren haben Dokumente ihres Glanzes hinterlassen. Aber es gibt auch seit Jahrtausenden schriftliche Dokumente der Armen oder derer, die ihre Stimme für die Armen erheben. Es gibt 2000 v. Chr. die Klage des armen Bauern im alten Ägypten. Es gibt die Stimme der jüdischen Propheten: Gott will nicht Brandopfer, sondern daß ihr die Witwen und Waisen in ihrer Armut besucht, daß ihr euch des Fremdlings in eurem Lande annehmt. Jesus ist zu den Armen gekommen. Eher geht ein schatzbeladenes Kamel durch das Fußgängertörchen, welches Nadelöhr hieß, als ein Reicher in das auf Erden kommende Reich Gottes gelangen wird.

Neuzeitlich hingegen ist die »Realeschatologie«, die Überzeugung, daß wir Menschen durch eigene Kraft die Ungerechtigkeit der Gesellschaftsordnung ändern können und sollen. Diese ist in zwei Stufen geschichtswirksam geworden: Die erste Stufe war die bürgerliche Revolution des 18. Jahrhunderts, die sich in England evolutiv seit 1688, in Amerika als Unabhängigkeitskampf 1776, in Frankreich 1789, wieder in England als »industrielle Revolution« des frühen 19. Jahrhunderts vollzog. Die zweite Stufe war die

Arbeiterbewegung des 19. und 20. Jahrhunderts, in den militanten und revisionistischen Formen des Sozialismus. Mit der Vereinfachung, die jeder kurzen historischen Aussage eigen ist, kann man sagen: Das Leitwort der ersten Revolution war Freiheit, das Leitwort der zweiten revolutionären Hoffnung heißt Gerechtigkeit. In den Beschluß des Ökumenischen Rats ist das Wort »Gerechtigkeit« durch die Kirchen des Südens eingebracht worden. Die Reichen von heute glauben an die Verteidigung der Freiheit, die Armen hoffen auf die Erringung der Gerechtigkeit. Die lateinamerikanische Theologie der Befreiung ist ein Zeuge dieser Hoffnung, und als Träger dieser Hoffnung ist die Kirche in Lateinamerika eine soziale Macht geworden, die sie vorher nicht mehr war.

Es wäre aber für Freiheit wie für Gerechtigkeit gefährlich, ja tödlich, sie gegeneinander auszuspielen. Wir wagen, in Variation des Eingangssatzes dieses Kapitels, die Aussage:

Keine Gerechtigkeit ohne Freiheit, keine Freiheit ohne Gerechtigkeit.

Was ist politische Freiheit? Sie ist, im neuzeitlichen Rechtsstaat, nicht Willkür. Freiheit in einer lebensfähigen Gesellschaft ist in erster Linie nicht diejenige Freiheit, die ich für mich und meine Gruppe in Anspruch nehme, sondern diejenige Freiheit, die ich dem anderen und der anderen Gruppe gewähre. Hierin liegen zwei Erkenntnisse, die nicht selbstverständlich sind und oft nicht beachtet werden: die Beschränkung unseres Urteils über die Handlungen unserer Mitbürger auf ihre Legalität (Legalitätsprinzip) und die Bedeutung der Äußerungsfreiheit für die gemeinsame Erkenntnissuche (Wahrheitsorientierung).

Das Legalitätsprinzip ist eine der größten *moralischen* Errungenschaften der Neuzeit. Freilich besteht eine altehrwürdige, tiefberechtigte Überzeugung, daß der Mensch dem sittlichen Gebot nicht bloß äußerlich, aus nützlichem Konformismus gehorchen soll, sondern aus innerer Achtung vor dem Gebot; also daß er, in der oben zitierten Sprechweise Kants, moralisch und nicht nur legal handeln soll. Diese Überzeugung ist der griechischen Philosophie, zumal der spätantiken Stoa, dem Christentum und der neuzeitlichen Aufklärung gemeinsam. Aber hieraus entstand historisch allzu leicht ein politischer Mißbrauch der Moral. Gesellschaften, die sich moralisch im Recht fühlten, Regierungen, die sich moralisch legitimiert glaubten, forderten von ihren Gliedern oder ihren Untertanen das moralische Motiv; sie erlaubten sich, Abweichungen von der Norm moralisch zu strafen, bis hin zum Scheiterhaufen oder Richtschwert. Revolutionäre wiederum, die an die moralische Legitimität der Regierung oder der Gesellschaftsordnung nicht mehr glauben konnten, fühlten sich berechtigt, die Herrschenden als unmoralisch mit allen Mitteln zu bekämpfen, bis hin zum politischen Mord und, nach dem Sieg, zur Guillotine. Selbstgerechtigkeit der Moral erwies sich als abgrundtief böse. Hier ist die Unterscheidung von Legalität und Moralität moralisch gefordert. Menschliche Richter können beurteilen, ob ihre Mitmenschen gemäß dem Gesetz handeln; das Herz aber, so sagt der alte Spruch, sieht Gott allein. Deshalb hat das menschliche Gericht nur die Unrechtmäßigkeit des Handelns, aber nicht die Immoralität der Motive zu verurteilen.

Erst dieser Schritt hat erlaubt, das herauszuarbeiten, was man heute die Menschenrechte nennt. Sie alle sind als unveräußerliche, rechtlich unantastbare Freiheitsrechte des einzelnen bestimmt. Sie sind nicht Rechte zu einem seelischen Zustand, sondern zu einem sichtbaren Verhalten. Keine noch so legitime Regierung, keine noch so begründete Revolution darf sie antasten, ohne sich selbst zutiefst moralisch schuldig zu machen, also ohne ihre eigene Legitimation zu verspielen.

Weniger allgemein anerkannt ist die politische Notwendigkeit der Wahrheitsorientierung, der Äußerungsfreiheit. Sie ist die institutionelle Form der gemeinsamen Wahrheitssuche. Eine komplizierte Gesellschaft in raschem Wandel wie die unsere kann nicht überleben, geschweige denn die besten Wege finden ohne Einsicht. Einsicht aber wird uns nicht im Schlaf gegeben, wenigstens nicht ohne vorherige äußerste Anstrengung der Wahrheitssuche. Gesellschaftliche Suche nach der richtigen Einsicht gibt es nicht ohne Meinungsstreit. Meinungsstreit kann es nur in dem Rahmen geben, in dem es Äußerungsfreiheit gibt. Jeder Wissenschaftler kennt die Unerläßlichkeit des Meinungsstreits für die Forschung und den lähmenden Charakter, den eine herrschende Schule annehmen kann. Diktaturen und Parteibürokratien mit Meinungsmonopol pflegen daran zu scheitern, daß ihre Fehler nicht früh genug kritisiert werden, daß sie ihre Skandale unter den Teppich kehren können. Unfehlbarkeitsbewußtsein ist selbstmörderisch. Um mit einer kantischen Formel zu schließen: Freiheit ist das Dasein der Wahrheit. Denn Wahrheit ist nicht diktierte, sondern gesuchte und stets nur partiell gefundene Wahrheit.

Also Legalitätsprinzip: keine Freiheit ohne Gerechtigkeit; Wahrheitsorientierung: keine Gerechtigkeit ohne Freiheit.

Aber die legal garantierte politische Freiheit löst das Problem von Arm und Reich nicht; sie gestattet allenfalls, es zum Thema der Politik zu machen. Unterhalb der Grenze der absoluten Not ist politische Freiheit kein nutzbares Gut; hier geht es um die nötigste Nahrung, das Werkzeug, das Dach über dem Kopf. Die geschichtliche Erfahrung zeigt, daß arme Bevölkerungen keine Revolution machen. Sie haben nicht die Kraft und Zeit dazu. Entlastung durch beginnenden Wohlstand, Anfänge der Bildung und politische Führer aus den herrschenden Schichten gehören zur Befreiungsbewegung.

Hier aber stehen wir vor dem vielleicht tiefsten ideologischen Gegensatz unserer Zeit, dem zwischen den ökonomischen Doktrinen des Marktes und des Sozialismus. Hier scheint auf den ersten Blick nun die oben zitierte Formel am Platze: Freiheit, nämlich Freiheit des Marktes, sei das Leitwort der Reichen; Gerechtigkeit, nämlich Gerechtigkeit der Verteilung, sei das Leitwort der Armen. Aber auch hier genügen vereinfachende Formeln nicht. Die klassische bürgerliche Nationalökonomie ebenso wie der genuine Marxismus belehren uns, daß nicht einfach der moralische Appell, sondern die Analyse der objektiven Ursachen gefordert ist.

Blicken wir um rund 25 Jahre zurück, in den Anfang der sechziger Jahre! Damals herrschte rings auf der Erde eine relativ optimistische Erwartung für die weitere ökonomische und soziale Entwicklung. Man konnte die Menschheit, wie auch heute noch, in drei Regionen einteilen. Im Norden war und ist die politische und militärische Macht konzentriert, mit den leitenden Mächten der Vereinigten Staaten von Amerika im Westen und der Sowjetunion im Osten. In der westlichen, »ersten« Welt ruhte zugleich die ökonomische Macht. In der östlichen, »zweiten« Welt pflegte man eben damals die Hoffnung, den Westen durch technische Entwicklung wirtschaftlich einzuholen, ja zu überholen. Die südliche, »dritte« Welt, die Mehrheit der Menschheit, war arm, aber sie war soeben von der politischen Kolonialherrschaft des westlichen Nordens befreit. Sie verstand ihre Armut als Folge unzureichender ökonomischer und technischer Entwicklung. Sie hoffte nun, diese Entwicklung in raschen Schritten nachzuholen. Im Norden bestand ein aufrichtiger Wille, diese Entwicklung des Südens zu fördern, von der man zugleich neue Märkte für die nördliche Wirtschaft erwartete. Der Süden war damit freilich zugleich ein Schachbrett, auf dem der marktwirtschaftliche, kapitalistische nördliche Westen und der planwirtschaftliche, sozialistische nördliche Osten ihren Machtkampf austrugen. Soweit dieser Machtkampf mit wirtschaftlichen Mitteln ausgetragen wurde, war und blieb freilich der Westen weit überlegen. Wirtschaftlich gesehen gab und gibt es einen von der »ersten« Welt, genauer von Nordamerika und, in zweiter Linie, Westeuropa und wachsend Japan, dominierten einheitlichen Weltmarkt, in dem die Sowjetunion und das sozialistische China nur eine begrenzte Rolle spielen.

Die ökonomischen Theorien, welche zugleich das ideologische Rüstzeug dieses Machtkampfes lieferten, sind beide im Westeuropa des 18. bzw. 19. Jahrhunderts entstanden. Man muß also erwarten, daß sie ein spezifisch westeuropäisches Problem in ihrem Konflikt austragen. Dies ist für unsere Fragestellung unter zwei Gesichtspunkten wichtig. Einerseits müssen wir sie in ihrem Konflikt verstehen, wenn wir die Selbstinterpretation des ökonomisch dominierenden Nordwestens begreifen wollen. Andererseits besteht Grund zu der Vermutung, daß ihr Konflikt dem Rest der Welt, wohl schon Rußland und Lateinamerika, die beide zum europäischen Kulturkreis gehören, und erst recht den großen asiatischen Kulturen ein inadäquates Denkschema aufnötigt; daß wir also das wahre Problem der heutigen Welt in ihrem Begriffssystem noch nicht zu Gesicht bekommen werden.

Wir folgen zunächst der Selbstinterpretation des Westens. Nach dieser ist die Freiheit nicht nur ein großes politisches Gut, sondern sie ist, als Freiheit des Marktes, auch die Ursache des wirtschaftlichen Erfolgs, des Reichtums. Es dient demnach dem Wohl der heute noch Armen, auch ihnen den Ursprung des Wohlstandes, den freien Markt, zu bringen. In der Tat war im Norden ja der Erfolg zumal der industriellen Produktion in der Zeit seit der Entstehung der wirtschaftsliberalen Doktrin, also etwa 1760 bis 1960, frappant. Und die Doktrin bot eine ganz einfache, unmittelbar einleuchtende Erklärung des Erfolgs an. Die Wirtschaft floriert am besten, wenn in einem transparenten Markt jeder Marktteilnehmer sein eigenes Interesse und damit seinen eigenen Verstand betätigt. Denn der gesammelte Verstand so vieler Marktteilnehmer fördert mehr gute Gedanken zutage als jede absolutistische oder sozialistische Planungsstelle. Es ist dasselbe Argument wie die Wahrheitsorientierung der politischen Freiheit. Und es gibt eine Rückkoppelung vom freien Markt auf die politische Freiheit: der Markt ist eine Einübung freien Handelns.

Ebenso einfach aber ist die sozialistische Kritik. Der Markt erzeugt hohe Sozialprodukte; gerade nach Marx ist es in der Geschichtsdialektik in der Tat die Rolle des Kapitalismus, die Produktivkräfte zu entwickeln. Aber der Markt erzeugt keine ökonomische Gleichheit; er löst, nach sozialistischer Auffassung, das Verteilungsproblem nicht. Dies tangiert auch die Rückkoppelung auf die Politik. Ökonomische Abhängigkeit läßt die gesetzlich garantierte politische Freiheit zur Fiktion werden. Marx führte den aufklärerischen Gedanken Hegels weiter, daß die Freiheit, die ohne ökonomische Basis nicht möglich ist, erst dem Adel, dann, nach der bürgerlichen Revolution, dem Bürger, dem Kapitalisten zugänglich war und daß sie – so Marx – nach einer letzten, proletarischen Revolution allen Menschen der Gesellschaft zugänglich sein wird.

Aber die fortschreitende Verelendung des Industrieproletariats, die Marx erwartete, ist nirgends in den Kernländern des Kapitalismus eingetreten. Sie wurde, im Schutz des Rechtsstaats, durch die Arbeiterbewegung, durch die Schaffung der Kaufkraft der Massen, durch Sozialgesetzgebung aufgefangen. In der Gestalt der Sozialdemokratie setzte der Sozialismus einen wichtigen Teil seiner Ideale unter Anpassung an das Marktsystem und ohne politische Revolution durch. Revolutionärer Sozialismus kam nur dort zur Macht, wo er nach seiner eigenen Doktrin noch gar nicht historisch reif sein konnte, in den vorbürgerlichen alten absoluten Monarchien Rußlands und Chinas. Was lag um 1960 im Westen näher als aufrichtig die Übertragung dieser günstigen Entwicklung des Marktes auf den Süden zu erhoffen?

In den zweieinhalb Jahrzehnten seither hat es in allen drei

Weltregionen partielle Erfolge, aber noch tiefere Enttäuschungen gegeben. Die sozialistischen Großmächte haben ihre wirtschaftliche Rückständigkeit gegenüber dem Westen schlechterdings nicht aufholen können; China und, langsamer, die Sowjetunion haben der Reformbedürftigkeit ihres eigenen Systems die erste Priorität geben müssen. Im nördlichen Westen ist das Problem von Arm und Reich verschoben, aber nicht gelöst und heute wieder wachsend. Zwar ist die Industriearbeiterschaft im ganzen in die Gesellschaft in einem kleinbürgerlichen Status integriert; die Mehrheit der Bevölkerung der westlichen Staaten gehört heute, im globalen Vergleich gesehen, zu den Reichen. Aber eine arme Minderheit der Bevölkerung wird eher in zunehmendem Maße aus der Gesellschaft ausgeschlossen: permanent Arbeitslose, wachsende ethnische Minoritäten. Das gravierendste, katastrophenträchtigste Problem aber zeigt sich im Süden.

Auch im Süden allein leben heute mehr Menschen im Wohlstand und mehr Menschen in Elend und Hunger als je zuvor. Industrien sind entstanden, und mit ihnen nicht nur Reichtum einer Oberschicht, sondern in gewissem Umfang auch der gesellschaftlich unentbehrliche gebildete Mittelstand und eine kaufkräftiger werdende Arbeiterschaft. Daneben aber nimmt die Menge der Armen in den Slums der Vielmillionenstädte ständig zu. Die Industrialisierung wurde durch eine Überschuldung ermöglicht, welche heute den Finanzmarkt der Welt erschüttert. Eine verständliche, aber verfehlte Politik der Gläubiger sucht die Zins- und Rückzahlungsfähigkeit der Schuldnerländer durch den Zwang zu extremer Exportorientierung zu ermöglichen; dadurch wird die einzige ökonomische Basis sozialer und politischer Stabilität, ein florierender Binnenmarkt, am Entstehen gehindert oder gar zerstört. Diesen wirtschaftlichen Bedingungen gemäß schwankt die Regierungsform zwischen Demokratie und militärischen, ideologischen und religiösen Diktaturen hin und her. Menschenrechtsverletzungen durch Regierungen und revolutionärer Terrorismus, die den saturierten Bürger des Nordens empören und erschrecken, sind Indizien dieser politischen Instabilität.

Prognose und Therapie sind schwer ohne eine zuverlässige kausale Diagnose der Krankheit. Woher das Elend? Eben diese Diagnose aber ist, naturgemäß, selbst im Konflikt der Ideologien umstritten. Drei Ursachen wurden genannt, aber je nach der Ideologie mit verschiedenem Gewicht bewertet.

Große Anhängerschaft hat heute, zumal unter den Intellektuellen des Südens, die Auffassung, das Elend sei selbst eine Folge der Abhängigkeit des Südens vom kapitalistischen Weltmarkt, in Lateinamerika als Dependenztheorie bekannt. Sie ist ein Hintergrund der südlichen Forderung, Gerechtigkeit noch vor dem Frieden zum Thema einer christlichen Weltversammlung zu machen. In der Tat haben schon früh in unserem Jahrhundert Sozialisten darauf hingewiesen, daß die Besserstellung der Arbeiterklasse in den nördlichen Industriestaaten nicht nur (wie oben gesagt) durch innerstaatliche Entwicklungen wie Gewerkschaften, Binnenmarkt, Sozialgesetzgebung geglückt sei, sondern auch durch die Verschiebung der materiellen Ausbeutung in die »Peripherie«, in die kolonial und imperialistisch abhängig gemachte Welt des Südens und Ostens. Ein konsequenter sozialistischer Theoretiker wird die Ursache davon nicht im bösen Willen gewisser Menschengruppen wie etwa der »Multis« suchen, sondern in dem im Wettbewerbssystem eingebauten objektiven Zwang zur Profitmaximierung. Ein konsequenter Markttheoretiker jedoch wird fragen, warum die Lösung, die im Binnenmarkt der Industriestaaten gelang, nicht schließlich auch im Weltmarkt gelingen sollte. Wer hat recht?

Es gibt ein Indiz, warum diese Lösung heute im Weltmarkt vermutlich sehr viel schwerer sein wird als einst im nationalen Binnenmarkt. Die nationale Lösung bedurfte der Stütze des umfassenden Rechtsstaats, der Streikrecht, Arbeitsgesetzgebung, Infrastruktur und äußeren Frieden garantierte. Ein analoger, den Weltmarkt umfassender Weltstaat existiert nicht, und die Nationalstaaten, zumal die wirtschaftlich abhängigen des Südens, sind selbst in der Rolle von Konkurrenten auf dem Weltmarkt. Die heutige Weltwirtschaftspolitik wird von den mächtigen Interessenten bestimmt, die zudem untereinander in Konkurrenzkampf stehen. Es besteht die Gefahr, daß sie der Demokratie, an die sie theoretisch glauben, im Süden durch ihre Wirtschafts- und Finanzpolitik unwissentlich eben den Erfolg verweigern, dessen die Demokratie doch zum Leben bedarf.

Zwei weitere Ursachen der Not kommen hinzu, einerlei, wie wir die Rolle des Weltmarktes beurteilen.

Das Bevölkerungswachstum muß nun, in diesem Zusammenhang, genannt werden. Es droht jeden wirtschaftlichen Fortschritt wieder aufzufressen. Indien und China sind sich des Problems bewußt. Hier zeigt sich ein verhängnisvoller Zirkel. Gerade die armen Bevölkerungen wachsen am schnellsten. Dies ist ökonomisch begreiflich. In armen, zumal bäuerlichen Verhältnissen ist es ein brennendes Interesse jeder Familie, viele Kinder zu haben; nur die Kinder stehen als unbezahlte Arbeitskräfte zur Verfügung, nur die Kinder werden dereinst die Eltern ernähren. Wie soll man den Wohlstand schaffen, der das Wachstum zum Stehen bringen könnte?

Schließlich haben die Entwicklungsoptimisten das Problem der kulturellen Anpassung unterschätzt. Die technische Modernisierung, bei uns in Jahrhunderten gewachsen, kommt heute in Jahrzehnten über die Völker des Südens. Sie zerstört Lebensformen, die in Jahrhunderten stabil waren. Und das wirft uns auf die Frage zurück, ob unsere eigene Kultur denn die Technisierung erträgt.

5. Politischer Friede

Die Zeit ist gekommen, in der die politische Institution des Kriegs überwunden werden muß und kann.

Was heißt »Friede«? In diesem Kapitel stellen wir diese Frage erst im eingeschränkten Sinne; wir sprechen vom politischen Frieden. Diesen schränken wir sogar zunächst auf den außenpolitischen Frieden ein, den man gewöhnlich als die Abwesenheit von Krieg auffaßt.

Aber, Hoffnung und Verwirklichung vergleichend, müssen wir nicht fürchten, daß unsere Eingangsthese von der Überwindung der politischen Institution des Kriegs einer phantastischen Hoffnung verfallen ist? Die Wirklichkeit ist das fortdauernde Blutvergießen im Süden in rund 130 Kriegen seit 1945 und die fortdauernde Drohung des nuklearen Weltkriegs im Norden. Und es ist schrecklich, sich eingestehen zu müssen, daß die heutigen Kriege des Südens der weltgeschichtlichen Normalität näher sind als die vierzig Jahre Stillstand der Waffen im Norden.

Auch der Krieg ist wenigstens so alt wie die Hochkultur. Die ältesten Berichte der Völker sind Heldenlieder und Siegesdokumente, die alten Mythen schildern Götterkämpfe. Die Leiden des Kriegs sind uralt. Wie eine utopische Hoffnung klingt die Ankündigung des alttestamentlichen Propheten, in der Sprache des dichterischen Gleichnisses formuliert: Der Löwe wird neben dem Lamm liegen, und die Schwerter werden in Pflugscharen umgeschmiedet werden.

Gleichwohl ist die heutige Situation grundlegend anders als alle früheren. Ein Bewußtseinswandel über Krieg und Frieden ist in Gang gekommen, wie es ihn nie zuvor gegeben hat. Die Menschen beginnen, die Überwindung der Institution des Krieges nicht als jenseitige Hoffnung, sondern als diesseitige, aktuelle und lösbare Aufgabe zu empfinden. Und sie müssen so empfinden, wenn sie auf das Überleben der Menschheit hoffen wollen. Auch der Grund dieses Bewußtseinswandels ist diesseitig und aktuell. Er liegt in der zerstörerischen Kraft der modernen Waffentechnik. Früher haben nicht immer die Völker, aber doch die Menschheit die größten, damals technisch möglichen Kriege überlebt. Der Krieg war eine schreckliche, aber eine mögliche Institution. Möglich ist er noch heute, aber nicht permanent überlebbar; es ist notwendig, ihn als Institution zu überwinden.

Hiervon sind wir aber praktisch so weit entfernt wie eh und je. Die Kriege des Südens und gerade auch die Generalstabsplanungen des Nordens enthalten begrenzten Waffengebrauch. Die bewußte Begrenzung hat den Zweck, das Instrument des Kriegs weiter benutzen zu können. Man weiß den Konflikt um Gerechtigkeit, um politische Systeme, um die vielfältigen nationalen und regionalen Interessen nicht ohne Waffengewalt auszutragen, man weiß die große Außenpolitik nicht ohne Kriegsdrohung zu führen.

Spezielle Schuldzuweisungen an den jeweiligen Gegner sind dabei ein übliches politisches Mittel. Für die Überwindung des Kriegs als Institution sind sie ungeeignet, selbst wo sie zutreffend sind. In einem Krieg fühlt sich meist jede Seite als gerechtfertigt und als defensiv; der militärische Satz »Angriff ist die beste Verteidigung« rechtfertigt dann die Aggressionen. Tatsächlich ist unser gesamtes, uraltes politisches System auf die Möglichkeit bewaffneter Entscheidung als »*ultima ratio regum*«, als letztes Argument der Herrschenden, eingestellt.

Im Norden wie im Süden gibt es eine gewisse Blindheit für die jeweils andere Region und damit für die Verflechtung beider. Im Norden sieht jede der beiden Supermächte die andre als die große Gefahr, und die kleineren Nationen des Nordens fürchten nichts mehr als die Folgen dieses Konflikts. Die Offenheit für das Gespräch verlangt von mir die klare persönliche Aussage, daß ich den Gegensatz der Ideologien der beiden Weltmächte nicht symmetrisch sehe. Die Betrachtungen des vorigen Kapitels darüber, daß ohne Freiheit keine Gerechtigkeit möglich ist, sind ein eindeutiges Bekenntnis zur westlichen Auffassung von Freiheit. Durch diese innenpolitische Parteinahme entgehe ich aber der außenpolitischen Analyse nicht, die mich lehrt, daß hier zwei weltpolitische Hegemoniekandidaten in einem langfristigen Ringen liegen. Aus der Perspektive dieses Machtkampfes sehen nun beide, wie schon oben gesagt, den Süden meist nur wie einen Teil des Schachbretts, auf dem sie ihre Partie austragen; jeder betrachtet im Süden vor allem mit tiefem Mißtrauen den Einfluß seines Gegners. Das ist gefährliche Blindheit für die wahren Probleme des Südens.

Genau spiegelbildlich hierzu wächst heute im Süden die gleichzeitige Abneigung gegen beide nördlichen Mächte. »Laßt uns mit eurem Konflikt in Ruhe.« Man kann in extremen Stimmungen selbst südliche Äußerungen der Form hören: »Warum führen diese beiden nördlichen Barbaren nicht endlich ihren Krieg gegeneinander? Dann wären wir sie beide los!« Auch bei milden, urteilsfähigen Gesprächspartnern des Südens findet man für den nördlichen Gedanken eines reinen Friedenskonzils keine Resonanz. »Das ist euer Problem, nicht unseres.« Diese Reaktion ist eine tief verständliche Abwendung von den Sorgen des Nordens, aber sie ist gefährliche Blindheit gegenüber einer Weltgefahr.

Tatsächlich sind die Schicksale beider Hälften der Welt längst fast unlöslich miteinander verbunden. Die Wirtschaft des Nordwestens, so haben wir gesehen, dominiert den südlichen Weltmarkt und ist auf ihn angewiesen. Die Kriegs- und Terrorwaffen der südlichen Konflikte sind im Norden produziert. Die Rüstung aller Staaten verschlingt Gelder, die anders genutzt werden sollten. Die Feuerstellen, an denen sich ein nördlicher Krieg entzünden könnte, liegen im Süden. Ein nördlicher großer Krieg aber würde den Süden nicht verschonen; selbst ohne Radioaktivität und nuklearen Winter würde er schon durch eine zeitweilige Zerstörung der Weltwirtschaft eine unvergleichliche Hungerkatastrophe im Süden auslösen.

Es ist also vitales Interesse der gesamten Menschheit, auch jeden Bemühens um Gerechtigkeit und Bewahrung der Schöpfung, daß der Krieg zwischen den Supermächten des Nordens vermieden wird. Diese Kriegsverhütung aber ist nicht gesichert. Neue Schritte sind nötig. Die Zeit drängt.

Wir müssen in dieser Frage mehr ins einzelne gehen.

Die Atomwaffe ist nicht die Ursache der Kriegsgefahr. Im Gegenteil, Krieg ist auf der Erde seit vierzig Jahren nur dort geführt worden, wo gewiß schien, daß er nicht nuklear werden würde. Aber die nukleare Abschreckung durch beiderseits gesicherte Zweitschlagskapazitäten, eine kluge Erfindung amerikanischer Wissenschaftler, ist nicht geeignet und war nie gemeint, das Problem der Kriegsverhütung endgültig zu lösen. Sie sollte nur eine Atempause gewähren, in welcher eine politische Friedenssicherung zu schaffen gewesen wäre.

Denn letztlich kann der notwendige Weltfriede überhaupt nicht technisch, sondern nur politisch gesichert werden. Eine Technik, die zudem in ständigem Fluß der Weiterentwicklung begriffen ist, kann keine permanente Garantie gegen technisches Versagen, gegen Eskalation regionaler Konflikte, gegen menschlichen Wahnsinn geben. Und *ein* Versagen im Jahrhundert genügt für die Katastrophe. Gerade der Erfolg der Kriegsverhütung in den sechziger und siebziger Jahren hat die Weltmeinung zeitweilig eingeschläfert. Das neue Erwachen des Schreckens im Anfang der achtziger Jahre war eine Chance. Wird sie genutzt werden?

Seit den frühen sechziger Jahren habe ich einen weltpolitischen Zyklus erwartet und dann ablaufen sehen. Der kalte Krieg, ein System antagonistischer Bipolarität, führte zu einer gegenseitigen außenpolitischen Lähmung der beiden Supermächte angesichts einer zunehmend pluralistischen Weltstruktur (Mao, de Gaulle, später OPEC). Daher entdeckten die Supermächte ihr Interesse an einer eher kooperativen Bipolarität, die man dann Entspannung nannte. Aber es war vorhersehbar, daß die Supermächte ihre unausweichliche

Hegemoniekonkurrenz wiederentdecken würden, wenn sie sie je vergessen haben sollten. Die Sowjetunion hat sie wohl nie vergessen; in den siebziger Jahren hat sie ihre Rüstung unablässig weitergetrieben.

Im jetzigen Augenblick aber, in dem die sowjetische Seite unter dem Druck der erkannten dringenden Notwendigkeit einer Wirtschaftsreform und dem dadurch erzwungenen Primat der Innenpolitik auf Abrüstung zu drängen beginnt, ist die amerikanische Politik wieder in totales Mißtrauen gegen den Hegemoniegegner umgeschlagen. Eine auch in privaten menschlichen Konflikten häufige Figur: abwechselnd ist stets nur einer der beiden Gegner kompromißbereit. Mißtrauen als Grundfigur.

Eines der größten Hindernisse für den an sich möglichen friedlichen Modus vivendi zwischen den Großmächten ist ihre gegenseitige Perzeption, die Art, wie sie einander wahrnehmen. Der Gegensatz ihrer Ideologien ist gewiß nicht der tiefste Grund ihres elementaren und banalen Machtkonflikts. Der ideologische Gegensatz ist eher die Art, wie jede der beiden Seiten es sich selbst psychisch erträglich macht, den Machtkonflikt fortzuführen. Machtkonflikte der Staaten sind ein Erbe der Hochkultur; darauf kommen wir im 7. Kapitel zurück. Ihr tiefster Grund dürfte die gegenseitige Angst sein, eine Angst, die durch jede selbst aus Angst geborene Rüstung oder Aggression des jeweiligen Gegners neue Nahrung erhält.

Natürlich ist der inhaltliche Konflikt der beiden Ideologien wichtig und vorläufig prinzipiell nicht beilegbar. Das Verständnis seines Ursprungs aber könnte zur Gesprächsfähigkeit beitragen. Die beiden Ideologien entstammen demselben »realeschatologischen« europäisch-neuzeitlichen Entwurf, dem der politischen Revolution, aber die amerikanische der ersten, freiheitlich-bürgerlichen Phase, die russische der zweiten, radikal sozialistischen. Dazu kommt der eminent wichtige Unterschied der prägenden historischen Erfahrungen beider Nationen.

Beide Nationen sind geprägt durch Expansion, durch die geschichtliche Besiedlung eines nach europäischen Begriffen fast endlosen Raums. Nordamerika wurde erobert und besiedelt von Europäern, die ihre Freiheit suchten. Keinen Anteil zu haben an den verwerflichen Machtkämpfen der europäischen Fürsten, das ist das ursprüngliche Pathos der Vereinigten Staaten, ermöglicht durch die glückliche Isolation zwischen zwei Weltmeeren. Die Freiheit des Marktes und die Größe des Landes ließen dann die Vereinigten Staaten zur größten Wirtschaftsmacht der Erde werden; die Selbstzerfleischung Europas in unserem Jahrhundert nötigte sie in die Rolle der politischen Welthegemonie. Wohl keine Macht in der Weltgeschichte hat diese politisch-imperialistische Rolle so widerstrebend übernommen wie die Amerikaner. Aber gerade die Unerfahrenheit in der imperialen Rolle, der Primat der Innenpolitik in einem System ständig wiederholter Wahlen, verbunden mit der einzigen Konstanten der unausweichlich expansiven Wirtschaftsinteressen, versetzt einige der wechselnden amerikanischen Regierungen in eine wiederkehrende Blindheit gegenüber den wahren Interessen sowohl ihrer Partner wie ihrer Gegner. Diese Blindheit droht die frohe Botschaft der politischen Freiheit zu entwerten, welche Amerika den Völkern der Erde aufrichtig zu bringen beabsichtigt.

Rußland ist geographisch und historisch in der entgegengesetzten Lage. Historisch konnte das Ackerbauernvolk ein Jahrtausend lang in einer von Natur grenzenlosen Ebene, im Westen von überlegener Zivilisation, im Osten von Nomaden auf schnellen Pferden begrenzt, nur durch militärische Stärke bestehen. Militärische Überrüstung und Expansion, bis man an unüberwindliche Grenzen stößt, ist die natürliche, subjektiv als defensiv empfundene Reaktion in dieser Lage. Druck und Gegendruck der Macht ist dann die politische Grunderfahrung. Innenpolitisch stand das seelisch reiche, gefühlsstarke, leidensfähig fromme Volk seit der Staatsgründung unter einem System absoluter Herrschaft. Die geistige Öffnung nach Westen führte zur Selbstbestimmung in der grandiosen russischen Literatur des 19. Jahrhunderts und, in unserem Jahrhundert, zur Revolution unter marxistischer, d.h. westlicher Doktrin. Auch diese Doktrin verspricht den Völkern der Welt, auf dem Wege über die ökonomische Gerechtigkeit, die Freiheit. Die Schwäche ihrer spezifisch sowjetischen Version beruht darauf, daß nirgends in der russischen Geschichte Gelegenheit war, die Erfahrung bürgerlich-demokratischer Freiheit zu machen. Hieraus entsteht auch auf sowjetischer Seite eine spezifische Blindheit für die wahren Interessen ihrer Partner wie ihrer Gegner. Die Folgen sind an China, an Osteuropa und heute auch fast weltweit im Süden ablesbar.

Ein Autor, der, ohne amerikanischer oder sowjetischer Staatsbürger zu sein, Blindheiten bei beiden Großmächten diagnostiziert, muß sich selbst fragen, ob diese Diagnose nicht Ausfluß einer eigenen Blindheit, speziell also eines frustrierten westeuropäischen politischen Hochmuts sei. Zumal für einen Deutschen, der die verbrecherisch verblendete Großmachtpolitik Hitlers als erwachsener Mann miterlebt und ihr nicht hinreichend widerstanden hat, wäre dies unverzeihlich. Vielleicht darf man sagen, daß die Erfahrung der Verstrickung der eigenen Nation und der eigenen Person in das Machtdenken eine Empfindlichkeit für die ihm innewohnenden Gefahren hinterläßt. Große Macht erzeugt nach historischer Erfahrung stets gewisse Verblendungen, setzt sie vielleicht auch schon voraus. Dem Außenstehenden erscheint das als die »Arroganz der Macht«. Der wahre Grund aber ist die Angst. Angst blendet die Sensibilität ab, die zur rettenden Selbstkritik führen könnte, und projiziert statt dessen die Kritik auf den äußeren Gegner.

Die Gefahr der heutigen Situation ist also, daß die beiden Weltmächte einander fast nur als Gegner wahrnehmen, indem beide die an sich begrenzten Machtinteressen der Gegenseite durch Wörtlichnehmen der Ideologie des Gegners ins Unerträgliche überhöhen.

Die vierzig Jahre Waffenstillstand bei Rüstungswettlauf sind kein Trost. Ein Gleichnis sei erlaubt. In Trockenzonen z. B. Australiens und Amerikas hat es oft verwüstende Waldbrände gegeben, nach denen sich die Wälder gleichwohl wieder erholten. Heute hat man gelernt, Waldbrände immer besser zu verhüten. Dadurch sammelte sich aber immer mehr brennbares Material an. Wenn dann doch einmal ein Brand ausbrach, wuchs er zu unlöschbarer Stärke und hinterließ ein Gebiet, in dem das Pflanzen- und Tierleben des Waldes nicht wieder Fuß faßte. Der nördliche Friede der letzten vierzig Jahre könnte die Periode des verhüteten Waldbrandes der Menschheit gewesen sein.

Wir sind verpflichtet, vom Ausmalen der Gefahr zur Schilderung der Hoffnung des politischen Friedens zurückzukehren. Nur die Hoffnung schafft Kraft, der Gefahr zu begegnen. Wir wiederholen hier drei schon ältere Thesen:

1. Der Weltfriede wird zur Überlebensbedingung der Menschheit in einer technischen Zivilisation.

2. Der politisch gesicherte Weltfriede wäre nicht das gol-

dene Zeitalter. Er wäre die Überwindung einer speziellen, nicht mehr zu duldenden Form des Konfliktaustrags.

3. Die Schaffung des Weltfriedens fordert eine außerordentliche moralische Anstrengung.

Einige Erläuterungen zu den Thesen.

1. Die Begründung dafür, daß der große Weltkrieg verhütet werden müßte, liegt auf der Hand. Begrenzte Kriege enthalten eine Eskalationsgefahr, wenn sie in Konfliktzonen der Weltmächte geraten. Insbesondere aber sind sie schier unübersteigliche Hindernisse für die Schaffung derjenigen weltweiten Rechtsordnung, ohne welche der Übergang des Weltmarkts in eine Phase sozialer Gerechtigkeit ausgeschlossen ist. Freilich verstehen in einer Welt sozialer und nationaler Unterdrückung die Revolutionäre und später die Sieger einer Revolution als Kriegführende ihren Kampf als Befreiungskrieg, als moralische Pflicht. Trotz des großen Beispiels von Gandhi ist der Griff zur Waffe die übliche Reaktion. In einer Welt voller Übermacht, voller Ungerechtigkeit und voller Waffen ist diese Reaktion zu erwarten. Nicht der behütete Bürger einer wohlhabenden Demokratie ist hier zur Kritik befugt, sondern nur der gewaltlose Kämpfer. Aber es ist in vielen Fällen zu sehen, daß der Griff zur Waffe einen verhängnisvollen Zirkel erzeugt. Er steigert den Widerstand, den er brechen will. Im Revolutionär erzeugt er häufig eine Seelenhaltung, die ihn nach dem Sieg verführt, eine neue Gewaltherrschaft zu gründen; »die Revolution frißt ihre Kinder«. Und objektiv gesehen verzehrt die Rüstung die Mittel für den wirtschaftlichen Aufbau und hindert der Krieg das Entstehen einer funktionierenden internationalen Rechtsordnung. Wollen wir weltweite soziale Gerechtigkeit, so müssen wir weltweiten politischen Frieden wollen. Keine Gerechtigkeit ohne Frieden.

2. Die zweite These ist die Antwort auf den Einwand, Konflikte gehörten nun einmal zur menschlichen Natur. Die Antwort lautet: Konflikte ja, aber nicht der politisch organisierte gegenseitige kollektive Mord als Form des Konfliktaustrags. Der Krieg von Burg zu Burg, von Stadt zu Stadt ist in wohlorganisierten Nationalstaaten seit langem verschwunden. Unter einer Rechtsordnung kann man ohne or-

ganisierten Krieg zusammenleben, auch wenn man den Nachbarn beneidet oder haßt. Wahlkämpfe können moralisch so ekelhaft sein wie Kriegspropaganda. Aber das Legalitätsprinzip, wo es funktioniert, verhindert den blutigen Austrag.

Die Frage ist nur, wie eine derartige Rechtsordnung weltweit zustande kommen soll. Ein faktischer Verzicht auf die Ausübung des heute völkerrechtlich bestehenden Souveränitätsrechts der Staaten auf Kriegführung wäre unerläßlich. In gewissen Regionen der Erde besteht er heute, so seit langem zwischen den skandinavischen Staaten, zwischen USA und Kanada, seit wenigen Jahrzehnten zwischen den Staaten Westeuropas. Aber in allen diesen Fällen bestehen spezielle innen- und außenpolitische Bedingungen, in den europäischen Beispielen insbesondere die Demokratie und der Verlust der ehemaligen Großmachtpositionen, verbunden mit der Bedrohung durch mächtigere Nachbarn. Wie der Mächtigste genötigt werden kann, auf sein Souveränitätsrecht zu verzichten, ist die Frage. Die Frage der Mäuse: »Wer hängt der Katze die Schelle um?«

Alle historischen Beispiele für die Schaffung eines langdauernden Friedens in einer großen Region beruhen auf dem militärischen Sieg eines Hegemoniekandidaten und, meist, auf der Schaffung eines riesigen Einheitsstaats nach dem Sieg; so in China, so in Rom. Die gemäß diesen Parallelen konservativste Lösung wäre heute die Schaffung eines Weltstaats durch den Sieger in einem letzten Weltkrieg. Darüber, daß dies heute nicht mehr möglich sei, besteht in der gegenwärtigen Öffentlichkeit verbale Übereinstimmung. Angesichts der fortdauernden Labilität der technischen Waffenentwicklung ist aber nicht gewiß, daß es immer so bleiben wird. Und es ist nicht gewiß, daß alle Verantwortlichen an diese Unmöglichkeit auch nur heute oder für eine nahe Zukunft glauben. Gewiß ist nur, daß wir diese Lösung nicht *wollen* dürfen.

Eine scheinbar leichtere, tatsächlich aber radikalere Lösung wäre der freiwillige Zusammenschluß zu einer Weltföderation, die ausdrücklich und bindend auf das Souveränitätsrecht der Kriegführung verzichtete und die nationalen Armeen auf bloße Polizeikräfte reduzierte. Aus freiwilliger Vernunft auf ein Recht zu verzichten, das Gewalt uns bisher nicht entreißen kann, würde jedoch einen Bewußtseinswandel in der Menschheit voraussetzen, der zwar begonnen hat, aber noch weit von seinem Ziel entfernt ist. Heute ist der Gedanke noch utopisch. Aber der Bewußtseinswandel ist unerläßlich. Was man nicht zu wollen vermag, bekommt man nicht geschenkt.

Was heute wirklich geschieht, ist hingegen völlig blaß. Die Staaten reservieren sich das Recht zum Krieg, verzichten aber je nach eigener Einschätzung der Gefahr auf seine Ausübung. Die Vereinten Nationen sind wichtig, weil sie Öffentlichkeit schaffen. Aber sie sind nur ein vorausgeschossener Pfeil der Friedenshoffnung; de facto sind sie weitgehend ein Äußerungsgremium der machtlosen Mehrheit. Ihre Maßnahmen garantieren allenfalls dort den Frieden, wo auch die Mächtigen am Frieden interessiert sind. Es gibt formelle Kriegsächtungspakte; aber sie verdecken die Wirklichkeit der Kriegführung so wenig, daß ihre Existenz der breiten Öffentlichkeit kaum bekannt ist. Träumerisch wiegt sich die Mehrheit der Menschheit in der Hoffnung, der große Krieg werde nicht kommen oder er werde die eigene Region nicht erreichen; mit den kleinen Kriegen aber müsse und könne man leben, zumal wenn sie weit entfernt sind. Und jeder kleine Krieg ist von der Mehrheit der Menschen weit entfernt. Diese Träumerei ist das eigentliche Hindernis des Bewußtseinswandels.

3. Die außerordentliche moralische Anstrengung ist die Anstrengung des Bewußtseinswandels. Diese These kommt als dritte, nach den beiden Thesen, die den *politischen* Weltfrieden fordern. Wir werden im vierten Teil dieser Schrift von dem tiefen Wandel menschlichen Bewußtseins zu echter Friedfertigkeit sprechen müssen. Ich bin überzeugt, daß er im Rahmen der menschlichen Natur und der menschlichen Gesellschaft möglich ist. Der Weg dahin wird durch politische Ordnungen und moralisches Verhalten allenfalls vorbereitet; tatsächlich führt er durch Leiden und Gnade. Die gegenwärtige These verlangt aber etwas Bescheideneres. Sie verlangt denjenigen vernünftigen Bewußtseinswandel, der erlaubt, politische Ordnungen zu schaffen, welche eine seelisch unerlöste Menschheit daran hindern, sich selbst zu vernichten. Diese Vernunft kommt nicht ohne eine moralische Anstrengung, nicht ohne einen tiefen Liebesimpuls zustande. Eine ihrer wichtigen Leistungen aber ist die intellektuelle

Anstrengung, die heutigen politischen Realitäten zu verstehen. Keine Friedensversammlung der Kirchen kann ohne diese intellektuelle Anstrengung wirksam sein.

6. Bewahrung der Natur

Kein Friede zwischen den Menschen ohne Frieden mit der Natur.

Um das, was im Überfluß vorhanden ist, kämpft man nicht. Ökonomie erzeugt und verwaltet Güter, die für uns in der Natur knapp sind. Politische Herrschaft bedeutet Verfügung über knappe Güter. Soziale Ungerechtigkeit ist ungerechte Verteilung knapper Güter. Krieg wird um Lebensräume und Herrschaft, also um knappe Güter geführt. Die moderne Technik erscheint als Weg zur Befreiung aus der Knappheit der Güter. Herrschaft über Menschen, so hofft man, wird nicht mehr nötig sein und wird verschwinden, wenn wir die technische Herrschaft über die Natur errungen haben werden.

Haben wir mit dieser Hoffnung die Rechnung ohne den Wirt gemacht? Die ökologische Bewegung der letzten anderthalb Jahrzehnte hat diese Gefahr wiederentdeckt. Das Abendland ist reich und zeitweilig weltbeherrschend geworden durch die Technik. Kritiker dieses Wegs hat es in allen Jahrzehnten gegeben. Nie hat man man ihre Kritik tiefer vergessen als seit 1945. Jetzt ist im reichen Nordwesten der Rückschlag, die Angst gekommen, durch Gewässerverschmutzung, Bodenerosion, Waldsterben, Reaktorkatastrophen. Einige der größten heute schon erkennbaren ökologischen Gefahren liegen im Süden, so das Abholzen der Regenwälder. Aber im Süden sieht man die gegenwärtige Armut klarer als die vermutete zukünftige Gefahr; welchen Ausweg aus der Armut bieten denn die ökologischen Warner aus dem Norden?

Die wissenschaftlichen und technischen Umweltprobleme sind ihrem Wesen nach detailliert und daher höchst komplex. In der vorliegenden Schrift können wir sie nicht inhaltlich behandeln. Aber eine Kirchenversammlung, zu deren

Themen die Bewahrung der Schöpfung *(integrity of creation)* gehört, wird sich den besten fachmännischen Rat sichern müssen und wird daher auch dem unvermeidlichen Streit der Experten nicht entgehen. Wir bleiben bei zwei prinzipiellen Fragen. Zuerst mehr an der Oberfläche: läßt sich der Schutz der Natur politisch-wirtschaftlich realisieren? Danach drängt sich die grundsätzlichere historisch-anthropologische Frage auf, ob Natur und Zivilisation überhaupt miteinander verträglich sind.

In den nördlichen Staaten haben wir noch heute Anlaß zu der Hoffnung, die Umweltprobleme in tragbaren Grenzen zu halten, freilich nur, wenn wir entschlossen politisch handeln. Hier gilt alles, was oben unter dem Thema Gerechtigkeit und Freiheit mit den Stichworten Legalitätsprinzip und Wahrheitsorientierung gesagt wurde. Für den privaten Marktteilnehmer sind Umweltschäden bzw. deren Vermeidung zunächst externe Kosten, die in seinen direkten Produktionskosten und Verkaufseinnahmen nicht sichtbar werden. Er kann sich daher oft nicht leisten, umweltfreundlich zu produzieren oder zu konsumieren, wenn ihm das Konkurrenznachteile bringt. Beim Umweltschutz ist wie bei der Schaffung der Infrastruktur (Leuchttürme waren das Beispiel des 18. Jahrhunderts) schon nach klassischer wirtschaftsliberaler Theorie der Staat gefordert. Jetzt ist der Staat verpflichtet, durch bindende Vorschriften für alle Marktteilnehmer gleiche Bedingungen für umweltfreundliches Verhalten zu schaffen. Dies wird nie ohne öffentliche Debatte, nie ohne politische Erregung durchgesetzt. Deshalb ist die politische Erregung über die Umweltschäden ein Glück. Wenn das Umweltbewußtsein der Menschen weit genug entwickelt ist, so entsteht sogar ein Marktdruck zugunsten umweltfreundlicher Produkte. In einem transparenten Markt und einer entscheidungsfähigen Demokratie sollten somit nationale ökologische Probleme lösbar sein. Zum Beispiel, wenn hier einmal der Mitteleuropäer sprechen darf, ist die Luft im Ruhrgebiet heute reiner als vor fünfzig Jahren, sind die Schweizer und bayrischen Seen heute sauberer als vor zwanzig Jahren.

Ungelöst ist freilich beim heutigen Tempo der technischen Entwicklung in vielen Fällen die rechtzeitige Erkenntnis der Umweltschäden. Planmäßige Forschung ist hier unerläßlich, aber auch nicht aussichtslos.

Eigentlich unlösbar erscheinen aber die Umweltprobleme bisher, soweit sie die nationalen Grenzen überschreiten. Schon eine eigens für gemeinsame Entscheidungen geschaffene regionale Organisation wie die Europäische Gemeinschaft stößt hier auf die Schwierigkeiten der Kooperation souveräner Staaten. Und weltweit scheitert der Umweltschutz bisher ebenso wie vermutlich die Überwindung der Armut am Fehlen einer bindenden, akzeptablen und durchsetzbaren Rechtsordnung. Beide Probleme hängen zusammen. Es gibt keinen haltbaren Frieden unter den Menschen ohne ein Maß sozialer Gerechtigkeit. Es gibt keine soziale Gerechtigkeit, wenn der Mensch die Ressourcen der Natur aufzehrt. Es gibt also, das sagten wir eingangs, keinen Frieden unter den Menschen ohne Frieden mit der Natur. Es gibt aber ebenso keinen Frieden mit der Natur ohne Frieden unter den Menschen. Man kann nicht durch den Weltmarkt unseren Planeten ökonomisch-funktional zu einer Einheit werden lassen ohne Instanzen einer einheitlichen politischen Entscheidung. Das Ergebnis kann nur katastrophal sein.

Als ein Beispiel ungelöster Probleme, die an sich nicht katastrophal auszugehen brauchten, sei die langfristige Energiepolitik genannt. Die moderne Technik ist wesentlich vom Energiedurchsatz abhängig. Der entscheidende Schritt geschah in den vergangenen Jahrhunderten, als man die sich stets erneuernden Energiequellen wie Wind, Wasser, Brennholz, durch Kohle überbot und ersetzte. Auf den fossilen Brennstoffen ruht heute die Hauptlast der Energielieferung. Sie haben zwei immanente Schwächen. Erstens werden sie sich beim gegenwärtigen oder noch wachsenden Konsum in einer Zeitspanne von der Größenordnung höchstens weniger Jahrhunderte, z.T. weniger Jahrzehnte erschöpfen. Sie bieten also Wachstum um den Preis der längerfristigen Stabilität. Dabei sind sie hochwertige chemische Substanzen, die sehr viel besser genutzt werden können als zum Verbrennen. Zweitens erzeugen sie Schadstoffe in der Atmosphäre. Abgasreinigung ist möglich, aber teuer und über nationale Grenzen hinweg schwer durchsetzbar. Und das drohende Problem der fortschreitenden Klimaänderung auf der Erde, weil das unweigerlich bei der Verbrennung entstehende Kohlendioxid die Atmosphäre im Treibhauseffekt erwärmt, ist bisher ungelöst.

Physiker, unter ihnen auch der Autor, haben daher seit

bald fünf Jahrzehnten ihre Hoffnung auf die Kernenergie als eine umweltfreundliche Alternative gesetzt. Bei Brütertechnik oder Fusion wäre sie in der Tat für Jahrtausende unerschöpflich. Und im Prinzip dürfte eine Energieform großtechnisch um so rentabler, also schonender nutzbar sein, je höher konzentriert der Energieträger ist. Eine Gefahr, deren Umfang wir uns zu langsam klargemacht haben (wenngleich die Fachleute und nicht die Gegner zuerst auf sie aufmerksam wurden), ist der entstehende radioaktive Abfall. Es sollte uns nachträglich nicht wundern, daß eine Reaktion, die auf der natürlichen Erdoberfläche normalerweise nicht vorkommt, Wirkungen ausüben kann, denen das irdische Leben nicht angepaßt ist; im Grund gilt eben dies schon von der massenhaften Verbrennung von Kohle und Öl.

Persönlich erlaube ich mir zwar die Vermutung auch nach Three-Mile-Island und Tschernobyl, daß bei ständig verbesserter Sicherheitstechnik Reaktoren im Normalbetrieb langfristig weniger Umweltschaden anrichten müßten als die fossilen Brennstoffe; freilich bin ich hier kein technischer Fachmann. Aber Gewalteinwirkung ist nicht auszuschließen, und ihre Folgen könnten vernichtend sein. Der amerikanische Reaktorspezialist Alvin Weinberg sagte schon vor langer Zeit: »Garantieren Sie mir tausend Jahre politischen Frieden, und ich garantiere Ihnen tausend Jahre Energieversorgung.« Es ist ein abwegiges Argument, wenn man dann das Schreckgespenst des totalen Atomkrieges als Entschuldigung für nicht gewaltgesicherte Reaktoren anführt, in dem Sinne: »Kommt der Krieg nicht, so passiert nichts; kommt er, so ist ohnehin alles aus.« Mit solchen Alles-oder-nichts-Alternativen ist weder biologische noch zivilisatorische Evolution vereinbar; »Fehlerfreundlichkeit« (von der wir im 7. Kapitel noch reden werden) ist Bedingung lebensfähigen Fortschritts. Gewiß muß die politische Institution des Kriegs überwunden werden. Sie ist aber heute nicht überwunden, und es bezeugt törichtes Wunschdenken, wenn wir handeln, als wäre sie überwunden. Begrenzter Waffeneinsatz, in Krieg oder Terror, ist heute die tägliche Erfahrung auf der Erdkugel. Ich habe zehn Jahre lang, vermutlich ohne hinreichende Abschätzung der technischen und finanziellen Bedingungen, jedenfalls ohne sichtbaren Erfolg, für die Reaktoren (und Wiederaufarbeitungsanlagen!) Sicherung gegen mögliche Waffeneinwirkung gefordert. Heute kann ich für die Zeit, für die wir planen können, nicht mehr zur Kernenergie als leitender Energiequelle raten.

Solche negativen Folgerungen lösen aber das Energieproblem nicht. Photovoltaisch gewonnene, in Wasserstoff gespeicherte Sonnenenergie erweckt heute langfristige Hoffnungen. Freilich ist Sonnenenergie primär diffus verteilt; sie erfüllt das großtechnische Kriterium hoher Konzentration nicht und wird daher eine Breite der Anlagen erfordern, für welche heute sieben Jahrzehnte bis zur adäquaten Aufstellung als leitende Energiequelle genannt werden. Inzwischen wären wir weitgehend auf die noch unzureichend genutzten Möglichkeiten der Energieersparnis angewiesen. Die Sorge scheint nicht unbegründet, daß Energieersparnis zumal im Süden den Wirtschaftsfortschritt bremsen und dadurch das Bevölkerungswachstum weiter antreiben, also die Armut unausweichlich machen könnte.

Dies sind Überlegungen im Begriffsfeld der heutigen Technokratie. Werden wir zu einem völlig anderen Stil des Verhaltens und Denkens gezwungen sein? Gehen wir einer asketischen Weltkultur entgegen?

Die harten Kritiker sehen in der Tat den Konflikt zwischen Ökonomie und Ökologie nicht in den politischen Entscheidungsmechanismen, sondern in zwei unverträglichen Prinzipien: Wachstum als Interesse der Wirtschaft, Stabilität als Lebensbedingung der Natur. Es sei erlaubt, den Konflikt zunächst durch eine historische Hypothese zu unterstreichen.

Die altsteinzeitlichen Jäger- und Sammlerkulturen waren, eingebettet in die Atemzüge der Natur, über Jahrhunderttausende stabil. Sie waren, darf man sagen, selbst Natur. Die Erfindung des Ackerbaus und der Zähmung von Tieren beginnt den Menschen zum Herren der Natur zu machen. Nun wächst die Menschenzahl; kann sie in der Natur eingebettet bleiben?

Unserer oberflächlichen historischen Optik erscheinen zwar auch die alten Hochkulturen als stabil. Sie haben oft über mehrere Jahrtausende die Grundzüge ihrer politischen Ordnung und ihre künstlerischen Ausdrucksmittel, d. h. ihr Selbstverständnis bewahrt. Dreitausend Jahre Altägypten, viertausend Jahre China, auch dreitausend Jahre Hindu-Kultur mit der stabilsten aller hochkulturellen Sozialordnungen, dem Kastensystem, sind Beispiele. Und, sähen wir nicht von innen die Konflikte stärker, so würden wir auch dreitausend Jahre Abendland dazu rechnen. Aber von innen sieht man eben die Abwechslung von stabilen Ebenen und tiefen Krisen deutlicher. Die Phasen politischer Stabilität haben auch in Ägypten und China selten länger als zwei oder drei Jahrhunderte gedauert. Eine Dynastie, so berichten die Chronisten, beginnt mit starken und guten Herrschern und endet mit bösen und schwachen Herrschern, in China oft mit einem bösen Weib. Reicht der Moralismus der Zeitgenossen und Chronisten aus, um dieses Phänomen zu erklären?

Hier die Hypothese: Politische Stabilität in der Hochkultur hat immer ein, wenngleich mäßiges Wirtschaftswachstum vorausgesetzt, etwas rascher als das Wachstum der Bevölkerung. Denn stabile Regierung, die von der Zustimmung der Regierten getragen ist, bedeutet Regierung mit menschenfreundlichen Kompromissen. »Jetzt kannst du noch keinen Posten bekommen, aber in fünf Jahren wird es auch für dich einen geben.« Jede Zivilisation aber ist auf Grenzen ihres Wachstums gestoßen, durch Geographie und Stand der Technik bedingt. Wenn die Grenzen des Wachstums erreicht sind, muß man kompromißlos regieren. Wer das kann, erscheint den Chronisten als böser Herrscher, wer es nicht kann, als schwacher. Die politische Katastrophe ist die Folge, und nach Jahrhunderten der Wirren ist das Land ausgeblutet genug, um zu neuem Wachstum für 200 Jahre anzusetzen.

Die jeweiligen Grenzen des Wachstums sind eine Folge des jeweiligen Standes der Technik. Die moderne Technik ist in so rascher Entwicklung, daß wir die objektiven Grenzen unseres eigenen Wachstums nicht kennen. Gewiß ist, daß die Auswirkungen der Technik die Größenordnung der natürlichen geoklimatischen Änderungen zu erreichen beginnen, daß die Artenvielfalt im organischen Leben in den jetzigen Jahrzehnten rapide abnimmt, kurz, daß die Menschheit, ohne es zu wissen, die Verantwortung für die Fortdauer des organischen Lebens auf der Erde schon übernommen hat.

Unter welchen Bedingungen können wir die Verantwortung für die Erde tragen?

Krieg als Institution, soziale Ungerechtigkeit und Umweltzerstörung sind Folgen der bisherigen Geschichte der Hochkultur. Sie folgen nicht aus einer unabänderlichen Natur des
Menschen. Gemeinsam angewandte politische, wirtschaftliche und moralische Vernunft könnte sie überwinden.

Freilich tritt gemeinsame Vernunft nicht schon dadurch
ein, daß man nach ihr ruft. Sie hat selbst politische, moralische, affektive und – das Wort sei erlaubt – transzendente
Voraussetzungen.

Politisch: Kommunikation ist notwendig, freie Rede, Er-
weckung politischen Wollens, Schaffung von Instanzen
rechtlich bindender Durchsetzung.

Moralisch: Auf den Willen kommt es an. Bereitschaft zum
Hören, zum Helfen, zu den unvermeidlichen eigenen Opfern.

Affektiv: Die gemeinsame Vernunft bedarf eines Affekts,
der sie stützt und belebt. In unserer überlieferten Sprache
heißt er Nächstenliebe.

Transzendent: Weder der Affekt noch die Vernunft noch
der Erfolg ist unserem Willen verfügbar. Der Wille ist notwendig, aber nicht hinreichend. Gnade steht uns bei.

Im nun folgenden 7. Kapitel sprechen wir weiterhin in
Begriffen der profanen Geschichtsschreibung. Danach kehren wir zur Aufgabe der Kirche zurück.

7. Geschichte der Kultur

Die Herkunft der heutigen Weltprobleme vermuten wir im
Werdegang der Hochkultur.

Damit grenzen wir uns gegen zwei heute verbreitete andere Deutungen dieser Probleme ab: gegen die Suche nach dem
Bösewicht und gegen die Resignation vor einer unabänderlichen Natur des Menschen. Wir suchen die Herkunft unserer

Probleme weder in einem aktuellen Mißgeschick noch in der Ewigkeit, sondern in der langen, aber überschaubaren Geschichte von sechstausend oder zehntausend Jahren, in historisch begreiflichen Strukturen.

Natürlich müssen wir bereit sein, uns der Frage zu stellen, was jenseits dieser Strukturen liegt und sie ermöglicht. So fragt die Naturwissenschaft, so fragt auch die Theologie. Im jetzigen Kapitel stellen wir am Anfang die naturwissenschaftliche Frage.

Die Evolutionstheorie lehrt uns, daß der Mensch ein Kind der Natur ist. Die Natur selbst ist geschichtlich. Man hat den Ursprung des Kampfes unter den Menschen im Kampf ums Dasein gesucht, der die Evolution vorangetrieben hat. *Homo homini lupus*, der Mensch ist dem Menschen ein Wolf – das ist eine These, die glaubt, den Menschen als Naturwesen zu verstehen. Von dieser pessimistischen Sicht ist es nicht weit zum optimistisch-zynischen »Sozialdarwinismus«: die im Kampf ums Dasein überlegene Spezies oder Rasse, so sagt man dann, überlebt und soll überleben. Kulturgeschichtlich läßt sich aber erkennen, daß diese Lehre des europäischen späteren 19. Jahrhunderts ein Bild von der Natur entwirft, das ihre eigenen gesellschaftlichen Voraussetzungen spiegelt: Konkurrenzgesellschaft, Militarismus, Rassenkonflikt. Es ist ein Weltbild der zeitweiligen Sieger. Es ist insbesondere schlechte Naturwissenschaft. Es ist schlechte Evolutionstheorie. Es ist nicht auf dem Niveau der Darwinschen Theorie.

Die Wirklichkeit ist sehr viel differenzierter. »Kampf ums Dasein« ist bereits eine einseitige Interpretation der Formel Charles Darwins. *»Struggle for survival«* heißt wörtlich »sich abmühen ums Überleben«. Zeitgenössisch mit Darwins Anfängen war die pessimistische Ökonomie von Robert Malthus: die Menschenzahl wächst immer so lange, bis die Lebensmittel knapp werden. Darwin wendet den Gedanken evolutionistisch und optimistisch: diejenige Spezies überlebt, die das Problem des Hungers am besten meistert. Es bleibt wahr, daß in der Evolution tausend Wesen zugrunde gehen, indem eine Gattung siegt. Der Tod ist selbst eine »Erfindung des Lebens«: Evolution setzt voraus, daß Individuen sterben, um neuen, vielleicht besser angepaßten, Platz zu machen. Die buddhistische Lehre, Leben sei Durst und Leiden, ist der realen Geschichte der Natur näher als viele

ïndische Harmonismen. Aber nichts in diesen Er-
...ïssen rechtfertigt die Heroisierung des Mordens.

Wie kommt Evolution zustande? Die Selektion, »*survival
of the fittest*«, ist nur der letzte Schritt. Was überleben soll,
muß zunächst entstanden sein. Neue Formen entstehen
durch Mutation; und der Gestaltenreichtum, eine entscheidende Voraussetzung der Evolution, bedarf insbesondere
der räumlichen Isolation (wörtlich: »Inselbildung«), also gerade eines Bewahrtseins vor dem härtesten Kampf mit Konkurrenten. Der Begriff der »Fehlerfreundlichkeit« deckt diese Bedingungen der Evolution. Nur was das Spiel der Va-
rianten aushält, ja fördert, ist auf die Dauer lebensfähig.

Die Verhaltensforschung belehrt uns, daß »der Wolf dem
Wolfe kein Mensch ist«. Die Rangordnungskämpfe wehr-
hafter Tiere wie der Wölfe werden gerade nicht durch Tö-
tung, sondern durch die Demutsgeste des Unterlegenen be-
endet. Eine Spezies überlebt nur, wenn in ihr die Tötungs-
hemmung gegen Artgenossen und Blutsverwandte in ange-
messenem Grade wirkt. Der körperlich zunächst unbewaff-
nete Mensch hat diese Hemmung wohl instinktiv zu wenig;
er muß sie in der Kulturentwicklung als bewußte Leistung
erwerben.

Jahrhunderttausendelang hat die frühe Menschheit in
Kleingruppen diesen Gesetzmäßigkeiten allen bisherigen
Lebens angepaßt gelebt; sie konnte nicht anders. Seit erst
rund zehntausend Jahren haben Ackerbau, Städtegründun-
gen, Flußtalkulturen, Großreiche eine neue hohe und labile
Kultur geschaffen, in deren Stabilisierungskrisen wir noch
heute leben. Leistung und Labilität dieser Kultur hängen
wesentlich daran, daß sie eine Kultur »großer« Gesellschaften ist.

Als kleine Gesellschaft mögen wir eine Gruppe bezeichnen, in der die gegenseitigen Beziehungen ihrer Glieder noch
allein durch persönliche Bekanntschaft geregelt werden können, als große Gesellschaft eine solche, in der das nicht mehr
möglich ist. Horden oder Rudel höherer Säugetiere entsprechen dem Typ der kleinen Gesellschaft; ihr Zusammenleben
ist weitgehend durch die Rangordnung ihrer Glieder geregelt. Nomadische oder bäuerliche Großfamilien von Menschen sind noch kleine Gesellschaften. Städte und Reiche
aber bildeten seit jenen frühen Jahrtausenden große Gesellschaften. In ihnen objektivierte man Kooperation und Rang-

ordnung der Menschen durch Arbeitsteilung, durch Tausch- und Geldwirtschaft, durch Recht, das die Wirtschaft ermöglichte, durch Herrschaft, die das Recht garantierte, durch Macht, die die Herrschaft stabilisierte, durch Wissen, das die Macht ermöglichte, und schließlich durch Krieg, der die Folge der gegenseitig bedrohlichen Machtakkumulation war.

Hiermit soll nicht gesagt sein, daß es vor der Hochkultur kein Blutvergießen zwischen Menschen gegeben habe. Die heute bekannten »primitiven« Kulturen sind selbst Produkte einer jahrtausendealten Geschichte, und es ist nicht sicher, wieweit wir aus ihnen auf die frühen Formen zurückschließen dürfen. Sie zeigen jedenfalls ein weites Spektrum meist hochstilisierter Formen des sozialen Umgangs innerhalb der kleinen Gruppe und zwischen den Gruppen, von großer Friedfertigkeit bis zu ritualisiertem Kriegertum. Die Stilisierung aber wird in der Hochkultur anders; wir haben das durch den Begriff des »Objektivierens« angedeutet. Diese Objektivierung darf als eine Stufe in der Ausbildung der menschlichen Möglichkeiten betrachtet werden. Wir heben drei zentrale Begriffe hervor: Geld, Macht und Wissen.

Geld ist das Mittel, die gegenseitigen Leistungen der Menschen zu quantifizieren, meßbar zu machen. In den persönlichen Beziehungen der kleinen Gesellschaft, etwa bei uns noch in der Familie, besteht geradezu ein stillschweigendes Quantifizierungsverbot für die gegenseitigen Leistungen. Persönlicher Umgang in einer stabilen menschlichen Beziehung ist fehlerfreundlich; er fordert die Spielbreite im Handeln, die Unersetzlichkeit des spontanen Nimm-und-Gib. Die Quantifizierung im Warentausch und dann im neutralen Wertmaßstab des Geldes isoliert erst die objektive Leistung von der Person, die sie erbringt, und von der Person, die sie empfängt. Im persönlichen Umgang ist die Leistung stets zugleich von einem Affekt begleitet, sei er nun liebevoll oder mürrisch. Hierauf ist eine hochkulturelle Volkswirtschaft nicht zu gründen. Wir sprachen im 4. Kapitel vom Legalitätsprinzip, vom bewußten Verzicht auf affektive oder moralische Bewertung der Handlungen als Basis einer rechtlich geordneten Gesellschaft. Es ist die optimistische Hoffnung der Markttheorie, daß der transparente Markt ebenso nicht auf die nie objektiv greifbaren Gefühle der Menschen angewiesen ist, sondern eine »objektiv altruistische Struktur« darstellt. Es ist die sozialistische Kritik, daß der reale Markt eben dies nicht leiste, sondern ein Instrument der Herrschaft, also der Macht sei. Es ist die Gegenkritik, daß eine Staatswirtschaft es noch weniger leiste.

Was ist Macht? Wir benützen das Wort »Macht« hier in einem speziellen Sinn, der sich auf die menschliche Kultur bezieht. Wir definieren Macht als die Akkumulation von Mitteln für offengehaltene Zwecke. Macht, so verstanden, ist ein Humanum, etwas, was menschliche von tierischen Gesellschaften unterscheidet. Der Mensch ist fähig, Mittel zu Zwecken anzusammeln: Nahrungsmittel, Werkzeuge, Jagdwaffen, Geld, Waffen gegen Menschen, politische Gefolgschaften.

Durch die Macht wird es möglich, ein Grundphänomen tierischer Gruppen, die Rangordnung, in die breit gefestigte, objektivierte gesellschaftliche Herrschaft umzuwandeln. Hier ist vielleicht eine Bemerkung zur heutigen feministischen Debatte angebracht. Ist das Denken in Machtkategorien nicht ein Symptom der Männergesellschaft, des Patriarchats? Und ist das nicht wider die Natur? Diese Frage ist hoch wichtig. Wie meist sind aber die Zusammenhänge wohl noch verwickelter. Soweit wir sehen, sind die sozialen Gruppen unserer näheren tierischen Vorfahren, also der Säugetiere, zumal der Affen, vorwiegend patriarchalisch organisiert. Das Patriarchat dürfte insofern für den Menschen eine soziale Weiterbildung im Sinne seiner natürlichen Herkunft sein. Viel eher ist gerade die Gleichberechtigung der Frau und das häusliche Matriarchat ein Humanum, ein Zug früher Kulturstufen, in denen die Männergruppe den Wald hat und die Frau das Haus. Dann aber schafft die Hochkultur die große Gesellschaft außerhalb des Hauses, also im Männerbereich, und organisiert so die menschliche Gesellschaft sekundär wieder patriarchalisch.

Rangordnung ist schon in tierischen Gruppen meist mit einem ständig vibrierenden Konkurrenzkampf verbunden. Auch die Mittel, diesen Konkurrenzkampf zu bestehen, werden in der großen Gesellschaft objektiviert. Kasten oder Klassen stabilisieren eine erbliche Rangordnung großer Gruppen. Familien und regionale Gesellschaften grenzen sich gegeneinander ab durch Eigentum, z. B. Landbesitz, der schon im tierischen Territorialismus vorgebildet ist, und schließlich durch Bewaffnung.

In der vibrierenden Machtkonkurrenz kommt es zum Luxurieren der Macht, zu einem unausweichlichen Überfluß der Macht. »Luxurieren« ist ein Ausdruck der Evolutionstheorie. Wenn ein körperliches Merkmal oder eine Verhaltensweise für die Spezies einen Vorteil bietet, wenn, wie man sagt, ein Selektionsdruck zugunsten des Merkmals oder Verhaltens besteht, so kann es geschehen, daß sich dieses im Laufe vieler Generationen immer stärker ausbildet, über die Grenze des Zweckmäßigen hinaus: die Körpergröße der Dinosaurier, der Zahnschmuck des Mammuts, die Balzrituale vieler Vögel. Gerade Verhaltensweisen gegen Artgenossen können luxurieren, weil auch die Reaktion des Artgenossen mitluxurieren kann. Dies gilt in den langsamen genetischen Änderungen; es gilt erst recht in den historischen Entwicklungen menschlicher Lernprozesse.

So funktioniert auch das Luxurieren der Macht. Wer am Wettlauf von Mitteln der Macht teilnimmt, hat die Chance, ihn zu bestehen. So die Kapitalakkumulation in der Marktkonkurrenz. So gibt es auch seit Jahrtausenden militärische Rüstungswettläufe, in denen jeder Teilnehmer seine Sicherheit in der Überlegenheit an Waffen sucht. *Si vis pacem, para bellum:* willst du im Frieden leben, sei für den Krieg gerüstet. Nicht militärisches Gleichgewicht pflegt historisch den Frieden zu bewahren; es fordert zum Kräftemessen heraus. Erst wer dem Gegner militärisch überlegen ist, kann sich sicher fühlen. In diesen Wettläufen zeigt sich ein verhängnisvoller Zirkel. Die Sicherheit durch Überlegenheit kann von zwei Gegnern nur einer haben. Das Gleichgewicht der Waffen stabilisiert sich dann allenfalls an der Grenze der ökonomischen Unerträglichkeit des Rüstungswettlaufs. Allgemein gesagt: Für jeden Teilnehmer ist es während des Wettlaufs förderlich, in der Konkurrenz vorne zu liegen; dem Ganzen aber kann die Konkurrenz, sosehr sie die Mittel vermehrt, letztlich Verderben bringen.

Der Schlüsselbegriff ist »Wissen«. Macht ist Akkumulation von Mitteln für Zwecke; das setzt Wissen über Zwecke und Mittel voraus. Geld ist eine Form abstrakter Macht in einer schon objektiv geordneten Gesellschaft. Was ist Wissen?

Dieses Buch ist keine philosophische Abhandlung; wir müssen uns auf Andeutungen beschränken. Wir heutigen Abendländer stellen uns das Wissen meist in der Form von Urteilen vor, also von Aussagesätzen, die wahr oder falsch sein können. Sie stellen also das Wissen in der Form der Sprache dar. Sprechen ist ein symbolisches Handeln, ein Handeln, das etwas bedeutet. Das Bedeutete kann, in Bitte und Befehl, selber ein Handeln sein, oder, in der Aussage, ein Sachverhalt. Es gibt aber auch wesentlich nichtsprachliches Wissen: Wahrnehmung, praktisches Können. Symbolisches Handeln schafft eine Wahrnehmung durch die Schaffung von Gestalt; alle Kunst ist so. Alle elementare Wahrnehmung ist zugleich affektiv. Das Zuträgliche und Unzuträgliche wird als solches wahrgenommen, es wird erstrebt oder geflohen. Die unendliche Differenziertheit der Affekte trägt den Sinngehalt der Wahrnehmung.

Eine der großen Formen der Wahrnehmung von Wirklichkeit durch die Schaffung einer Gestalt, welche die Wirklichkeit symbolisch darstellt, ist der Mythos. Das Lebenswichtige trägt an sich den großen Affekt. Die große Wirklichkeit, die unser Leben trägt, wird uns im mythischen Bild vor Augen gestellt. Das ist das Göttliche. Wir Modernen nennen die mythischen Götterbilder anthropomorph; wir wissen, wie sie von Kultur zu Kultur variieren. Aber sie haben einen archetypischen Untergrund. Anthropomorph sind unsere Bilder, aber nicht die Wirklichkeiten, welche die Bilder darstellen.

Die Hochkultur hat sich ihre eigenen Grundlagen wohl von Anfang an mythisch klargemacht. Das spiegeln die traditionellen Stiftermythen. Die Grundlage der lebenswichtigen sozialen Herrschaftsordnung spiegelt sich in der göttlichen Weihe des Königtums. Macht ist in Göttergestalten symbolisiert. Geld in der Form von Gold ist ein symbolisches Metall, das den Tauschwert garantiert.

Das Luxurieren des Reichtums aber führt auch zum Elend der Armen. Das Luxurieren der Machtkonkurrenz führt zum nicht endenden Elend der Kriege. Das Luxurieren menschlicher Verfügung über Mittel führt zur Zerstörung ihrer natürlichen Basis. Hier sind wir an der Quelle der Probleme, die wir zuvor beschrieben haben. Im härter werdenden Konkurrenzkampf ist für jeden der andere der Böse, und keiner von ihnen merkt, wie sie gemeinsam den Wettlauf erzeugen, in dem jeder den anderen erst zum Bösen macht.

Selbstverständlich haben immer Menschen gelebt, welche die Quelle des Elends begriffen. In der mythischen Selbstwahrnehmung der frühen Kulturen spiegeln Götterkämpfe die Kämpfe der Mächte. Götterkämpfe spiegeln auch Kulturrevolutionen – die Zuwendung zu einem neuen Gott, der das Heil, den Frieden zu bringen verspricht.

Wohl die größte Wandlung des menschlichen Selbstverständnisses vor der europäischen Neuzeit geschah vor der Mitte des ersten vorchristlichen Jahrtausends. Ihr verdanken wir die neue religiöse Erfahrung der jüdischen Propheten und der griechischen Philosophie, Zarathustras, der Upanischaden und Buddhas, des Taoismus, und die Staatsmoral des Konfuzius. Nicht zwei dieser Gestalten sind gleich. Wir haben hier nicht ihre hochkomplexe Vielfalt zu besprechen, sondern betrachten nur einen gemeinsamen Zug. Gegen die luxurierende Macht tritt in ihnen allen das Ethos auf. Man kann von einem Gegenluxurieren des Ethos gegen den Luxus der Macht sprechen.

Man kann zwei Formen der Gegenbewegung des Ethos gegen Machtkonkurrenz unterscheiden, eine kühle und eine glühende. Die kühle Form mag man Vernunft nennen, die glühende Liebe. Von beiden haben wir in der Eingangsbemerkung dieses dritten Teils gesprochen. Vernunft kann man als eine begrifflich aussprechbare Wahrnehmung des Ganzen bezeichnen. Politik ist der stets neu einzuspielende Kompromiß von Macht und Vernunft. Nächstenliebe, wie die großen Religionen sie lehren, ist Wahrnehmung des Mitmenschen. Sie ist ein Überfluß, eben ein Gegenluxurieren gegen die luxurierende Macht. Nur als Überfluß ist sie Liebe. Und in ihrem Gefolge gibt es den Überschuß menschlichen Einsatzes bis zum Martyrium.

Vernunft und Liebe sind nicht identisch, aber aufeinander angewiesen. Die politische Vernunft muß sich der objektivierenden Mittel der großen Gesellschaft bedienen. Sie muß auch die gesellschaftserhaltenden Verhaltensweisen der Menschen objektivieren. Sie bedarf des Rechts, schafft Normen der Gerechtigkeit, fordert eine politische Moral. Die Nächstenliebe aber knüpft an die Verhaltensweise in der kleinen Gesellschaft an und steigert sie. Wahrnehmung des Mitmenschen geschieht durch den Affekt, nicht durch die Abgemessenheit. Deshalb bringt die Nächstenliebe nicht die abgemessene Moral hervor, sondern den Überschuß; christlich gesagt: nicht Gesetz, sondern Evangelium.

Das radikale Ethos war in doppelter Hinsicht seiner Zeit voraus: religiös und politisch.

In der religiösen Erfahrung: In den meisten asiatischen

Lehren ist das Ethos nicht Gebot, sondern Einsicht in den Zusammenhang, der in Indien karmisch heißt: Schau hin und erkenne selbst die Folgen deines Handelns! In der griechischen Philosophie, die ebenso eine große Religion ist, ist der gereinigten Seele das Gute einsichtig: es ist wahr. In Israel ist die Unterscheidung von Gut und Böse göttliches Gebot. Aber der Gott, der das Gute gebietet, ist ein anderer als der mythische Gott, dessen Sohn der König eines Reiches ist. Der Gott, der sich in den Geboten am Sinai offenbart, wird dann auch als Schöpfer der Welt verstanden. Das Gebot spricht Bedingungen des Überlebens in der Schöpfung Gottes aus. All dies ist Einsicht, ein neues Wissen, Wahrnehmung des Ganzen, eine vor der Logik liegende Vernunft.

In der politischen Erfahrung: Einige der asiatischen Lehren wenden sich vor allem ans Individuum. Buddha gründet einen Mönchsorden, also eine radikal andere Gesellschaft als die große Gesellschaft der alten Hochkultur. Wer sich wie Konfuzius, wie Zarathustra, wie die griechischen Philosophen, wie Mose und die Propheten positiv an die politische Gesellschaft wendet, der muß die radikale Verwandlung der politischen Strukturen fordern. Das Alte Testament ist unverständlich ohne diese Forderung. Das ist der Sinai-Bund: ein ganzes Volk soll leben, wie noch kein Volk gelebt hat, unter dem Gebot, welches das wahre Leben ermöglicht. Das ist die Forderung der Propheten, von Elia bis Micha. Es ist das Versprechen für die Welt, das in der verschlüsselten Sprache kosmischer Gleichnisse, etwa in der Apokalyptik des Buches Daniel, gemeint ist. Wir verstehen nichts von der Apokalyptik, wenn wir sie nicht als die Hoffnung auf ein verändertes Diesseits verstehen.

8. Geschichte der Kirche

Die Kirche hat sich in ihrer Geschichte als der Leib Christi verstanden, als die Gegenwart der Nachfolge Jesu.

Die überlieferten Reden Jesu, so das Gefüge von Bergpredigt, Gleichnissen und Gerichtsreden, sprechen eine eindeutige eschatologische Sprache. *Ta eschata*, das Äußerste, ist der griechische Name für die letzten Dinge, für das erlösende Reich der Himmel, dessen Kommen im Jüngsten Gericht, in der verdienten Zerstörung dieser unserer Welt des Unrechts verborgen ist. Apokalypse ist ein anderes griechisches Wort dafür; es bedeutet Enthüllung, nämlich die Enthüllung des rettenden Willens Gottes durch das Strafgericht hindurch. Wer heute das Wort Apokalypse gleichbedeutend mit Weltuntergang gebraucht, der weiß nicht, wovon bei Jesus die Rede ist; er verwechselt die kosmologische Gleichnisrede mit dem geschichtlichen Sinn des Gleichnisses. Wachet, haltet eure Lampen bereit, denn der Bräutigam kommt, das Hochzeitsfest ist nahe. Das Himmelreich kommt nicht mit äußeren Gebärden, es ist schon da, mitten unter euch; es wächst wie der Baum aus dem Senfkorn. Den Tag und die Stunde aber weiß niemand, auch nicht der Sohn, sondern nur der Vater.

Ich bekenne: Wenn ich als der moderne Wissenschaftler, der ich geworden bin, diese Texte in dem unverwechselbaren Sprachstil Jesu lese, so kann ich mich ihrer offenbaren inneren Wahrheit nicht entziehen. Wäre es anders, so wäre ich nie für ein Friedenskonzil der Christen eingetreten und würde dieses Buch nicht schreiben.

Die sichtbare Geschichte der Welt und damit der Kirche ist freilich anders verlaufen, als die frühen Christen sie erwartet haben. Die Hoffnung, der Gekreuzigte, Auferstandene, zur Rechten Gottes sitzende Christus werde sichtbar als Richter des Erdkreises wiederkommen, hat sich in zweitausend Jahren nicht erfüllt. Statt dessen geschah etwas, was keine Zeile des Neuen Testaments angedeutet hatte: nach dreihundert Jahren waren Christen die Herren des unzerstörten, unerlösten Römischen Reichs. Sie mußten lernen, politische Verantwortung zu tragen. Was ist ihnen, was ist der Welt damit geschehen?

In einem Volksbuch aus der Zeit meiner Großeltern stand: »Und dann ließ Gott den Kaiser Augustus kommen, damit Friede auf Erden sei, wenn Christus geboren würde.« Der Friede war in der Tat ein Grundbegriff der christlichen Geschichte von Anfang an. Es fragte sich von Anfang an: welcher Friede? Er stand unter den gegensätzlichen Bildern, die in den zwei Ehrentiteln bezeichnet wurden: Augustus, d. h. der Geheiligte, und Christus, d. h. der Gesalbte. Die Kirche sagte dann: Caesar oder Christus. Jenes Buch drückte die

Hoffnung der späteren offiziellen Kirche durch anderthalb Jahrtausende aus, beide Gestalten des Friedens möchten im Heilsplan Gottes aufeinander bezogen sein. Aber im Ursprung sind sie Gegensätze. Augustus bezeichnet den Frieden der Macht, Christus den Frieden der Liebe.

Das aufgeklärte Römertum, zumal in der Ära der großen stoischen Kaiser, garantierte den Völkern der Erde den Frieden des durch Macht ermöglichten Rechts. Es verlangte nur, im Kaiserkult, die Geste des Respekts vor der mythischen Weihe dieser Macht. Jesus aber war als Jude geboren. Judentum ist ein Volk, gegründet auf den Bund mit dem Gott, der den Gegensatz von Gut und Böse offenbart. Der Kaiserkult ist dem Juden und Christen unmöglich. Die Christen haben im Römischen Reich welthistorisch gesiegt, *weil* sie zu dieser Geste des Kompromisses nicht bereit waren, sondern eine höhere Macht bekundeten.

Jesus sprengte aber auch den Rahmen der Formen jüdischer Selbstbehauptung. Das Verhalten Jesu war gleich unvereinbar mit sadduzäisch-hohepriesterlicher Kompromißpolitik, mit dem pharisäischen Rückzug auf Gerechtigkeit des eigenen Handelns und mit zelotischem Befreiungsterrorismus. Er war darin verstehender als die Sadduzäer, gerechter als die Pharisäer, radikaler als die Zeloten. Alle drei suchten die Rettung des jüdischen Lebens durch menschliches Handeln; nur die Form des Handelns war kontrovers. Jesus lehrte, daß das Reich Gottes durch Gottes und nicht durch unser Handeln kommt und daß wir schon ihm gemäß leben können, weil es schon mitten unter uns ist.

Indem die christliche Kirche in die reale Weltgeschichte eintrat, bekam sie dieselben Probleme der Selbstbehauptung wie das jüdische Volk, nur nicht mit dem Selbstverständnis als Volk unter Völkern, sondern mit dem Selbstverständnis der Universalität. Dieselben Formen der Selbstbehauptung boten sich an: Anpassung an die Macht, Rückzug auf eigene Gerechtigkeit, aktiver Kampf.

Die Formen waren anfangs unpolitisch und gewaltlos. Da das Reich Caesars nicht unterging, konnten die Christen die Gegenwart des Reiches Gottes nur in der Gemeinde suchen und, da die Lehre von der unsterblichen Seele aus der Philosophie übernommen war, im Inneren der Seele, in der Hoffnung auf ein Jenseits des Todes. Schon Paulus wendet die Radikalität ins Innere. Seine Missionsreisen wären unmöglich gewesen ohne eine Anerkennung des Römischen Reiches als von Gott zugelassene vorläufige Realität.

Nach drei Jahrhunderten trugen aber der christliche Kaiser und seine bischöflichen Partner Weltverantwortung wie zuvor der stoische Kaiser und der römische Senat. Wie sollten sie handeln? Die damalige Modernität bot ihnen keine anderen Denkmittel als die griechische Philosophie und die römische Staats- und Rechtspraxis. In der Bibel bot nur das Alte Testament wenigstens analoge Situationen. Die christliche Kirche erlebte seither fast in jedem Jahrhundert den erneuten Konflikt von verantwortlicher Weltanpassung und eschatologischer Verwerfung der gegenwärtigen Welt. Vermutlich hat nichts das Christentum so lebendig gehalten wie dieser unausweichliche innere Konflikt.

War das historische Christentum die Christianisierung der Welt? War es der Verrat an Christus? War es ein idealistisches Mißverständnis? Wer darf wagen, diese Fragen selbstgewiß oder verurteilend zu beantworten? Die Fragen blieben offen, denn die Geschichte war nicht erfüllt. Vielleicht darf man immerhin sagen, daß in dieser Geschichte niemand die Welt so verändert hat wie die Christen, die nur auf ihr Ende warteten.

In der europäischen Neuzeit wird die Aufklärung zur Speerspitze der geschichtlichen Bewegung. Sie will nun die Welt nicht mehr wartend erdulden und geistlich überwinden, sondern aktiv und rational verändern. Aus der Erwartung des Endes wird der Fortschrittsglaube. Das menschliche Bewußtsein entdeckt die Geschichtlichkeit der Welt. Die Welt ist nicht eine fertige, vollkommene Schöpfung, durch den Sündenfall mehr oder weniger verderbt. Die Menschheit hat eine Vergangenheit, die man als Geschichte des Fortschritts zu lesen wagt, und eine offene Zukunft. Selbst die Natur ist nicht unwandelbar; nur sind ihre Atemzüge langsamer als die der Menschheit.

Diese Wendung aber brachte eine gefährliche Bewußtseinsspaltung zustande. Die Kirche, die das revolutionärste Buch der Menschheit schon so lange bewahrte, wurde in die konservative Rolle abgedrängt. Sie wurde verführt, ihre eigene Vergangenheit zu idealisieren. Eben dadurch verlor sie die Glaubwürdigkeit bei den Anhängern des Fortschritts. Die Gefahr dieser Bewußtseinsspaltung für die Kirche war der Rückzug auf angstvolle Verteidigung, das Halten unhaltbarer politischer und intellektueller Positionen, das Vergraben des Pfundes. Eben deshalb ist die Kirche heute in den »christlichen« Nationen des Nordens nur noch ein Faktor im Kräftespiel einer wesentlich unchristlichen Welt. Dies aber beraubte umgekehrt den Glauben an den Fortschritt der tiefen Belehrung durch die christliche Wahrheit. Die Gefahr für den Fortschritt war die Verflachung, das Dahingleiten in einem naiven Optimismus, durch den das viel zu späte Erwachen im Entsetzen vorprogrammiert war.

Ein Beispiel ist der Konflikt zwischen Kirche und Wissenschaft. Das kopernikanische System und die biologische Abstammungslehre stießen auf den Widerstand der Kirche, die sie doch am Ende akzeptieren mußte. Die heutige Versöhnung in diesen Fragen bedeutet nur, daß die Kirche in einigen Punkten den modernen Bewußtseinsstand erreicht hat. Viel wichtiger wäre, daß die Kirche die Wissenschaft an ihre Verantwortung für das Leben der Menschheit und der Natur erinnerte. Das erst wäre der wahre Dialog.

Ein anderes Beispiel ist die neuzeitliche Glücksorientierung. Das Streben nach Glück *(pursuit of happiness)* nennt die amerikanische Unabhängigkeitserklärung von 1776 neben Leben und Freiheit als eines der drei Menschenrechte. Es ist gewiß ein Ausdruck der Toleranz und damit der Nächstenliebe, dem Mitmenschen sein Konzept des eigenen Glücks zu gönnen. Aber die kirchliche Lehre von der Sünde enthält eine tiefe psychologische Erfahrung, der sich die Glücksorientierung meist entzieht. In moderner evolutionistischer Sprechweise kann man sagen, daß für ein Lebewesen im Gleichgewicht mit seiner Umwelt das Angenehme ein Indikator des Zuträglichen ist. Leiden aber ist dann Indikator notwendiger Veränderung. In den Krisen der Evolution ist das Leiden unausweichlich, als Signal für notwendiges Handeln. Das Leiden unfühlbar zu machen, heißt oft genug, den Wecker aus dem Fenster zu werfen, um weiterschlafen zu können. Das spontane Sündenbewußtsein ist ein solcher Wecker.

In unserem Jahrhundert bereitet sich eine Krise der Neuzeit vor. Die »Realeschatologien«, von denen wir im 3. Kapitel sprachen, sind Symptome der Krise. Als einzige Chance erschien uns eine Leistung gemeinsamer Vernunft. Diese müßte sich gegen die kurzsichtige Rationalität der Einzelinteressen durchsetzen und gegen die starken Affekte, die diese Interessen begleiten. Ich kann mir nicht vorstellen, daß jemand den notwendigen Bewußtseinswandel vollziehen kann, der nicht durch die Verzweiflung hindurchgegangen ist und den nicht der Affekt der Nächstenliebe aus der Verzweiflung gerettet hat.

Dies aber ist die Figur der christlichen Eschatologie. Verzweiflung ist die seelische Vorwegnahme des Gerichts, und Nächstenliebe ist das neue Leben. Wenn die Kirche die Tradition ihres Ursprungs versteht, so hat sie heute der Welt etwas zu sagen, was ihr niemand sonst sagen kann.

Eine Theologie des Friedens, auf die sich die ganze Kirche einigen kann, wird heute möglich und nötig.

Wir legen Vermutungen über die Theologie des Friedens vor.

Sie wird nötig, weil sie möglich wird. Sie wird möglich, weil Friede, der bisher als eine eschatologische Hoffnung jenseits der realen Menschheitsgeschichte zu liegen schien, heute zur realen Bedingung des Überlebens der Menschheit wird.

Als Bedingung einer gemeinsamen Theologie des Friedens wird ein Friede innerhalb der Theologie möglich und nötig, eine Versöhnung theologischer Überzeugungen, die früher mit gutem Grund unversöhnlich sein mußten.

Wir legen zuerst grundsätzliche Vermutungen über die drei Themenkreise Gerechtigkeit, Frieden, Schöpfung vor und dann über die heute mögliche Friedensethik.

9. Gerechtigkeit

»Selig, die da hungert und dürstet nach Gerechtigkeit, denn sie sollen satt werden« (Matth. 5,6).

Was ist Gerechtigkeit?

Wir haben im 4. Kapitel mehrere weltliche, politische Bedeutungen von Gerechtigkeit unterschieden. Wir haben weltliche Gerechtigkeit als Forderung mit Frieden und mit Freiheit verknüpft. Es wird dann gelten, daß es auch keine Theologie des Friedens ohne Theologie der Gerechtigkeit und der Freiheit gibt, und umgekehrt.

Die weltliche Gerechtigkeit ist sichtbare Gerechtigkeit, in den zwei Formen der legalen und sozialen Gerechtigkeit. Wir haben den politischen Nutzen und die moralische Wichtigkeit der Legalitätsforderung hervorgehoben. Der menschliche Richter darf die Legalität des Handelns seiner

Mitmenschen beurteilen, aber er hüte sich vor dem Urteil über verborgene Motive. »Gott aber sieht das Herz an« (1. Sam. 16,7). Meine eigenen Motive habe ich in der Tat vor Gott, vor meinem Gewissen zu verantworten; mir ist nicht erlaubt, mir meine eigenen Motive zu verbergen. Der Freund, der Erzieher, der Seelsorger, der Prophet muß auch die Motive seiner Mitmenschen anschauen. Der Theologie der Gerechtigkeit muß es um die Gerechtigkeit der Herzen gehen, die sich in gerechtem Handeln und gerechtem Gesellschaftszustand auswirken soll.

Die christliche Theologie, so auch ihr Begriff von Gerechtigkeit, hat zwei Quellen: die Bibel und die griechische Philosophie. Der Strom, der dem Zusammenfluß dieser zwei Quellen entspringt, hat dann eigene, neue Gestalten hervorgebracht.

Das Vokabular der Theologie ist zu einem großen Teil griechischer Herkunft. Das Wort »Theologie« selbst ist griechisch und hat keine exakte biblische Entsprechung. Es heißt, möglichst wörtlich gelesen, »vernünftige Rede von Gott«. »Theologie« ist ein Name der zentralen Disziplin der griechischen Metaphysik. In der Scholastik nannte man diese Disziplin »natürliche Theologie«; man deutete damit die griechische Philosophie als Leistung der natürlichen Vernunft, im Unterschied zur Offenbarung. Gerechtigkeit heißt griechisch *dikaiosynē*, was von *dikē*, Recht, und *dikaios*, gerecht, abgeleitet ist. *Dikē*, lateinisch *justitia*, auch als Göttin mit der Waage dargestellt, bedeutet Angemessenheit, rechte Zuteilung. Mit diesem Begriff kann man fast alles interpretieren, was wir über die politische Gerechtigkeit gesagt haben. Dabei ist klar, daß sich der griechische Begriff von Gerechtigkeit gerade auch auf die Motive bezieht. Sokrates ist für die Gerechtigkeit des Herzens gestorben, für die Wahrhaftigkeit.

In bezug auf die biblische Gerechtigkeit ist die christliche Selbstdeutung manchmal der Versuchung erlegen, das Alte Testament unter dem Titel »Gesetz« dem Neuen Testament als »Evangelium« gegenüberzustellen. Dies verkennt die tiefe Verwurzelung Jesu in der jüdischen Überlieferung. Auch wo er über sie hinausgeht, legt er sie nach ihrem eigentlichen Sinn aus.

Das jüdische Gesetz ist von Gott seinem Volk gegeben; es spricht die Bedingungen an, unter denen das Volk als Volk leben kann. Auch bei den Griechen gab es göttlich legitimierte Gesetzgeber. Und die Gerechtigkeit der griechischen Philosophie ist inhaltlich bestimmt durch eine vernünftige Reflexion auf die Lebensbedingungen einer Gesellschaft, eines Volkes. Inhaltlich stimmen die jüdischen und die griechischen Bedingungen in weitem Umfang recht gut überein; die Christen konnten das alttestamentliche Gebot in eben diesem Umfang in Begriffen griechischer vernünftiger Sittlichkeit interpretieren. Aber zuerst die Griechen und dann die Römer gehörten politisch zu den Siegern im Kampf um die Macht, und ihre Philosophen entstammten der sozialen Oberschicht. Sie formulierten Bedingungen gesellschaftlichen Gleichgewichts. Die Juden gehörten nach Ende des davidisch-salomonischen Reiches zu den Unterliegenden. Ihre Propheten weisen auf das Schicksal der Armen, der Elenden hin. Aus dieser Tradition spricht Jesus.

Wenn Jesus sagt, »Es sei denn eure Gerechtigkeit besser als die der Schriftgelehrten und Pharisäer, so werdet ihr nicht ins Himmelreich kommen« (Matth. 5,20), so setzt er sich nicht vom jüdischen Gesetz ab, im Gegenteil. Er kennzeichnet hier eine tiefe Gefahr allen Gerechtigkeitsstrebens, die, in etwas verwandelter Gestalt, im Christentum ebenso wie im Judentum aufgetreten ist. Die Schriftgelehrten sind die jüdische Entsprechung der Theologen; der jüdischen Tradition gemäß suchen sie nicht die Anschauung der umfassenden Vernunft, sondern die treue Deutung der Heiligen Schrift. Die Pharisäer sind die Frommen, die sich aufrichtig um die vollständige Erfüllung des göttlichen Gesetzes bemühen, so wie nach ihnen zahllose christliche Gläubige. Was ist nicht gut in ihrer Gerechtigkeit?

Das Verlangen nach Gerechtigkeit ist ein großes Pathos, das ein Leben erfüllen kann. Gerechtigkeit, als Verhalten, ist nicht die fürsorgende Liebe, Caritas, die Wahrnehmung des einzelnen Mitmenschen, so wie im Gleichnis der Samariter den unter die Räuber Gefallenen wahrnahm. Mein Lehrer, der Physiker Niels Bohr, sagte, Gerechtigkeit und Liebe seien komplementär. Das heißt, beide seien unter uns Menschen notwendig, aber streng vollzogen schlössen sie einander aus. Das Verlangen nach Gerechtigkeit enthält eine zwiefache Versuchung mangelnder Liebe. Die niedrigere, leicht durchschaubare Stufe ist, daß ich für mich Gerechtigkeit verlange, ohne sie anderen zu gewähren; das ist noch gar nicht Gerechtigkeit. Die höhere, gefährliche Stufe ist die Gewißheit, gerecht zu sein, die Selbstgerechtigkeit. Sie warf Jesus den Schriftgelehrten und Pharisäern vor. Selbstgerechtigkeit hat immer wieder gerade die ethischen Charaktere zur Unfühlsamkeit, ja zum Verbrechen, scheinbar im Dienste der guten Sache, verführt. Hungern und dürsten nach Gerechtigkeit heißt in der Bergpredigt danach hungern und dürsten, ein Gerechter zu sein, also gerade nicht sich schon als gerecht anerkennen.

Warum dieser Exkurs? Weil die politische Forderung nach Gerechtigkeit, oft von völlig gerechtfertigtem Zorn getragen, die Versuchung stets in sich enthält, daß wir für unsere eigene Ungerechtigkeit blind werden.

War Jesus ein Vorläufer der sozialen Revolution? Er wurde hingerichtet, weil man seine politische Wirkung fürchtete. Andererseits hat er seinen Jüngern das Mittel der Gewalt verboten. Wichtig ist das Ziel: »Die weltlichen Könige herrschen, und die Gewaltigen nennt man gnädige Herren. Ihr aber nicht so! Sondern der Größte unter euch soll sein wie der Jüngste« und der Vornehmste wie ein Diener« (Luk. 22,25–26). Jesus weist damit auf eine Wandlung des gesellschaftlichen Ethos voraus, die es in christlichen Sekten mehr als in der Großkirche historisch wirklich gegeben hat und die sich im politischen Bewußtsein der letzten neuzeitlichen Jahrhunderte durchzusetzen begonnen hat: den Übergang vom Ethos des Herrschens und Dienens zum Ethos der Freiheit und Gleichheit.

Wir haben davon gesprochen, daß die Rangordnung innerhalb einer Gesellschaft schon tierisches Erbe ist und in der Hochkultur erblich objektiviert wird. In den ethischen Texten des Alten Testaments und in den Apostelbriefen des Neuen Testaments ist als selbstverständlich vorausgesetzt, daß es Herren und Knechte gibt. Die Gleichnisse Jesu setzen diese Gesellschaftsordnung als die allbekannte voraus. Jeder Stand hat seine Pflichten, der Herr hat größere Pflichten als der Knecht; jeder ist gerecht, wenn er seine Pflicht treu erfüllt. Aber Freiheit und Gleichheit, die zum Pathos der Revolution des 18. Jahrhunderts wurden, haben eben auch eine christliche Quelle. Im Reich der Himmel werden wir gleich sein vor Gott und darum frei. Freiwillig werden wir einander dienen.

Unsere Analyse von Gerechtigkeit und Freiheit im 4. Kapitel war neuzeitlich; sie setzte das Ethos von Freiheit und Gleichheit als gleichsam selbstverständlich voraus. Jetzt fassen wir den geschichtlichen Hintergrund und damit die Probleme dieses Ethos ins Auge. Es handelt sich um die unausweichliche historische Spannung zwischen Gerechtigkeit und Liebe.

Der Begriff der Gerechtigkeit bezeichnet gleichsam die ideale Gestalt der Objektivierung der menschlichen Beziehungen in der großen Gesellschaft der Hochkultur. Die überlieferten Erzählungen von Gründerkönigen und Gesetzgebern legen die Vermutung nahe, daß diese gerechte Ordnung, soweit sie bestand, ein Werk planerischen Wirkens, ein Werk der Vernunft der Herrschenden gewesen ist. Die luxurierende Machtkonkurrenz enthüllt die Grenzen der Reichweite dieser Vernunft. Im Machtkampf erweist sich Selbstgerechtigkeit als eine Art Waffe, eine seelische Selbstbestätigung jeder kämpfenden Partei. Durch die Selbstgerechtigkeit wird die Macht böse.

Die Liebe greift demgegenüber auf die direkte Beziehung zum einzelnen Menschen zurück, die in der kleinen Gesellschaft möglich war. Wir haben von einem Luxurieren, einem Überschuß des Ethos in den Hochreligionen gesprochen. Hier wird das übermenschlich Scheinende gefordert, nicht den persönlichen Freund, sondern jeden Menschen als den Nächsten, den Partner der direkten Zuwendung wahrzunehmen. Eben das lehrt das Gleichnis vom Samariter. Wo dies in der Gesellschaft gelingt, ist Erlösung, ist das Himmelreich ohne äußere Gebärden schon mitten unter uns.

Die innere Geschichte der Kirche läßt sich als die Geschichte der ständigen Vibration zwischen Gerechtigkeit und Liebe verstehen. Die Urgemeinde wird uns als eine kleine Gesellschaft geschildert, die von der gegenseitigen Liebe getragen wird. Sie ist nur durch die gemeinsame Gottesliebe möglich: »Du sollst Gott, deinen Herrn, lieben von ganzem Herzen, von ganzer Seele, von ganzem Gemüte und von allen deinen Kräften. Das ist das vornehmste Gebot. Und das andere ist ihm gleich: Du sollst deinen Nächsten lieben als dich selbst« (Markus 12,30–31). Der Bezug auf Gott schafft aber schon in der Urgemeinde eine Rangordnung: die Apostel, dann die Ältesten, später die Episkopoi, d.h. die »Aufseher«, die Bischöfe wurden geehrt. Die gerechte Ordnung gemäß dem überlieferten Ethos des Herrschens und

Dienens wird nicht aufgehoben, aber durch das Ethos der Liebe gleichsam erleuchtet. Indem die Kirche selbst zur großen Gesellschaft wird, treten in ihr alle Probleme der Herrschaft und der Macht auf. Auch und gerade spirituelle Überlegenheit und das geheiligte Amt geben ihrem Träger Macht. Der Machtkampf rechtfertigt sich, wenn er sich als Kampf für die Gerechtigkeit versteht. Nicht umsonst gehören Religionskriege zu den entsetzlichsten Kriegen, gerade weil sie eine für die Kämpfenden überzeugende Rechtfertigung haben. Doch hat es in jedem Jahrhundert große christliche Gegenbewegungen gegen die Versuchung der Macht gegeben. Als Symbolgestalt steht für sie alle, in unserer heutigen geschichtlichen Erinnerung, Franziskus von Assisi.

Das neuzeitliche Ethos der Freiheit und Gleichheit hat hinter sich eine jahrtausendelange, nie ganz erloschene säkulare republikanische Erfahrung und literarische Überlieferung. Die bäuerliche Dorfgemeinschaft ist eine kleine Gesellschaft, deren innere Rangordnung des auswärtigen Königs oder adligen Herrn nicht bedarf. Auch die Stadt ist zunächst klein genug zur republikanischen Selbstverwaltung. Die Geschichte antiker Städte – Athen und Rom z. B. stehen im Licht der Geschichte – berichtet von königlichen Gründern, Übergang zur Adels- und schließlich Volksherrschaft; die spätere Rückkehr Roms zur Monarchie hängt an den funktionellen Notwendigkeiten des Großreichs, in dem die Stadt Rom die militärische Herrschaft ausübte. Die technischen und intellektuellen Mittel der Neuzeit waren nötig, um für einen großen Territorialstaat funktionierende Ordnungen freiheitlicher Selbstregierung zu schaffen. Die innere Logik dieser Ordnungen haben wir im 4. Kapitel beschrieben. In freier Öffentlichkeit kontrollierte Verwaltung und ein transparenter freier Markt können »objektiv altruistische« Ordnungen schaffen, die des Appells an die kaum kontrollierbaren subjektiv altruistischen Motive nicht zu bedürfen scheinen.

Die Katastrophenträchtigkeit der heutigen Welt hängt aber mit der unentwirrbaren Verbindung von Selbstgerechtigkeit und Zynismus bei den Trägern dieser Ordnungen zusammen. Die altüberlieferte Lehre von der Sünde beschreibt genau diesen Hergang. Das naiv-moralistische Verständnis der Sünde als Verletzung des Gebots verbirgt den anthropologischen Gehalt dieser Lehre. Die tiefe Sünde ist die Selbstgerechtigkeit. Die Menschen, die das erfahren, sind es, die nach Gerechtigkeit hungern und dürsten. Sie sollen satt werden. Paulus spricht davon unter dem Namen der Rechtfertigung durch den Glauben.

Die Theologie der politischen und sozialen Gerechtigkeit beschreibt nicht die persönliche Rechtfertigung, sondern ihre Auswirkung in der Gesellschaft. Ihr Inhalt ist hier nicht zu entwickeln. Sie wird in weitem Umfang mit der objektivierenden Gerechtigkeit der säkularen Vernunft übereinstimmen. In der Tiefe hat sie aber das Selbstvertrauen der säkularen Vernunft nicht zu sanktionieren, sondern zu relativieren, zu erschüttern. Sowohl Freiheit wie Gleichheit fördern das Leben, wo sie ein ernsthaftes Spiel sind, zerstören es, wenn sie selbstgerechte Dogmen werden.

10. Friede

»Selig die Friedensmacher, denn sie werden Kinder Gottes heißen« (Matth. 5,9). »Den Frieden lasse ich euch, meinen Frieden gebe ich euch. Nicht gebe ich euch, wie die Welt gibt« (Joh. 14,27).

Was ist Friede?

Friede ist, sozial gesehen, die Fähigkeit der Menschen, miteinander zu leben. Der Mensch kann nicht leben ohne eine gewisse Einsicht in seine Lebensbedingungen. Insofern ist ein Friede stets der Leib einer Wahrheit. Weniger stilisiert gesagt: ein Friede ist der einer Einsicht entsprechende reale Gesellschaftszustand.

Wir haben hier nicht gesagt »der Friede«, sondern »ein Friede«. Es gibt, verschiedenen Einsichten entsprechend, verschiedene Formen des Friedens. Augustus, so sagten wir, bezeichnet den Frieden der Macht, Christus den Frieden der Liebe.

Ehe wir ins Konkrete gehen, sei es erlaubt, den gedanklichen Hintergrund in ein paar aphoristischen Sätzen anzudeuten, deren Ausarbeitung nicht in dieser kurzen Schrift geschehen kann. Die bildliche Rede vom Leib einer Wahrheit hat einen theologischen Hintergrund. Die Kirche versteht sich in paulinischer Tradition als ein Leib, dessen Haupt Christus ist, kurz als der Leib Christi. Wahrheit darf man als die Einheit des Getrennten auffassen. Das Johannes-Evangelium läßt Christus sagen: »Ich bin der Weg, die Wahrheit und das Leben« (Joh. 14,6). Weg: das Getrennte soll geeint werden; bei Johannes ist es der Weg zum Vater. Leben, *zoē*, ist die bewegte Einheit. Wahrheit ist, was sich von selbst so zeigt, wie es ist. Leib ist sichtbares Leben. Wenn sich im Psalm »Gerechtigkeit und Friede küssen« (Ps. 85,11), so drückt der Kuß als altes Friedenssymbol die Leibhaftigkeit des Friedens aus.

Was sagt Jesus über den Frieden?

»Selig die Friedensmacher« *(eireno-poioi):* Friede ist etwas, das gemacht wird. Gewiß kommt er durch die Gnade Gottes; deshalb heißen die Friedensmacher Kinder (wörtlich Söhne) Gottes. Aber uns ist offenkundig nicht aufgetragen, ihn passiv zu erwarten, sondern ihn zu machen.

»Meinen Frieden gebe ich euch. Nicht gebe ich euch, wie die Welt gibt.« Zum römischen Statthalter sagt er: »Mein Reich ist nicht von dieser Welt« (Joh. 18,36). Hier ist das Mißverständnis der Jenseitigkeit abzuwehren. »Diese Welt« oder kurz »die Welt« ist die Welt der Mächte. *Von* dieser Welt ist sein Reich nicht. Es ist aber *in* der Welt; der Schlüsselsatz des Johannes-Evangeliums ist: »Und das Wort wurde Fleisch« (Joh. 1,14). »Fleisch« ist leibliche Gegenwart. »Meinen Frieden gebe ich euch.« Sein Friede ist schon da in der Gemeinde. Der Weg in die Innerlichkeit, der sich schon im Johannes-Evangelium dokumentiert, rechtfertigt es, den Frieden zuerst im Herzen des Friedfertigen zu suchen. Aber eben wer im Herzen friedfertig ist, kann Frieden machen, denn Affekte erwecken gleiche Affekte, die Liebe erweckt die Liebe, der Haß den Haß.

»Wer das Schwert nimmt, soll durch das Schwert umkommen« (Matth. 26,52). »Ich bin nicht gekommen, Frieden zu senden, sondern das Schwert« (Matth. 10,34). Wie vereinen sich beide Sätze, beide aus demselben Evangelium, beide im Sprachton Jesu? Fromme Christen haben gesagt, ein Friedenskonzil der Christen sei aussichtslos, denn Jesus habe ja angekündigt, er bringe das Schwert.

Der erste Satz ist an Petrus gerichtet, der den Herrn gegen die Gefangennahme verteidigen will. »Stecke dein Schwert in die Scheide!« Er ist eindeutig gegen Verteidigung mit Gewalt gerichtet, so wie Jesus bei Johannes zu Pilatus sagt: »Wäre mein Reich von dieser Welt, meine Diener würden kämpfen ... Nun aber ist es nicht von hier« (Joh. 18,36–37).

Der zweite Satz hingegen fordert Entscheidung. »Denn ich bin gekommen, den Mann zu erregen wider seinen Vater und die Tochter wider die Mutter ... Wer Vater oder Mutter mehr liebt als mich, der ist mein nicht wert; und wer Sohn und Tochter mehr liebt als mich, der ist mein nicht wert« (Matth. 10,35–37). Das »Schwert« ist hier das Gleichnis der Trennung, nichts anderes. »Ich bin nicht gekommen, Frieden zu senden«: das ist der Friede dieser Welt, der Friede des Kompromisses mit den Mächten, des Kompromisses zwischen Gut und Böse.

Zunächst betrachten wir nun die Entwicklung der Lehre von Krieg und Frieden in der Geschichte der Kirche.

Das moralische Dilemma des Krieges reicht tief in die Kirchengeschichte zurück. Das Christentum steht in der Tradition der moralischen Gegenbewegung gegen die wuchernde Machtkonkurrenz. Das Himmelreich wurde selbstverständlich als Friedensreich erwartet. Die Urchristen nahmen nicht an der Regierung teil und fanden zunächst keinen Anlaß zum Kriegsdienst. Wie aber, wenn Soldaten Christen wurden, wenn der christliche Kaiser die Menschen seines Reichs militärisch gegen plündernde Barbaren schützte? Die christliche Moraltheologie schuf sich einen lebbaren Kompromiß durch die Lehre vom gerechten Krieg: der Christ darf nur an einem Krieg für eine gerechte Sache und mit gerechten Mitteln teilnehmen.

Man hört heute oft sagen, die Lehre vom gerechten Krieg sei nicht mehr gültig; nur gerechter Friede könne unsere Aufgabe sein. Ich halte das in dem Sinne für wahr, daß die Überwindung der politischen Institution des Krieges zur Bedingung des Überlebens der Menschheit wird. Man soll aber nicht notwendige Ziele mit heutigen Tatsachen verwechseln. Wenn man auf die fortdauernden Kriege der Dritten Welt das Kriterium gerechten Zwecks und gerechter Mittel nicht mehr anwenden dürfte, so würde man diese Kriege damit nicht abschaffen. Die Lehre vom gerechten Krieg sollte ja niemals besagen, Krieg sei an sich gerecht, sondern sie sollte im fortdauernden Elend immer neuer Kriege eine harte Forderung stellen, wann Beteiligung am Krieg erlaubt sei, z. B. in der Verteidigung der Freiheit. Daß diese Lehre für die Lüge und die noch gefährlichere Selbstbelügung anfällig ist, lehrt freilich jede historische Erfahrung: wer Krieg führt, behauptet nun stets, sein Krieg sei gerecht, und glaubt es meist auch. Aber es ist nicht Nächstenliebe, wenn wir das moralische Dilemma der Menschen, die in den traditionellen Strukturen politische und militärische Verantwortung tragen, durch leicht ausgesprochene radikale Forderungen ignorieren.

Freilich hat es zu allen Zeiten Christen gegeben, die die Bergpredigt wörtlich genommen haben, d.h. so wie sie gemeint war. Sie kamen damit fast von selbst in die Lage der Jünger, an die die Predigt seinerzeit gerichtet war: die Lage einer machtlosen Minderheit. Sie haben aber in vielen Fällen durch die Tat zu beweisen vermocht, daß ein solches Leben möglich ist. Ich nenne nur *ein* Beispiel, das ich aus eigener Anschauung kenne, die Quäker. Sie durften nicht töten; so traten sie in Amerika den Indianern waffenlos gegenüber und hatten hundert Jahre – nämlich solange sie die politisch entscheidende Mehrheit in Pennsylvania bildeten – Frieden mit den Indianern. Sie durften nicht schwören; so konnten sie keinen Fürstendienst leisten. Sie durften nicht lügen; so durften sie als Kaufleute nur den Preis nennen, den schließlich zu zahlen oder zu fordern sie entschlossen waren; als Erfinder des festen Preises wurden manche von ihnen reich. Ihre Erfolge sind also nachträglich rational erklärbar und wie alles rational Erklärbare begrenzt. Das Land um Philadelphia war ihnen vom englischen König zugewiesen, der dem Vater von William Penn Geld schuldete; den Indianern brachten sie europäische Güter, aber am Ende gehörte das Land den Weißen. Aber ihr Motiv war nicht die Rationalität, sondern der Glaube, und sie bewiesen durch die Tat, daß ein Leben gemäß den Worten Jesu möglich ist. Wer die Werke des heutigen Friends' Service Committee kennt, kann sie nur bewundern.

In der Tat ist die Lehre vom gerechten Krieg ein ehrwürdiger Kompromiß, aber Jesus kann für sie nicht in Anspruch genommen werden. Politische Verantwortung in der unerlösten Welt ist eine Rolle, die in seiner Predigt nicht vorkommt. So war es wohl unvermeidlich, daß die Kirche in ihrer Theologie von Krieg und Frieden durch mehr als anderthalb Jahrtausende gespalten blieb in die Mehrheit derer, die am bestehenden System teilhatten und deren Führer politische Verantwortung trugen, und in die Minderheit derer, die den Weg der machtlosen direkten Nachfolge wählten, sei es von der Kirche anerkannt, wie etwa die mönchischen Orden, sei es von ihr verurteilt als Sekten. Erst heute wird eine Theologie des Friedens möglich, auf die sich die Kirche muß einigen können; eben weil die politische Institution des Krieges aus säkular einsichtigen Gründen überwunden werden muß.

Der Friede, der jetzt lebensnotwendig wird, ist zunächst der Leib einer anderen Wahrheit als der christlichen. Die Einsicht, die ihn fordert, ist die Einsicht in die Lebensbedingungen der wissenschaftlich-technischen Welt. Die Forderung, den Krieg als politische Institution zu überwinden, stößt eben darum unter traditionellen Christen auf tiefen aufrichtigen Zweifel. Man sagt etwa, der Krieg sei eine Folge der Sünde, und die Sünde werde vor dem Jüngsten Gericht nicht überwunden werden.

Wir würden diesem Einwand nicht gerecht, wenn wir ihn als veraltete Buchstabengläubigkeit abtäten. In der zeitgebundenen Symbolsprache der alten Texte spricht sich ein Wissen um die inneren Konsequenzen der machtbestimmten Zivilisation aus, für das wir heute wieder sensibel werden. Der funktional notwendige Weltfriede kommt – das sehen wir immer deutlicher – gerade nicht durch das funktionale Denken der großen politischen und wirtschaftlichen Mächte zustande. Die Friedenstheologie der Kirche muß diese funktionale Notwendigkeit zwar kennen und betonen. Aber die bloße Anpassung an die Macht dieser Funktionalität bleibt bereit zur Anpassung an das Unerlaubte, z.B. an die Tyrannis, oder an die Verteufelung des jeweiligen Gegners. Die Christen haben zu sagen, daß das weltliche Reich nicht das Reich Gottes ist und daß der weltliche Gegner nicht das Reich des Bösen ist.

Ein persönliches Wort am Ende sei erlaubt. Meine Erwartungen von der Zukunft sind jenseits der Phantasie der Herrschenden, aber auch jenseits der Reichweite meiner eigenen konkreten Phantasie. Ich meine zu sehen, warum das nicht anders sein kann. Ich kann rational buchstabieren, warum der Fortgang der Menschheitsgeschichte nicht den optimistischen Erwartungen der herrschenden Rationalität entsprechen kann. Deshalb berühren mich die apokalyptischen Texte des Neuen Testaments als unmittelbar wahr, auch wenn ich genau weiß, daß sie eine alte mythische Sprache sprechen. In dieser Sprache begegnet uns eine Wahrheit, die unsere Rationalität noch nicht zu erfassen vermocht hat.

11. Schöpfung

»Im Anfang schuf Gott Himmel und Erde« (1. Mose 1,1). »Gott schuf den Menschen sich zum Bilde, zum Bilde Gottes schuf er ihn; und schuf sie einen Mann und ein Weib. Und Gott segnete sie und sprach zu ihnen: Seid fruchtbar und mehret euch und füllet die Erde und macht sie euch untertan und herrschet über Fische im Meer und über Vögel unter dem Himmel und über alles Tier, das auf Erden kreucht« (1. Mose 1,27–28).

Was heißt Schöpfung?

Das erste Kapitel der Bibel deutet die Welt als das wohlgeordnete Werk eines planenden, schöpferischen göttlichen Willens. »Und Gott sah an alles, was er gemacht hatte; und siehe, es war sehr gut« (1. Mose 1,31). Das dritte Thema der Weltversammlung fordert Integrität der Schöpfung *(integrity of creation)*. »Integer« bedeutet im ursprünglichen Wortsinn »unberührt«, »unangetastet«, jedenfalls also »unzerstört«. Unangetastet haben wir Menschen die Welt spätestens seit dem Beginn des Ackerbaus und der Tierzähmung nicht gelassen. Können wir sie unzerstört lassen?

Die Weise, wie wir die Welt heute rational beschreiben und durch welche wir sie verändern, heißt Naturwissenschaft. Die Weise, wie wir den Anfang unseres eigenen verändernden Umgangs mit der Welt beschreiben, ist ein Teil der Geschichtswissenschaft. Die ersten elf Kapitel des biblischen Buches Genesis (1. Mose) beschreiben denselben Anfang der menschlichen Kulturgeschichte. Wir müssen daher mit ein paar Bemerkungen über den theologischen Sinn dieser elf Kapitel und ihr Verhältnis zur heutigen Natur- und Geschichtswissenschaft beginnen.

Der Konflikt zwischen Kirchenglauben und Naturwissenschaft, der ein paar Jahrhunderte der Neuzeit durchzogen hat, war ein Symptom der Bewußtseinsspaltung, von der wir am Ende des 8. Kapitels gesprochen haben. Inhaltlich wäre er bei einem erleuchteteren Selbstverständnis beider Seiten nicht nötig gewesen.

Die biblische Schöpfungserzählung ist gegenüber den wilden Weltentstehungsmythen älterer Völker hochrational. Die Ordnung des vollendeten Schöpfungswerks konnte mit der ewigen Ordnung der Welt, die die griechische Philosophie und Naturwissenschaft lehrte, zur Deckung gebracht werden. Sogar die Schöpfung der auf Dauer angelegten Welt in der Zeit meinte man im künstlerischen Schöpfungsmythos des platonischen Dialogs *Timaios* wiederzufinden. Die neuzeitliche Naturwissenschaft hat griechische Wurzeln. Johannes Kepler verstand die astronomisch-mathematische Erkenntnis des Kosmos als Nachdenken der Schöpfungsgedanken Gottes, als Gottesdienst. Das Erlebnis, das Kepler hier ausdrückt, ist wohl allen schöpferischen Naturwissenschaftlern vertraut, auch wenn nicht alle es positiv religiös aufgefaßt haben.

Aber das Bild der wohlgeordneten Schöpfung oder die mathematisch-musikalische Harmonie der Grundgesetze der Natur ist nicht die ganze Wahrheit. Die Bibel kennt natürlich die blutige, entsetzliche Geschichte der Menschheit; diese Geschichte und die Erlösung in ihr sind das eigentliche Thema der Bibel. Die ersten elf Kapitel der *Genesis* schildern in mythischen Erzählungen, in denen sich historische Erinnerungen spiegeln, wie es zu dieser Geschichte kam. Wir finden in ihnen genau die Themen wieder, die wir in heutiger Sprache als die Geschichte der Hochkultur beschrieben haben; wir dürfen den Anfang der Bibel als eine recht präzise Geschichtstheologie der Hochkultur lesen. Selbst die Zeitskala, rund zweieinhalb Jahrtausende vor Moses, stimmt mit heutigen Datierungen in der Größenordnung überein.

Moderne ökologische Kritiker haben gelegentlich die Schuld für die menschliche Gewaltausübung gegenüber der Natur schon in der biblischen Religion gefunden, nämlich in dem Satz »Macht euch die Erde untertan«. Daß dieser Satz in der christlichen industriellen Neuzeit als Rechtfertigung eines rücksichtslosen, törichten Umgangs mit der Natur verwendet worden ist, mag wohl zutreffen. Die Kritik trifft aber sicher nicht die Absicht der Verfasser des Schöpfungsberichts. Sie reden im Rahmen der einzigen sozialen Ethik, die sie kennen, der Ethik des Herrschens und Dienens. Der Gott, der hier spricht, ist derselbe, der am Sinai seinem Volk die sittliche Ordnung verkündet, nach der es leben kann. Der Text impliziert die selbstverständliche Mahnung: Sorgt für das Wohl meiner Geschöpfe, die ich eurer Macht anvertraut habe! Im nächsten Vers werden die Pflanzen dem Menschen zur Nahrung gegeben; Fleischnahrung wird erst nach der Sintflut erlaubt (1. Mose 9,3), in einem härteren Text.

In der Geschichtstheologie des Buches *Genesis* ist der Übergang in das, was wir höhere Kultur nennen, der Sündenfall. Der Garten Eden ist die idealisierte Erinnerung an eine geschichtslose Zeit des Menschen, eingebettet, wie wir oben sagten, in die langen Atemzüge der Natur. Adam und Eva erkennen, was Gut und Böse ist; sie erkennen den Konflikt menschlicher Geschichte. Sie erschrecken über ihre Natürlichkeit. Sie werden in den Ackerbau genötigt. »Im Schweiß deines Angesichts sollst du dein Brot essen« (1. Mose 3,19). Kain wurde ein Ackerbauer, Abel ein Viehzüchter (4,2). Der Brudermörder Kain baut die erste Stadt (4,17). Kains Nachkommen erfinden die Metallbearbeitung und die Musik (4,21-22). Die Gottkönige der Hochkultur verschulden die Sintflut (6,4). Der Turm von Babel soll den Himmel erreichen (11,4). Die Zerstreuung der Völker und Sprachen, die Voraussetzung der politischen Geschichte, ist Gottes Mittel, uns daran zu hindern.

Der Geschichtshorizont der Bibel ist also die Hochkultur. Wir lesen die Bibel zu Recht im Blick auf die hochkulturellen Probleme. Die heutige Wissenschaft legt vor den Beginn von Ackerbau, Viehzucht und Stadtkultur Jahrhunderttausende menschlicher Geschichte in Kleingruppen und vor den Menschen Jahrmilliarden organischer Evolution. Wichtig für den Gedanken der Integrität der Schöpfung ist darin, daß wir die Geschichte der Natur anders als im biblischen und aristotelischen Bild nicht als ein auf ewige Dauer angelegtes Gleichgewicht sehen, sondern schon als eine ständige Veränderung; die menschliche Geschichte vollzieht die Veränderung nur in sehr beschleunigtem Schritt.

Die Vorstellung einer unangetasteten Schöpfung ist also eine Idealisierung. Als Leitbild begleitet sie aber die biblische Hoffnung auf einen menschlichen Frieden in Gerechtigkeit. In dichterischer Vision: »Ein kleiner Knabe wird

Kälber und junge Löwen miteinander treiben« (Jesaja 11,6). Und bei Paulus: »Das ängstliche Harren der Kreatur wartet auf die Offenbarung der Kinder Gottes« (Römer 8,19).

Was ist die Anwendung auf unsere Zeit? Es handelt sich um das Ethos der Wissenschaft und Technik.

Die Wissenschaft ist eine der großen Objektivierungen der Hochkultur. Abstraktes Wissen kann vermittelt werden über alle Schranken persönlicher und kultureller Differenzen hinweg. Nur in der Wissenschaft besteht heute, gleichsam erstmals wieder seit dem Turmbau von Babel, eine einheitliche Sprache aller Nationen. Eben darum ist die Versuchung groß, nun doch noch den Turm bis zum Himmel zu bauen.

Es gibt eine eigentümliche Faszination der Technik, eine Verzauberung der Gemüter, die uns dazu bringt zu meinen, es sei ein fortschrittliches und ein technisches Verhalten, daß man alles, was technisch möglich ist, auch ausführt. Das ist aber nicht fortschrittlich, sondern kindisch. Reifes technisches Handeln ist völlig anders. Es benützt technische Geräte als Mittel zu einem Zweck. Jedes einzelne technische Gerät ist von einem Zweck bestimmt; es ist so konstruiert, daß das Zusammenwirken aller seiner Teile eben diesem Zweck dient. Kein Gerät ist Selbstzweck. Eine technische Kultur, die sich als Selbstzweck gebärdet, ist als ganze auf einer niedrigeren Entwicklungsstufe als ihre einzelnen Apparate; als ganze ist sie noch untechnisch.

Entsprechendes gilt für die Wissenschaft. Die Wissenschaft ist für ihre Folgen verantwortlich. Die Wissenschaft ist freilich nicht zuerst um ihrer weltverändernden Folgen willen betrieben worden. Aber Wissen ist Macht, auch wenn es nicht um der Macht willen gesucht wurde. Nun fragen Wissenschaftler oft: Wie sollen wir für die Ergebnisse der Wissenschaft verantwortlich sein, die wir vorher gar nicht kennen? Forschung sucht ja das zuvor Unbekannte. Die Antwort: Der Wissenschaftler ist für die Folgen seiner Erkenntnis nicht legal, aber moralisch verantwortlich. Moralische Reife ist einem Menschen nicht erreichbar, der sich für die faktischen Folgen seines Handelns nicht verantwortlich weiß. Wer sonst soll denn die Verantwortung übernehmen, wenn es der Wissenschaftler nicht tut? Wo die Wissenschaft dies nicht sieht, ist sie noch nicht erwachsen, ist sie noch ein Spiel von Kindern.

Nicht der Verzicht auf die Wissenschaft ist gefordert. Nicht der Verzicht auf Wahrheitssuche; das hieße unserer Kultur das Herz herausoperieren. Gefordert ist die Mitwirkung an der politischen Verwandlung unserer Gesellschaft, so daß in ihr technische Mittel begrenzten Zwecken gemäß verwendet werden. Das gilt von der Arbeit am menschlichen Frieden; es gilt auch vom Frieden mit der Natur.

Ist aber das unablässige Wachstum der Menschheit und ihrer Wirtschaft überhaupt mit der Bewahrung der Natur vereinbar? Im 6. Kapitel haben wir die Frage gestellt: Gehen wir einer asketischen Weltkultur entgegen? Wir stellen jetzt nicht die Frage, wie die notwendigen Begrenzungen technisch und politisch zu denken und durchzusetzen sind. Wir fragen nach dem sittlichen Problem.

»Askese« ist ein klassischer Begriff der Religion. Wörtlich bedeutet er Übung, Training; meist wird er als Verzicht verstanden. So wie sich uns die Frage hier stellt, könnte man eine Kultur als asketisch bezeichnen, die bewußt und aus Grundsatz auf ökonomische Güter verzichtet, welche in ihrer technischen Reichweite liegen. Die heutige Kultur ist bewußt antiasketisch; sie ist konsumtiv, und Bedürfnisse werden bewußt geschaffen. Gegenbeispiele gibt es aber. Gandhi war nicht nur der Lehrer gewaltloser Politik, sondern, mit dem Spinnrad, auch der Lehrer einer asketischen Wirtschaft. Heute gibt es zumal in der Jugend vielfache Versuche eines ökonomisch anspruchslosen Lebens.

In der klassischen Kultur, die vom Ethos des Herrschens und Dienens bestimmt war, gab es drei Gestalten der bejahten Selbstbeschränkung: die Bescheidenheit der Dienenden, die Selbstbeherrschung der Herrschenden, die echte Askese der Verzichtenden. In begrenzten Regionen und Zeitspannen konnte dies eine, mit irdischer Unvollkommenheit, harmonische Gesellschaftsordnung sein. Die Güter waren knapp; die Mehrheit war zur Bescheidenheit genötigt. Eine herrschende Elite hatte Selbstbeherrschung zur unerläßlichen Bedingung ihrer Stabilität. Die bewußt Verzichtenden, Mönche und Nonnen, auch mitten im diesseitigen Dienst asketisch Lebende, demonstrierten die Möglichkeit, ja das Glück freiwilligen Verzichts. Durch das Pathos der Freiheit und Gleichheit ist dem heutigen Bewußtsein das Verständnis für diese Lebensform einer Gesellschaft mehr und mehr entglitten. Unser eigenes Überleben könnte davon abhängen, ob uns eine demokratische Askese, ein bewußter Verzicht der ganzen Gesellschaft auf ökonomisch vordergründig verfügbare Güter möglich wird.

12. Friedensethik heute

Eine Theologie des Friedens, die in der Kirche und in der Welt wirksam werden soll, setzt voraus, daß die Theologen den Frieden untereinander suchen.

Der Streit der Theologen, die »rabies theologorum«, ist ein altes Thema der Religionsgeschichte, nicht nur der christlichen. Er ist voll verständlich. In kleineren Fragen ist Kompromißbereitschaft für vernünftige Menschen leicht. Wenn es aber um das höchste Gut, um die rettende Wahrheit geht, darf ich da einer Lehre nachgeben, die mir als Irrlehre erscheint? Die tiefe Versuchung in dieser Haltung ist jedoch wieder die Selbstgerechtigkeit. Bin ich im Besitz der Wahrheit, oder wird die Wahrheit erst sichtbar, wenn wir voneinander lernen? Der Streit zwischen den Lehrern, so sagt eine alte jüdische Erzählung, ist ein Streit um Gottes willen. Nicht der eine oder der andere hat recht; sie halten die gemeinsame Wahrheitssuche wach durch ihren Streit. Der Streit zwischen ihren Schülern aber, so fährt die Erzählung fort, ist kein Streit um Gottes willen. Er ist ein Machtkampf.

Wir versuchen, Deutungen und damit Lösungsangebote aktueller Kontroversen anzubieten.

Zuerst zwei versöhnliche praktische Abgrenzungen: zum christlichen Fundamentalismus und zum notwendigen Dialog der Weltreligionen.

Es ist offensichtlich, daß die gegenwärtige Schrift nicht von einem evangelikalen Fundamentalisten geschrieben ist. Ich bin selbstverständlich – im Rahmen meiner Kräfte – zum Gespräch mit einem Fundamentalisten bereit, wenn er dazu bereit ist, und erst recht bereit zu jeder Zusammenarbeit an dem, was in dieser Schrift praktisch gefordert wird. Es kann die Quelle einer großen Kraft sein, wenn man die Bibel so, wie man sie eben zu verstehen vermag, als Wort Gottes wörtlich nimmt. Ich bin aber, gemeinsam mit der Theologie unseres Jahrhunderts, davon überzeugt, daß man die biblischen Texte besser versteht, wenn man sie im Rahmen ihrer Entstehungsgeschichte liest, mit der heute möglichen Kenntnis der Lebensumstände und des Wissens derer, die sie niedergeschrieben haben. Außerdem widerspricht m.E. die Meinung einiger traditioneller oder evangelikaler Christen, die biblische Botschaft beziehe sich nur auf das Heil der menschlichen Seele und nicht auf die soziale und politische Realität, dem klaren wörtlichen Sinn des Alten und des Neuen Testaments. Mit demjenigen Evangelikalen hingegen, der diesen direkten Sinn der Bibel anerkennt und ihm gemäß zu handeln sucht, ist sehr gute Zusammenarbeit möglich.

Die Begegnung der Weltreligionen ist vielleicht das wichtigste geistige Ereignis unserer Zeit. Es wird gerade durch die gemeinsame Erfahrung der heutigen Lebensgefährdung der Menschheit vorangetrieben. Daß in der vorliegenden Schrift nur zu einer Weltversammlung der Christen aufgefordert wird, hat zwei rein pragmatische Gründe. Erstens: Die Zeit drängt. Ich hatte die Hoffnung, es werde schneller möglich sein, eine christliche als eine universale Versammlung zu berufen; die universale Versammlung könnte ein nachfolgendes Ereignis sein. Zweitens: Wenigstens haben die Christen ein gemeinsames Buch, auf das sie sich beziehen und dem sie nicht entgehen können: das Neue Testament. Das Buch enthält harte Forderungen. Man muß hoffen, daß die Versammlung aus diesen Forderungen nicht leicht in bloße Allgemeinheiten ausweichen wird. Aus diesen Gründen gehe ich im jetzigen Kapitel nur auf die christliche Theologie und Ethik ein. Aber jeder umfassendere Schritt ist zu wünschen.

Der grundlegende Satz einer heutigen Friedenstheologie ist, daß die Institution des Krieges in dieser Zeit überwunden werden muß und kann. Wie dieser Satz eine weltliche Notwendigkeit mit der eschatologischen christlichen Hoffnung verknüpft, ohne sie zu identifizieren, davon haben wir im Abschnitt »Friede« geredet. Die praktische Schwäche dieses Satzes, wenn es bei ihm bliebe, ist, daß alle Seiten, die Kirchen wie die Politiker, sich leicht in Worten zu ihm bekennen können, ohne Schritte zu seiner Verwirklichung zu tun. Was ist *theologisch* über Wege zu seiner Verwirklichung zu sagen?

Die Kirchen haben sich in den vergangenen Jahrzehnten vielfach aufgefordert gefühlt, hierzu Äußerungen zu tun. Es sei erlaubt, daß wir uns hier vorwiegend auf zwei Äußerungen im kirchlichen Rahmen beschränken. Die ältere stammt aus dem persönlichen Erfahrungsbereich des Verfassers: die sogenannten Heidelberger Thesen von 1959. Die neuere stammt aus der katholischen Kirche: drei Hirtenbriefe katholischer Bischöfe von 1983.

Aus den Heidelberger Thesen sei zitiert:
»These 1. Der Weltfriede wird zur Lebensbedingung des technischen Zeitalters.

These 3. Der Krieg muß in einer andauernden und fortschreitenden Anstrengung abgeschafft werden.

These 6. Wir müssen versuchen, die verschiedenen im Dilemma der Atomwaffen getroffenen Gewissensentscheidungen als komplementäres Handeln zu verstehen.

These 7. Die Kirche muß den Waffenverzicht als eine christliche Handlungsweise anerkennen.

These 8. Die Kirche muß die Beteiligung an dem Versuch, durch das Dasein von Atomwaffen einen Frieden in Freiheit zu sichern, als eine heute noch mögliche christliche Handlungsweise anerkennen.«

Die Kommission der Evangelischen Studiengemeinschaft in Heidelberg, die diese Thesen 1959 verabschiedet hat, war bewußt so zusammengesetzt, daß ihre Anhänger den entgegengesetzten, in den Thesen 7 und 8 genannten Überzeugungen angehörten. Die Thesen waren der im Konsens erreichte Kompromiß zwischen beiden Überzeugungen.

Die Kommission ging nicht von einer ethischen oder moraltheologischen These aus, sondern von der weltlich erkennbaren Notwendigkeit, den Krieg als Institution zu überwinden. Die These 6 ist dann der etwas gewagte Versuch, den von Nils Bohr stammenden Begriff der Komplementarität, durch den er u. a. das Verhältnis von Gerechtigkeit und Liebe beschrieben hatte, auf ethische Entscheidungen anzuwenden. In den Erläuterungen zu der These heißt es im Blick auf das Ziel der Herstellung des Weltfriedens: »In der gefährdeten und vorbildlosen Lage unserer Welt können aber Menschen von verschiedenem Schicksal und verschiedener Erkenntnis verschiedene Wege zu diesem Ziel geführt werden. Es kann sein, daß der eine seinen Weg nur verfolgen kann, weil jemand da ist, der den anderen Weg geht.«

Die verschiedenartige Formulierung der Thesen 7 und 8 zeigt, daß die Kommission die Komplementarität ausdrücklich auf eine Übergangszeit bezog. Der früher von den herrschenden Kirchen verurteilte absolute Waffenverzicht wird ausdrücklich als eine christliche Handlungsweise anerkannt. Ich habe dies später durch den Satz kommentiert: »Einige versuchen heute schon streng nach derjenigen Ethik zu leben, die eines Tages wird die herrschende sein müssen, und verweigern jede Beteiligung an der Vorbereitung auf den möglichen Krieg.« In der abschließenden Erläuterung (zu These 11) sagt die Kommission von denen, die auf Waffen grundsätzlich verzichten: »Wer weiß, wie schnell ohne sie die durch die Lüge stets gefährdete Verteidigung der Freiheit in nackten Zynismus umschlüge.«

These 8 hingegen ist durch das »noch« in der Wendung »eine heute noch mögliche christliche Handlungsweise« als vorläufig gekennzeichnet; so auch ausdrücklich in den Erläuterungen dieser These durch die Kommission. In den Erläuterungen zu These 7 heißt es ferner: »Die einzige uns begreifliche Rechtfertigung des Besitzes von Atomwaffen ist, daß ihre Anwesenheit heute den Weltfrieden vorläufig schützt. Ihre Anwesenheit wirkt aber nur, wenn mit ihrer Anwendung für bestimmte Fälle gedroht wird. Die Drohung wirkt nur, wenn die Bereitschaft, Ernst zu machen, vorausgesetzt werden kann. Eine Rechtfertigung ihres tatsächlichen Einsatzes durch die traditionelle Kriegsethik vermögen wir aber nicht mehr zu geben.« Die traditionelle Kriegsethik wurde in den Erläuterungen zu These 5 durch die Lehre vom gerechten Krieg beschrieben.

In den achtziger Jahren ist in der Bundesrepublik Deutschland eine lebhafte Debatte entstanden, ob die These 8 heute noch anwendbar sei. Hierzu kann ich nur meine persönliche Meinung sagen. Ich kann denen, die aufrichtig noch heute keinen anderen Weg zur Kriegsverhütung sehen als durch vorläufige Aufrechterhaltung der Rüstung, die Achtung als Mitchristen heute so wenig versagen wie damals. Ich halte die Lage aber aus den im 5. Kapitel geschilderten Gründen heute, nach einer kaum genutzten Atempause von drei Jahrzehnten, für objektiv gefährlicher als damals. Die Atomwaffe ist nicht direkt die Ursache der Kriegsgefahr; das blinde Vertrauen auf sie ist aber die Hauptursache des Fehlens einer zureichenden politischen Anstrengung.

Im Jahr 1983 ist eine Reihe von Hirtenbriefen nationaler katholischer Bischofskonferenzen veröffentlicht worden, von denen hier diejenigen der Bischofskonferenz der USA, der deutschen und der französischen Bischofskonferenz genannt seien.

Am meisten Aufsehen hat der Hirtenbrief aus den USA erregt. Seine sehr detaillierte Darlegung enthält in der Zusammenfassung die Sätze:

»(2.) In einer Abschreckungsstrategie darf kein *Einsatz* von Kernwaffen *intendiert* werden, der die Grundsätze der Unterscheidung von Kombattanten und Nicht-Kombattanten oder der Verhältnismäßigkeit verletzt. Die Forderungen der katholischen Morallehre verlangen den entschlossenen Willen, moralisch Böses weder zu intendieren noch zu tun, auch nicht, um das eigene Leben oder das Leben derer, die wir lieben, zu retten.

(3.) Abschreckung ist keine geeignete Strategie, den Frieden langfristig zu sichern; sie ist eine Übergangsstrategie, die nur zu rechtfertigen ist in Verbindung mit der unbedingten Entschlossenheit, für Rüstungskontrolle und Abrüstung zu arbeiten.« (S. 10)

Der deutsche Hirtenbrief enthält eine instruktive Darstellung der kirchlichen Lehre von Krieg und Frieden im Laufe der Geschichte und legt das Gewicht auf den Friedensauftrag der Kirche. Der französische Hirtenbrief ist der einzige, der in einer knappen, präzisen Darstellung die nukleare Abschreckung ausdrücklich als heute notwendig verteidigt. Der deutsche und der französische Hirtenbrief halten die von Jesus vorgelebte Gewaltlosigkeit nicht für ein mögliches Mittel praktischer Politik.

Der amerikanische Hirtenbrief geht, umgekehrt als die Heidelberger Thesen, von einer vorgegebenen moralischen Norm aus: der katholischen Morallehre, in Verbindung mit der überlieferten Definition des gerechten Kriegs. Der nichtdiskriminierende nukleare Krieg *kann* dieser Lehre gemäß kein gerechter Krieg sein. Und die Intention, ihn im Ernstfall zu führen, *kann* keine moralisch erlaubte Haltung sein. Wenn es wahr sein sollte, daß die abschreckende Drohung mit diesem Krieg nur dann glaubwürdig und daher wirksam ist, wenn die Drohung wenigstens mit einer Eventual-Intention der realen Ausführung verbunden ist, so wäre die nukleare Abschreckung nach der Doktrin vom gerechten Krieg verboten. Die Beschränkung auf den bloßen Besitz der Waffen, verbunden mit der entschiedenen Betonung der Vorläufigkeit dieser »Übergangsstrategie«, ermöglicht es, in der veröffentlichten Fassung des Hirtenbriefs die totale Verwerfung der Abschreckung eben noch zu vermeiden.

Man wird sagen müssen, daß der amerikanische Hirtenbrief, gerade wegen seines konservativeren Ausgangspunkts, zu einer radikaleren Konsequenz kommt als die Heidelberger Thesen. Es ist in der Tat schwer zu sehen, wie im Rahmen einer ernstgenommenen katholischen Moraltheologie diese Konsequenz vermieden werden soll. Es liegt auf der Hand, welche Schwierigkeit dadurch für die katholische Kirche entsteht. Die amerikanische Regierung hat sich um 1950 für die nukleare Sicherung ihrer Verteidigungsfähigkeit entschlossen und hat sich gegen Ende der fünfziger Jahre die These der Stabilisierung durch gegenseitige gesicherte nukleare Zweitschlagskapazitäten zu eigen gemacht. In konventionellen Waffen konnte sich die Nato dadurch leisten, mit der sowjetischen konventionellen Überlegenheit nicht gleichzuziehen, sondern ihr taktische und mittlere Nuklearwaffen mit der Option des Ersteinsatzes gegenüberzustellen. Diese These der amerikanischen Bischöfe fordert dazu auf, dieses System durch ein anderes zu ersetzen. Es entsteht die Besorgnis um den Schutz der Freiheit zumal in Westeuropa.

Technisch wäre es im Prinzip möglich, die Verteidigung auf konventionelle Waffen zu beschränken. Präsident Reagans Vorschlag einer strategischen Verteidigung im Weltraum (SDI) löst, wie heute alle Experten zugeben, dieses Problem nicht; er würde allenfalls die Wirkung eines nuklearen Schlags, zumal gegen die nuklearen Basen selbst, reduzieren; er würde so die nukleare Abschreckung vermutlich gerade stabilisieren. Der Verzicht auf nukleare Waffen müßte daher ein freiwilliger politischer Entschluß sein, entweder beiderseits durch einen Vertrag oder, wenn dies nicht zustande kommt, einseitig (»Unilateralismus«). In der Situation gegenseitigen Mißtrauens wird ein solcher Verzicht politisch nur zustande kommen, wenn eine zuverlässige konventionelle Verteidigung möglich ist. Eine nichtaggressive und daher nicht zum Rüstungswettlauf führende konventionelle Verteidigung ist technisch im Prinzip möglich. Sie würde auch die politische Verständigung zwischen den Gegnern erleichtern.

Diese Schrift ist nicht der Ort, diese sehr komplizierten technischen und politischen Fragen zu untersuchen. Offenkundig wird aber die ethische Kontroverse, welche die Heidelberger Thesen und die Divergenz der drei katholischen Hirtenbriefe bestimmt, tiefgehend vom Urteil der Autoren über diese Art von Fragen beeinflußt. Rebelliert hiergegen nicht mit Recht das einfache Empfinden des Christen? Kann die Entscheidung, was gut und böse ist, so von militärisch-politischem Sachverstand abhängen? Werden wir nicht noch an dem Tage rüstungspolitische Finessen debattieren, an dem das Unheil über uns und unsere Klugheit hereinbricht?

Ich maße mir nicht an, den Christen, die auf einer Weltversammlung vor dieser Frage stehen werden, vorzuschreiben, wie sie antworten sollen. Es scheint mir besser, meine persönliche Erfahrung angesichts der Frage zu schildern.

Als Kind war ich tief und erschreckend von der Bergpredigt beeindruckt. Erschreckend, denn in meiner Familie verstand man, wie es die allgemeine Überzeugung war, die Verteidigung der Heimat, der Frauen und Kinder, durch den waffentragenden Mann als eine selbstverständliche Pflicht. Die Hälfte der Männer der beiden Geschwisterkreise, denen meine Mutter und mein Vater entstammen, sind im Ersten Weltkrieg in Erfüllung dieser Pflicht gefallen; man trauerte tief um sie und ehrte ihr Opfer. Dabei wußte man, daß die Männer der Gegenseite grundsätzlich im selben Geiste kämpften und starben. Die Pflicht, für die Heimat zu kämpfen, gehörte im Europa der Nationen zu jenen ethischen Normen, die unerklärt und darum ungebrochen galten. Die kindliche Lektüre der Bergpredigt belehrte mich, daß im Grunde unserer Religion eine völlig andere Norm steht, daß also unsere Kultur auf widersprechenden Normen aufbaut. Ich habe diesen Widerspruch seitdem immer gewußt, aber nicht gelöst.

Im Zweiten Weltkrieg gehörte ich nicht zu der kleinen Minderheit in Deutschland, die den Kriegsdienst verweigerte und dies meist mit dem Leben bezahlte. Ich arbeitete über Atomenergie, und es war nicht eigenes Verdienst, sondern Gnade, daß wir – wie wir mit Erleichterung früh erkannten – nicht in der Lage waren, noch während des Krieges Atombomben zu bauen. Schon 1939 hatte mich aber die Erkenntnis, daß Atombomben möglich sein würden, überzeugt, jetzt sei die Zeit gekommen, in der die politische Institution des Kriegs überwunden werden müsse.

Es schien mir damals und scheint mir noch immer, daß die Atombombe zwar die Notwendigkeit der Überwindung des Krieges anzeigt, aber nicht selbst der Weg dazu ist. Nach dem Krieg beschäftigte ich mich ausführlich mit der Lehre und Lebensgeschichte Gandhis. Als der kluge Politiker, der er war, strebte er positiv ein zu seinen Lebzeiten erreichbares Ziel an: die politische Befreiung Indiens. Seine grundsätzlichen Überzeugungen verflochten indische Traditionen mit tiefen Eindrücken, die er in England von christlichen Bruderschaften und vom Neuen Testament empfangen hatte. Er war überzeugt von der Pflicht, für die Gerechtigkeit zu kämpfen, und er konnte sagen: »Gewaltlosigkeit ist besser als Gewalt; Gewalt ist besser als Feigheit.« Gewalt mag vorübergehend der Gerechtigkeit dienen; Gewaltlosigkeit dient auf die lange Frist der Liebe. Gandhi verstand die intelligente Feindesliebe: Es liegt nicht in meiner Macht, den Feind zum Freund zu machen. Aber ich bin ihm auch als meinem Feind die Liebe schuldig: »Liebet eure Feinde ..., tut wohl denen, die euch hassen, ... auf daß ihr Kinder seid eures Vaters im Himmel« (Matth. 5,44–45). Und ich werde humaner und klüger mit dem Feind umgehen, wenn ich seine Motive verstehe. Ich war überzeugt, daß in der Weltlage nach 1945, die zielstrebig auf den dritten Weltkrieg zusteuerte, eine größere Nation oder eine Allianz, die, wissend, was sie tut, auf kriegerische Verteidigung der Freiheit verzichtet, sich und dem Feind eine bessere Zukunft bereitet, als es der Krieg wäre; aber nicht, wenn sie aus Feigheit so handelt, denn Feigheit erzeugt das, was sie fürchtet, und vermag die Folgen des eigenen Handelns nicht zu tragen. Aber ich sah, daß keine unserer heutigen Nationen fähig war, einen solchen Entschluß auch nur ernstlich zu erwägen, es sei denn durchzuhalten.

Ich entschloß mich daher, zu außenpolitischem Verhalten zu raten, das von einer demokratisch oder durch eine Parteioligarchie gewählten Regierung innenpolitisch durchgehalten werden könne. Dieser Pragmatismus entsprach meinem Temperament und den Gewohnheiten meiner Umgebung. Ob er die richtige Entscheidung war, wußte und weiß ich nicht. In jener Zeit, um 1957, wurde die vorübergehende Friedenssicherung durch *gegenseitige* Abschreckung (das französische *dissuasion* = Abmahnung ist ein genauerer Ausdruck) erfunden. Ich habe sie in Deutschland zuerst bekannt gemacht. Sie konnte nur die Atempause bieten, um eine politische Lösung zu suchen. Damit sind wir wieder bei der heutigen Problemlage angekommen.

Natürlich habe ich mich immer von neuem nach den ethischen Grundlagen dieser meiner Entscheidung gefragt. Max Weber unterscheidet Gesinnungsethik von Verantwortungsethik. Die Gesinnungsethik sucht vorgegebene moralische Normen zu erfüllen, »das Gute zu tun, weil es gut ist«. Die Verantwortungsethik beurteilt die Folgen des eigenen Handelns und entscheidet danach. Weber wählt für seine Person die Verantwortungsethik. Auch ich empfinde und denke spontan verantwortungsethisch. Aber Weber wird dem Verantwortungsgehalt der Gesinnungsethik nicht gerecht. Ihre Normen zielen gerade auf die tieferen, längerfristigen Folgen unserer Handlungen.

Man darf behaupten, daß menschliche Gesellschaften nur dann stabil bleiben, wenn ihre fundamentalen sittlichen Normen *unerklärt* gelten. Tradition und religiöse Weihe garantieren diese unerklärte Geltung. Wer anfängt, die Normen durch ihren Nutzen für die Gesellschaft zu erklären, steht in der Versuchung, sie auf sein eigenes Handeln nur nach eigenem Gutdünken anzuwenden; die Normen verfallen dann allzu leicht dem Mißbrauch als Rechtfertigungsideologie privater Interessen. Die großen Philosophen, die den gesellschaftlichen Nutzen der Normen durchdachten, haben auch diese Gefahr gesehen. In Platons Dialog *Kriton* erklärt Sokrates seinem Freunde, warum er auch das moralisch ungerechte, aber legal zustande gekommene Todesurteil akzeptieren muß, um der Fortdauer der Gesetze willen. Im Judentum und Christentum wird die Unerklärtheit der Gesetze dadurch gewahrt, daß Gott sie geboten hat. Christliche Gesinnungsethik maßt sich nicht an, diese Schranke zu überschreiten.

In bezug auf den Krieg aber sind die drei Quellen christlicher Ethik: das Judentum, die Worte Jesu und die griechisch-römische Antike, nicht im Einklang. Im Alten Testament ist Krieg für das Volk Gottes erlaubt, von Josua bis zu den Makkabäern. »Du sollst nicht töten« dürfte historisch zunächst das Verhalten innerhalb des Volkes meinen: du sollst nicht morden; freilich ist dieses Gebot dann ein Ursprung umfassenderer Einsicht geworden. Im Römischen Reich war der Krieg im Dienst des Friedens der Macht traditionsgeheiligte selbstverständliche Pflicht. Jesus aber gibt der machtlosen Gemeinschaft seiner Jünger, durch sie dem machtlosen jüdischen Volk und im Missionsbefehl der machtlosen christlichen Gemeinde das eindeutige Gebot des Gewaltverzichts. In der Großkirche und im christianisierten Imperium nötigte dieser Konflikt zweier unerklärter Gebote zum Versuch einer Analyse durch Vernunft.

Die Analyse, die ich in der vorliegenden Schrift versuche, führt zu dem Schluß, daß in der bisherigen Geschichte der Hochkultur aus angebbaren Gründen diese vernünftige Versöhnung der einander widersprechenden Normen unmöglich war. Der Krieg als anerkannte politische Institution fordert, daß es Menschen gibt, die den Kriegsdienst als moralisch gebotene Pflicht leisten. Es ist aber – ich kann es persönlich nicht anders sehen – unmöglich, die klaren Worte Jesu so umzudeuten, als habe er sie nicht direkt zur Anwendung, sondern nur zur Schärfung des vernünftigen Gewissens gemeint. Dies ist nur eine Mahnung an eine Welt, die nicht fähig ist, seinen Worten gemäß zu leben. Die Unfähigkeit, den Krieg zu vermeiden, ist freilich nicht eine unausweichliche Folge der menschlichen Natur oder der Sünde, sondern Folge einer politisch-kulturellen Entwicklung, die an ihr Ende kommt.

Die pragmatische Entscheidung, den heutigen Regierungen Handlungsweisen vorzuschlagen, ruht auf der Hoffnung, es könne möglich sein, die Institution des Kriegs ohne die Katastrophe eines neuen Weltkriegs zu überwinden. Diese Hoffnung muß phantastisch erscheinen, wenn man die realen politischen Mechanismen genau anschaut. Sie ist phantastisch, *weil* sie vernünftig ist und weil die herrschende Verdrängung der Gefahr und Fehlwahrnehmung des jeweiligen Gegners gerade das Vernünftige als unzweckmäßig erscheinen läßt.

Wenigstens dies sollte die Weltversammlung der Christen aussprechen.

V. Durchführung

13. Praktische Schritte

Es handelt sich um die Vorbereitung, den Ablauf und die Nacharbeit der Versammlung.

Vorbereitung. Die Zeit drängt.

Wer die politischen, ökonomischen, ökologischen Entscheidungen und Krisen der nächsten Jahre, wer die gegenwärtige Not, die nahe Gefahr vor Augen hat, der kann nur mit Staunen der Seelenruhe zusehen, mit der heute eine Konferenz für 1990 geplant, ja gelegentlich die Hoffnung auf eine konziliare Versammlung auf die neunziger Jahre verwiesen wird. Woher wissen wir, daß Gott mit unserer Unentschlossenheit noch so lange Geduld haben wird?

Notgedrungen passen sich die Vorschläge für praktische Schritte, die hier gemacht werden, diesen Zeitplanungen an, immer mit der Frage, ob nicht hier ein Jahr, dort ein Monat, hier wieder ein Jahr eingespart werden könnte.

Fest steht heute der Gebetstag für den Frieden in Assisi, der in vielen örtlichen Gemeinden von gemeinsamen Gebetstagen begleitet sein wird.

Fest steht die Absicht des Ökumenischen Rats der Kirchen, eine Weltkonferenz für Gerechtigkeit, Frieden und Bewahrung der Schöpfung einzuberufen. Der Termin könnte natürlich vorverlegt werden.

Wichtig ist die Frage, wer einlädt. Die Versammlung wird nur dann ökumenisch, d. h. umfassend sein, wenn die katholische Kirche gemeinsam mit den im Ökumenischen Rat vertretenen Kirchen zu ihr einlädt. Die katholische Kirche wird nach dem Gebetstag von Assisi nicht auf weitere Schritte verzichten können. Der Ökumenische Rat wird zu jeder Art seiner Mitwirkung bereit sein müssen, auf die er sich mit der katholischen Kirche einigen kann. Er wird aber seine eigenen Planungen so lange rasch vorantreiben müssen, als die katholische Kirche sich noch nicht zu eigenem Handeln entschlossen hat. Unzureichend, ja hemmend würde es wirken, wenn der Ökumenische Rat seine Planung als feststehend deklarieren und die katholische Kirche nur zur Teilnahme einladen würde.

Zum Namen: Die Versammlung wird aller Voraussicht nach nicht unter dem Namen »Konzil« und sollte nicht unter dem blassen Namen »Konferenz« eingeladen werden. Da in den verschiedenen Sprachen die Worte verschiedene Bedeutungsfelder haben, wäre eine vereinbarte parallele Verwendung verschiedener Namen in verschiedenen Sprachen zu erwägen, z. B. *convocation* auf englisch, »Versammlung« auf deutsch. Auf deutsch klingt »Konvokation« fremd, auf englisch ist *assembly* der feste Name der Vollversammlungen des Ökumenischen Rates.

Für die Zeit vor 1990 schlägt der Ökumenische Rat vorbereitende Regionalkonferenzen vor. Dieser Gedanke verdient intensive Förderung.

Am weitesten fortgeschritten scheint bisher der Plan einer nördlichen Regionalkonferenz, etwa aller Kirchen im Bereich der Konferenz für Sicherheit und Zusammenarbeit in Europa (KSZE). Die gemeinsamen Anliegen sollten hier eine volle Beteiligung der nationalen katholischen Bischofskonferenzen, der orthodoxen Kirchen einschließlich der russischen und der protestantischen Kirchen ermöglichen. 1987 müßte ein möglicher Termin sein. Aber es sollte vorweg ausdrücklich beschlossen werden, die Gerechtigkeit zu einem Thema gleichen Gewichts zu machen. Die Regionalkonferenz des Nordens ist nur dann eine Vorbereitung der Weltversammlung, wenn sie den Norden zugleich auf die Probleme des Südens einstimmt.

Ablauf der Versammlung

Die praktischen Fragen, die vorweg geklärt werden müssen, betreffen die Dauer und den Ort der Versammlung, den beabsichtigten Charakter ihrer Erörterungen, Art und Anzahl der Teilnehmer und, im Umriß, die Anordnung der Sachthemen.

Zu wenig ist in den öffentlichen Erörterungen bisher über die zeitliche Dauer der Versammlung gesprochen worden. Ich plädiere für möglichst frühen Beginn und für hinreichend lange Dauer.

In der Geschichte haben die großen kirchlichen Konzilien oft mehrere Jahre lang gedauert, die großen politischen Konferenzen meist mehrere Monate. Eine Konferenz, die nur wenige Wochen dauert, ist kaum imstande, Grundsatzfragen sorgfältig zu erörtern. Sie ist in Versuchung, sich im Grundsätzlichen auf leidenschaftliche oder fromm-nichtssagende Formeln zu einigen, die im Detail konsequenzlos bleiben. Der Zwang zum Detail ist Zwang zur Ernsthaftigkeit; dafür ist Zeit nötig.

Man kann daran denken, einen Teil der Detailarbeit in die Vorbereitung zu verlegen. Vorkonferenzen können Papiere ausarbeiten, die zur heimischen Diskussion bis zur nächsten Konferenz angeboten werden. Dieses Verfahren ist aber erst dann angebracht, wenn das Stattfinden und der Termin der Weltversammlung fest beschlossen ist. Das Heilsame an der Dauer der Konzilien und der politischen Konferenzen war, daß die Teilnehmer ihnen nicht mehr entfliehen konnten, also zur Ausarbeitung eines Resultats gezwungen waren.

Hingegen sollte eine kirchenrechtliche Verbindlichkeit der Resultate ausdrücklich nicht gefordert werden. Diese Forderung wäre heute ein Hindernis für das Zustandekommen der Versammlung. Die Versammlung soll sich ausdrücklich davon fernhalten, Häresien identifizieren zu wollen. Sie soll kommunizieren, nicht exkommunizieren. Was sie in solcher Gesinnung sagen wird, wird größere Wirkung haben als ein rechtlich zwingender Beschluß.

Zum Ort der Versammlung wird hier kein Vorschlag gemacht.

Art und Anzahl der Teilnehmer: Es wird nicht eine ausschließliche Konferenz von Bischöfen sein. Die aktive Beteiligung des Kirchenvolks ist hoch wichtig. Eine Massenversammlung kann nicht von langer Dauer sein; sie könnte höchstens mit dem Anfang oder dem Ende verbunden werden. Deshalb sollten die beteiligten Kirchen zu Vertretern in der Versammlung nicht nur kirchenleitende Personen, und nicht nur Männer, wählen.

Zur Anordnung der Sachthemen: Der Wunsch wird bestehen, alle wichtigen Themen gleichzeitig anzugreifen, was nur in Kommissionsarbeit mit der nötigen Gründlichkeit möglich ist. Ich hatte anfangs vorgeschlagen, das Thema des politischen Friedens an die Spitze zu stellen, ja, es zum einzigen Thema einer ersten Phase zu machen. Dieses Thema läßt in einer Reihe von Fragen einen nicht nur deklamatorischen Konsens erwarten; und seine Dringlichkeit steht außer Frage. Ein in ihm erreichter Konsens wäre eine Ermutigung für die anderen Fragen. Aber dies ist nur ein zur Erwägung angebotener Vorschlag.

Nacharbeit

Selbstverständlich wird die Versammlung ihre Ergebnisse den Kirchen überbringen, von denen sie beschickt war. Der »konziliare Prozeß« ihrer Verarbeitung wird etwas vom Wichtigsten sein.

Zu erwarten ist, daß die Versammlung Beschlüsse verabschieden wird, die an die Menschheit im ganzen adressiert sind. Wenn sie vermag, im Namen von anderthalb Milliarden Christen zu sprechen, so soll sie von dem Gewicht Gebrauch machen, das ihre Beschlüsse dadurch bekommen.

Zu vermuten ist, daß einer ersten Weltversammlung weitere folgen werden. Es wäre aber schädlich, heute schon den Ernst, den der Name »Konzil« bedeuten sollte, erst von einer späteren Versammlung zu erhoffen. Die erste Versammlung muß handeln, als bleibe keine Zeit zum Hinausschieben des Wichtigen mehr.

Eine hochwichtige Folge wäre ein Konzil der Weltreligionen. Selbstverständlich sollen diese schon an der ersten Versammlung willkommene Gäste sein. Die engste Zusammenarbeit könnte sich vom ersten Anfang schon mit den Juden ergeben, doch sollte sie nie einen ausschließlichen Charakter haben.

Möge uns Gnade beistehen, daß es eine Nacharbeit gibt!

14. Sachthemen

Wir versuchen, in der Form von 16 Thesen die Sachfragen anzuordnen, vor denen die Weltversammlung stehen wird. Die Thesen sind eine knappe Zusammenfassung einiger Themen des Buchs.

Thesen bedeuten ein Gesprächsangebot. Es gibt, roh gesprochen, zwei Typen von Antworten auf die Sachfragen, konsensfähige und kontroverse. Diese Typen haben in der Vorbereitung der Versammlung eine verschiedene Funktion.

Damit wir überhaupt wagen dürfen, das Zusammentreten der Versammlung vorzuschlagen, müssen wir eine hinreichende Menge von konsensfähigen, inhaltlich belangreichen Antworten schon vor Augen haben. Wenn aber das Zusammentreten der Versammlung gewiß ist, so wird umgekehrt ihre Vorbereitung und ihr Ablauf um so fruchtbarer sein, je tiefer man sich auf die gemeinsame Wahrheitssuche im Felde der kontroversen Antworten einlassen wird.

Zu jedem der vier Titel »Name und Sache«, »Gerechtigkeit«, »Friede«, »Schöpfung« werden je vier Thesen angeboten, die charakterisiert werden können als:

1. Überschrift,
2. Ausgangslage,
3. Konsensthemen,
4. Ziel.

»Überschrift« und »Konsensthemen« bezeichnen, was ich jetzt schon für konsensfähig halte, »Ausgangslage« und »Ziel« sprechen meine persönliche Einschätzung als Gesprächsangebot aus. Als »Überschrift« benütze ich jeweils eine sehr allgemein gehaltene grundsätzliche Formel, die analog schon in einem der vorangegangenen Kapitel an die Spitze gestellt wurde. Von ähnlicher Allgemeinheit ist die »Ausgangslage«. Zentral für die reale Arbeit der Versammlung sind jeweils die »Konsensthemen«. Konsens darf dafür vorausgesetzt werden, daß diese Themen behandelt werden müssen. Die Probe aufs Exempel liegt darin, wieweit man in ihnen wird konkret werden können. Positive Vorschläge für solche konkreten Antworten auszuarbeiten, wäre eine Aufgabe für die Vorbereitung der Versammlung. Das »Ziel« ist jeweils in ein ethisch-theologisches und in ein politisches aufgegliedert. Das Ziel ethisch-theologischer Einigung sollte in einem Prozeß erreichbar werden, der schon begonnen hat, aber lange dauert. Das politische Ziel muß zunächst unerreichbar erscheinen, ist aber nach meiner Überzeugung unerläßlich. In dieser Spannung zwischen dem Notwendigen und dem heute Erreichbaren leben wir.

Thesen

I. Name und Sache

1. Eine Weltversammlung der Christen für Gerechtigkeit, Frieden und Bewahrung der Schöpfung soll einberufen werden.

2. Die Menschheit befindet sich heute in einer Krise, deren katastrophaler Höhepunkt wahrscheinlich noch vor uns liegt. Deshalb ist entschlossenes Handeln nötig.

3. Die Krise ist sichtbar in den drei Themenbereichen Gerechtigkeit, Friede, Natur. Es gibt ethisch konsensfähige, politisch realisierbare Forderungen zum Verhalten in diesen Bereichen.

4. In bezug auf die drei Bereiche ist eine Einigung der Christen und eine Übereinstimmung der Weltreligionen möglich und geboten. Eine weltweite politisch wirksame Rechtsordnung ist zu fordern.

II. Gerechtigkeit

1. Kein Friede ohne Gerechtigkeit, keine Gerechtigkeit ohne Frieden. Keine Gerechtigkeit ohne Freiheit, keine Freiheit ohne Gerechtigkeit.

2. Gerechtigkeit meint sowohl Legalität, d.h. nationales und internationales Recht einschließlich der Menschenrechte, wie soziale Gerechtigkeit, ohne welche dem Armen seine legalen Rechte nichts nützen.

3. Die Versammlung wird konkrete Aussagen über Themen wie Rassismus, Frauenrechte, Gewaltausübung, Arbeitslosigkeit machen wollen und müssen.

4. Eine gemeinsame christliche Sozialethik ist möglich. Eine durchsetzbare Weltwirtschaftsordnung ist politisch nötig.

III. Friede

1. Die Zeit ist gekommen, in der die politische Institution des Krieges überwunden werden muß und kann.

2. Die Gefahr eines dritten Weltkrieges ist nicht gebannt. Die nukleare Abschreckung hat uns eine Atempause gewährt. Sie ist moralisch problematisch und bietet keine permanente Gewißheit. Sie hat die über hundert nichtnuklearen

Kriege seit 1945 nicht verhindert. Der Friede kann permanent nicht technisch, sondern nur politisch gesichert werden.

3. Die Versammlung muß, wenn sie dazu noch zurechtkommt, eine gemeinsame Politik der Großmächte für Entspannung, Rüstungsabbau, wirtschaftliche und kulturelle Zusammenarbeit dringend fordern.

4. Eine gemeinsame christliche Friedenstheologie wird erstmals seit 1700 Jahren möglich. Politisch verlangt die Überwindung des Krieges als Institution den Verzicht der Staaten auf das Souveränitätsrecht der Kriegführung.

IV. Schöpfung

1. Kein Friede unter den Menschen ohne Frieden mit der Natur. Kein Friede mit der Natur ohne Frieden unter den Menschen.

2. Es ist ein untechnisches Verhalten, alles zu realisieren, was technisch möglich ist. Wir sind heute in Gefahr, die Existenzbasis der Pflanzen, Tiere und Menschen im Ablauf einiger Jahrzehnte zu zerstören.

3. Die Versammlung wird sich auf Fragen der internationalen Energiepolitik, der Landwirtschaft, des Schutzes der Wälder, zumal in den Tropen, einlassen müssen.

4. Eine Wissenschaft, die sich für ihre Folgen nicht verantwortlich weiß, und eine Technik, die nicht bewußt fehlerfreundlich geplant ist, sind moralisch und politisch unreif. Die großen Umweltprobleme müssen im Rahmen einer Weltwirtschaftsordnung behandelt werden.

15. Die Zeit ist reif

Es sei erlaubt, mit einer persönlichen Bemerkung zu schließen.

Gegen Ende des Zweiten Weltkrieges hatte ich in einer Nacht drei Träume.

Der erste Traum war ein Bild. »Koordinatenbeginn: eine einsame Träne. Rings der Raum: ein Meer von Tränen.«

Der zweite Traum zeigte die Schrecken des Krieges.

Im dritten Traum fuhr ich in der letzten Nachtstunde vom oberen Rand in den weiten dunklen Talkessel hinunter, in dem meine zerstörte Heimatstadt lag. Am Osthorizont kam das erste Licht des neuen Tages herauf. Ich sah es; die unten im Tal konnten es noch nicht sehen.

Als ich aufwachte, wußte ich, daß sich der Traum nicht nur auf den soeben zu Ende gehenden Krieg bezog, sondern auf die unvollendete Geschichtsepoche, für die dieser Krieg ein Warnschrei war.

Wie ist heute die Nutzanwendung?

Wenn die Tränen nicht rechtzeitig geweint werden, so wird es kein Friedenskonzil geben, sondern das nackte Entsetzen. Tränen sind eine Gnade. Sie sind der Beginn des Trostes, der zu uns kommt, wenn wir gewagt haben, dem Schrecken in die Augen zu schauen. Solange wir den Schrecken verdrängen, leben wir in dem Krampf, in dem unsere scheinbar verständigen und entschlossenen Handlungen das Unheil herbeiführen, das sie unserer Vorstellung nach hätten verhindern sollen. Die Träne gibt die falsche Hoffnung auf, wir seien Meister unseres Geschicks. Sie eröffnet den Weg zur wachen Hoffnung auf das, was nicht in unserer Macht steht. Und damit macht sie uns frei zum wirklichen Handeln. Wir sehen dann das erste Licht des neuen Tags.

Die Zeit ist reif.

Literatur

Zu einzelnen Kapiteln der Schrift ›Die Zeit drängt‹

1. Kapitel: Vorgeschichte

Dietrich Bonhoeffer: Ansprache in Fanö, 28. August 1934. In: Eberhard Bethge (Hrsg.): Dietrich Bonhoeffer – Gesammelte Schriften. Chr. Kaiser Verlag, München 1965, S. 216 bis 219
  6. Vollversammlung des Ökumenischen Rats der Kirchen, Vancouver 1983: Erklärung zu Gerechtigkeit und Frieden. In: Chr. Krause (Hrsg.): Aufruf zum Konzil des Friedens. Fulda, Deutscher Evangelischer Kirchentag 1985

7. Kapitel: Geschichte der Kultur

Christine von Weizsäcker, Ernst U. von Weizsäcker: Fehlerfreundlichkeit. In: K. Kornwachs (Hrsg.): Offenheit, Zeitlichkeit, Komplexität – Zur Theorie der offenen Systeme. Campus Verlag, Frankfurt am Main 1984
  Carl Christian von Weizsäcker: Zeit und Geld. Manuskript, 1985 (Zur großen Gesellschaft)

12. Kapitel: Friedensethik heute

Heidelberger Thesen 1959. In: Klaus von Schubert (Hrsg.): Heidelberger Friedensmemorandum. Reinbek 1983; und in: Carl Friedrich von Weizsäcker: Der bedrohte Friede. Carl Hanser Verlag, München 1981
  Sekretariat der Deutschen Bischofskonferenz (Hrsg.): Pastoralbrief der Katholischen Bischofskonferenz der USA über Krieg und Frieden: Die Herausforderung des Friedens – Gottes Verheißung und unsere Antwort. 1983 (In: Stimmen der Weltkirche 19)
  Sekretariat der Deutschen Bischofskonferenz (Hrsg.): Ge-

rechtigkeit schafft Frieden – Wort der Deutschen Bischofskonferenz zum Frieden. (Die deutschen Bischöfe 34, 18. April 1983)

Sekretariat der Deutschen Bischofskonferenz (Hrsg.): Den Frieden gewinnen – Dokument der Französischen Bischofskonferenz. 1983 (Stimmen der Weltkirche 19 A)

Zur ganzen Schrift ›Die Zeit drängt‹

Carl Friedrich von Weizsäcker: Der bedrohte Friede. Carl Hanser Verlag, München 1981. Darin speziell: ›Bedingungen des Friedens‹ (1963; S. 125 bis 137), ›Der weltpolitische Zyklus‹ (1965; S. 138 bis 144), ›Gehen wir einer asketischen Weltkultur entgegen?‹ (1978; S. 383 bis 416), ›Die intelligente Friedensliebe‹ (1980; S. 533 bis 538), ›Was folgt?‹ (1981; S. 591 bis 626)

Carl Friedrich von Weizsäcker: Wahrnehmung der Neuzeit. Carl Hanser Verlag, München 1983; Taschenbuchausgabe: Deutscher Taschenbuch Verlag, München 1985. Darin speziell im Kapitel II, 4 (›Begriffe‹) die Abschnitte: ›Natur, Christentum, Realität‹ (S. 362 bis 371), ›Macht‹ (S. 379 bis 384), ›Moral und Politik‹ (S. 388 bis 402)

Das Ende der Geduld
Carl Friedrich von Weizsäckers
›Die Zeit drängt‹
in der Diskussion

Erhard Eppler
Denkbare Inhalte eines konziliaren Prozesses

I

Welche Fragen sind zu stellen, die einen konziliaren Prozeß und erst recht ein Konzil, eine Weltversammlung oder eine Konvokation sinnvoll erscheinen lassen?

Bleibt es bei den Fragestellungen, die wir aus der innerkirchlichen Diskussion der EKD seit 30 Jahren gewohnt sind, so wird ein Konzil entweder repräsentativ, aber nicht eindeutig, oder eindeutig, aber nicht repräsentativ sein. Ein konziliarer Prozeß muß sich rasch totlaufen, wenn in Fragen, die nun seit drei Jahrzehnten kontrovers sind, eine Seite die andere überzeugen will. Zum Prozeß kommt es erst, wenn alle zusammen aus den Gräben der fünfziger Jahre heraussteigen, sich die Augen reiben und eine Wirklichkeit wahrnehmen, die mit der von 1959 nicht mehr viel gemein hat, und sich dann auf neue Fragen verständigen.

Daß theologische Debatten ins Grundsätzliche gehen, liegt in der Natur der Sache, der Theologie. Aber die Scheidung im Grundsätzlichen hat die evangelische Kirche von Jahrzehnt zu Jahrzehnt mehr behindert und gelähmt bei ihrer politischen Diakonie. Entweder man war für Atomwaffen oder man war dagegen, man war für Waffen oder dagegen. War man dagegen, so interessierten Änderungen oder Modifikationen von Bewaffnung und Strategie nur am Rande. War man dafür, dann war man aber auch für alles, was die NATO beschloß. Die meisten, die Bewaffnung für nötig hielten, gaben sich gar keine Mühe, bei jeder neuen Drehung der Rüstungsspirale neu nachzudenken.

Das Ja und das Nein waren vorprogrammiert. Die Fronten blieben fast die gleichen, was immer die Politiker und Militärs taten, ob sie sich dem Frieden näherten oder sich von ihm entfernten. Und das war und ist höchst bequem für sie, denn sie müssen ja nicht befürchten, daß sich etwas verschiebt, was immer sie tun und beschließen. Von absoluten Positionen her ist es schwierig, auf den Bereich des Relativen, also auf die Politik einzuwirken.

Die Heidelberger Thesen, so verdienstvoll sie zu ihrer Zeit gewesen sein mögen, haben dieses Verharren und Erstarren im Grundsätzlichen eher gefördert. Wenn wir den konziliaren Prozeß nicht als Bekehrung von Irrenden, sondern als Dialog um das Richtige verstehen, können wir heute nicht mehr darüber streiten, ob von den Heidelberger Thesen nur noch die siebte übrigbleibe, die achte und damit auch die sechste aber als Irrtum von Anfang an verworfen werden sollten.

Ich zweifle auch, ob es gut wäre, im Blick auf ein Konzil der Lehre vom gerechten Krieg zu Leibe zu rücken. Wahrscheinlich würde die Feststellung ausreichen, daß in Europa und zwischen den Weltmächten ein Krieg kaum mehr vorstellbar sei, der den Erfordernissen des gerechten Krieges entspräche. Ich halte dies aus vier Gründen für angemessener als eine Verdammung dieser – in der Tat viel mißbrauchten – Lehre.

1. Es geht darum, Zukunft zu erschließen, nicht Vergangenheit zu richten.

2. Wir Europäer sollten kein Urteil darüber fällen, ob es in anderen Teilen der Erde noch so etwas wie gerechte Befreiungskriege geben kann.

3. Eine Absage an den »gerechten Krieg« würde politisch ins Leere laufen. Die Verantwortlichen beider Blöcke würden uns entgegenhalten: Wir wollen weder den gerechten noch den ungerechten Krieg, wir wollen keinen Krieg, dem dient unsere Rüstung.

4. Die präziseste und mutigste Aussage einer Kirche zur atomaren Rüstung, die der katholischen Bischöfe der USA, beruft sich auf die Lehre vom gerechten Krieg.

II

Heute ist weniger denn je umstritten, daß die Kirche »den Waffenverzicht als *eine* christliche Handlungsweise anerkennen« muß (These 7 von Heidelberg). Aber aus der einen christlichen Handlungsweise einfach *die* christliche Handlungsweise zu machen, wird auch einem Konzil nicht gelingen.

Andererseits sollten alle, die sich heute noch auf These 8 berufen, auch die damalige Interpretation ansehen. These 8 lautet bekanntlich: »Die Kirche muß die Beteiligung an dem Versuch, durch das Dasein von Atomwaffen einen Frieden in Freiheit zu sichern, als eine heute noch mögliche christliche Handlungsweise anerkennen.« Der Begriff »Dasein« klingt seltsam statisch, ungeschichtlich und politikfern, nicht handlungsbezogen. Es geht inzwischen um ein Tun, ein Handeln und Reagieren, ein Drohen und Gegendrohen, Stationieren und Perfektionieren. Und in den Erläuterungen wird nur gesagt, bei einem westlichen Verzicht auf solche Waffen könne »wenigstens das Risiko nicht geleugnet werden, daß unsere Begriffe von Recht und Freiheit für absehbare Zeit verlorengingen«.

Die Philosophie war einfach und für die damalige Zeit auch nicht ohne Überzeugungskraft: Wenn beide die Mittel der Massenvernichtung haben, besteht eine vernünftige Chance, daß keiner sie benutzt, auch nicht zu Drohung oder Erpressung. Diese Philosophie wurde ein Jahrzehnt später konkretisiert in der Strategie der »gegenseitig gesicherten Zerstörung«, der »Mutual Assured Destruction« (MAD), auf der auch der ABM-Vertrag von 1972 beruht.

Beide Seiten bekennen sich zum Zustand der totalen gegenseitigen Verwundbarkeit, beide geben ihre eigene Bevölkerung der Gegenmacht zur Geisel, um zu bekräftigen und zu beweisen: Wir können und werden diese Vernichtung nie auslösen.

Ich gebe gerne zu, daß ich diese Theorie der relativen Sicherheit durch absolute Verwundbarkeit für prekär und paradox, aber eben doch auch für so schlüssig hielt, wie Militärtheorien im Atomzeitalter schlüssig sein können. Abschreckung gepaart mit Selbstabschreckung, das hatte eine innere Logik, vielleicht eine perverse, aber immerhin eine Logik. Und diese Logik konnte auch die These 8 für sich in Anspruch nehmen.

III

Wer heute über Frieden redet, muß wissen, daß beide Seiten wegstreben von jener Verbindung von Abschreckung und Selbstabschreckung, die Robert McNamara gewollt, formuliert und für seine Zeit etabliert hat.

Der amerikanische Präsident geht heute so weit, diese Form der Abschreckung für unmoralisch zu erklären, wobei anzunehmen ist, daß er damit vor allem das Element der eigenen Verwundbarkeit und damit der Selbstabschreckung meint. Jedenfalls ist seit Jahren in den USA das Stichwort nicht mehr Verwundbarkeit, sondern Unverwundbarkeit. SDI ergibt nur einen Sinn als Versuch, Unverwundbarkeit zu errüsten, und genau so wird SDI in den USA auch propagiert. Daß Unverwundbarkeit schon immer der andere Name für Herrschaft war, weiß natürlich die andere Seite auch, daher ihr Bemühen, die USA von diesem Vorhaben abzubringen. Wer sich wirklich gegen die Atomwaffen des anderen schützen könnte, wäre in einer Position, in der nur er als der Unverwundbare mit Atomwaffen drohen, sie einsetzen könnte. Und dies wäre dann das genaue Gegenteil der Situation, mit der die achte Heidelberger These das »Dasein« von Atomwaffen rechtfertigt. Der unverwundbare Herr der Bombe wäre der Herr über diesen Erdball. In Klammern möchte ich hinzufügen: Das Scheitern in Reykjavik hat mich nicht überrascht. SDI verträgt sich nicht mit Abrüstung, es erzwingt letzte Anstrengungen im Rüstungswettlauf. Wer sich unverwundbar rüsten will, kann nicht erwarten, daß ihm der andre durch Abbau seiner strategischen Drohpotentiale dabei behilflich ist.

Natürlich wird dies nur selten so gesagt, Präsident Reagan sprach sogar davon, er wolle dafür sorgen, daß schließlich beide Seiten unverwundbar und damit alle Atomwaffen obsolet würden.

Gorbatschow hat schon am 15. Januar 1986 seine Folgerungen aus Reagans Traum von der Unverwundbarkeit gezogen. Er argumentiert: Wenn es wirklich die Absicht des Präsidenten sein sollte, durch SDI alle Atomwaffen sinnlos zu machen, dann könne man sich den unendlich teuren und gefährlichen Umweg sparen und einfach beschließen, alle Atomwaffen Zug um Zug bis zum Jahr 2000 abzuschaffen. Und genau daran hat er in Reykjavik angeknüpft. Das bedeutet zumindest: Auch er will weg von der gegenseitig gesicherten Zerstörung, und solange niemand sein Angebot ausgelotet und dessen Ernsthaftigkeit auf die Probe gestellt hat, hängt die These 8 auch von daher in der Luft. Denn sie setzt voraus, daß die andere Seite Atomwaffen hat, sie behalten und zur Ausdehnung ihrer Herrschaft nutzen will. Wer dies vergißt oder unterschlägt, verfälscht die These 8. Aber sogar wenn man einwenden sollte, beide Seiten gäben zwar vor, sich entfernen zu wollen von der gegenseitig gesicherten Zerstörung, aber dies sei ein aussichtsloses Unterfangen, paßt diese These nicht mehr auf unsere Realität. Es geht heute nicht mehr um das Dasein von Atomwaffen, sondern um die permanente Verfeinerung atomarer Waffen zu dem Zweck, den atomaren Krieg wieder begrenzbar, führbar und sogar gewinnbar zu machen. Dies war für die Verfasser der Heidelberger Thesen noch unvorstellbar.

Wer seinen innerkirchlichen Widersachern zumuten will, die These 8 als von Anfang an falsch, unverantwortlich und widerchristlich zu verdammen, überfordert sie und braucht einen konziliaren Prozeß gar nicht erst zu beginnen. Wer die Frage stellt, ob denn die These 8 unsere Wirklichkeit der achtziger Jahre noch treffe und beschreibe, ob sie nicht durch diese Wirklichkeit überholt, beiseitegeschoben, gegenstandslos gemacht werde, hat das Recht auf eine sachgerechte Antwort und kann alle zum Gespräch laden, die aus den Gräben klettern wollen. Und so sollte es jetzt darum gehen, welche Fragen uns gemeinsam weiterbringen können. Wenn ich sage gemeinsam, dann meine ich alle, die vom Neuen Testament angerührt sind und immer neu fragen, was Nachfolge in unserer Zeit bedeuten könnte. Damit mir niemand vorwerfe, ich sei unpräzise, füge ich hinzu: alle, von Werner Dierlamm (Ohne Rüstung leben) bis Eberhard Stammler (Sicherung des Friedens). Ich kann nicht ausschließen, daß es Mitchristen gibt, die sich auf neue Fragen nicht einlassen oder einfach die alten Antworten wiederholen. Aber ich hoffe, sie werden eine kleine Minderheit bleiben.

IV

In seinem Buch ›Die Zeit drängt‹ hat Carl Friedrich von Weizsäcker noch einmal sein Plädoyer für das wiederholt, was er auf dem Düsseldorfer Kirchentag 1985 »Konzil« genannt hat. Er hat eine Fülle von wichtigen Themen genannt, die es aufzuarbeiten gelte, von Energie und Landwirtschaft über die Weltwirtschaftsordnung bis hin zu einer gemeinsamen christlichen Friedenstheologie, von der er sagt, sie werde erstmals seit 1700 Jahren, also seit Konstantin, möglich. Und er postuliert, für eine Theologie des Friedens sei zuerst ein Friede in der Theologie nötig, und auch dieser Friede sei jetzt – das ist ein kühnes Wort – denkbar geworden.

Ich fühle mich nicht kompetent, hier weiterzudenken, also eine konsensfähige Theologie des Friedens zu konzipieren. Ich möchte mit sieben Fragen etwas vom Rahmen der Wirklichkeit abstecken, auf die sich eine solche Theologie des Friedens zu beziehen hätte.

1. Was bedeutet die Möglichkeit des atomaren Winters für eine christliche Lehre vom Frieden?

Seit einigen Jahren wissen wir, daß die Explosion eines kleinen Teils der atomaren Bestände, die gelagert werden, eine Verdüsterung des Himmels über eine unbestimmte Zahl von Jahren mit sich brächte, dadurch eine drastische Absenkung der Temperaturen, so daß eben doch aufhören würden Saat und Ernte, Frost und Hitze, Tag und Nacht, zumindest vorläufig, allerdings nur für die Menschen, die dies überleben könnten. Niemand kann sagen, ob es sie geben wird.

Es ist für unsere Frage nicht entscheidend, wie wir die Wahrscheinlichkeit eines solchen Endes der Menschheit einschätzen. Ich nehme bei der gegenwärtigen Konzentration von Waffen in Europa an, daß jeder Krieg auf unserem Kontinent mit einer Wahrscheinlichkeit von etwa 50 Prozent in einen Atomkrieg überginge. Für etwa gleich hoch halte ich die Wahrscheinlichkeit, daß aus einem begrenzten Atomkrieg der totale wird.

Aber es würde sich an der Fragestellung nichts ändern, wenn man statt 50 Prozent nur 5 Prozent einsetzen wollte. Wir haben darüber Rechenschaft abzulegen: Dürfen sich Christen an einem Krieg, dürfen sie sich an der Vorbereitung eines Krieges beteiligen, der zur unterschiedslosen Ausrottung der Menschheit in einer Abfolge von Katastrophen führen kann? Dürfen sie um der Behauptung von Werten willen einen solchen Krieg riskieren, der das Subjekt aller Wertverwirklichung, den Menschen, als Gattung eliminieren kann?

Dürfen wir daran mitwirken, sogar den Tod zu töten, der ohne Leben seine Funktion verlöre?

2. Was meinen Christen, wenn sie immer wieder darauf bestehen, auch in der Friedensdenkschrift von 1981, daß Friede eine politische, keine technische Aufgabe sei?

Sie meinen damit, daß nicht die absolute Waffe, nicht die technische Perfektion von Waffensystemen den Frieden bringen kann, sondern nur der politische Wille zum Interessenausgleich, zum Miteinanderleben, zum Geltenlassen des andern, zum Abbau von Furcht, Mißtrauen und Feindbildern, ja die Bereitschaft zum gemeinsamen Dienst an Schöpfung und Menschheit, gemeinsam auch mit denen, die andere Systeme, Interessen und Ideologien haben und, genau wie wir, nicht aufgeben wollen.

Wenn wir dies gemeinsam mit denen feststellen, die grundsätzlich ja sagen nicht nur zur NATO, zum Auftrag der Bundeswehr, sondern auch zu atomarer Abschreckung, was ergibt sich daraus heute?

Müßten wir nicht zur Errüstung von Unverwundbarkeit ein eindeutiges Nein sagen können? Dabei ist es nicht einmal wichtig, ob die Unverwundbarkeit der Menschen und ihrer Städte oder – was wahrscheinlicher und realistischer ist – schließlich nur die Unverwundbarkeit der eigenen Raketen angestrebt wird. Denn die freundlichste aller Interpretationen dieses Versuchs ist, hier solle der Friede durch neue Technik erzwungen werden. Und das, so müßte christliche Nüchternheit einwenden, ist ein babylonisches, vermessenes, zum Scheitern verurteiltes Unterfangen. Seit es Menschen gibt, ist gegen jede Waffe die Gegenwaffe erfunden worden. Dabei soll hier noch die Frage ausgeklammert werden, was für eine Art von Frieden mit solcher Technik gesucht wird.

SDI ist die Verbindung modernster Technik mit archaischen Denkformen. Siegfrieds Bad im Drachenblut wird da mit einer – erst zu entwickelnden – Technik wiederholt, die unsere Vorstellungen übersteigt. Und dazu sollten Christen nichts zu sagen haben? Vielleicht müßte eine Theologie des Friedens auch darüber reflektieren, daß und wie Menschen und Staaten die Tatsache ihrer – durch die Schöpfung gegebenen – Verwundbarkeit annehmen müssen, wenn sie friedensfähig werden wollen, und daß jeder Versuch, solcher

Verwundbarkeit durch technische Mittel zu entkommen, den Bereich des Menschlichen verläßt.

Schließlich: Wenn es wahr ist, daß bei diesem Versuch die Militärtechnik sich zunehmend selbständig macht und sich politischer Kontrolle entzieht, wenn es wahr ist, daß im Krieg der Sterne, vielleicht sogar bei seiner Auslösung, menschliche Entscheidung und damit menschliche Verantwortung an elektronische Rechner abzutreten sind, hat dies noch irgend etwas zu tun mit dem, was Christen zu rechtfertigen versucht haben im Laufe jener 1700 Jahre, von denen Weizsäcker spricht?

3. Können Christen sich an dem Versuch beteiligen, Sicherheit zu errüsten in einem atemberaubenden Wettlauf von Drohung und Gegendrohung, dessen Ende nicht abzusehen ist?

Alle christliche Rechtfertigung des Krieges, auch die Lehre vom gerechten Krieg, hebt ab auf Verteidigung, auf Schutz von Schutzbedürftigen und Schutzbefohlenen, auf die Bereitschaft, sich für andere zu opfern. Schon in der atomaren Abschreckung, die sich auf gegenseitig gesicherte Zerstörung stützt, ist dies anders: Sicherheit wird gesucht in der tödlichen Bedrohung des andern und damit in seiner errechneten oder erhofften Unfähigkeit loszuschlagen, allerdings auch in der bewußt hingenommenen Bedrohung des eigenen Landes als Versicherung des andern, daß er nicht überfallen wird. Die gegenseitig gesicherte Zerstörung stellt sich – und das war ihre Stärke – der Alternative: gemeinsam leben oder gemeinsam untergehen. Das läßt sich durch keine Technik rückgängig machen.

Und doch wird genau dies versucht. Jetzt soll der andere bedroht werden mit der Ausschaltung seiner Befehlsstränge, seiner Raketenstellungen, seiner Kommunikationsnetze und damit seiner Fähigkeit zurückzuschlagen. Er soll atomar entwaffnet werden. Jetzt soll trotz Atomzeitalter durch verfeinerte, perfektere Rüstung der Ausweg gesucht werden aus der Alternative: gemeinsam leben oder gemeinsam untergehen. Jetzt soll Clausewitz wieder zu Ehren kommen, jetzt geht es um die Chance der Niederringung des andern bei eigenem Überleben, wie schauerlich die Verluste dabei auch sein mögen.

Es geht nicht um den Schutz von Menschen oder von

Werten, sondern allenfalls von Waffen und also letztlich um Herrschaft; es geht um die Vorherrschaft auf diesem Globus. Dabei werden, wenn sich der Schlagabtausch doch nicht begrenzen läßt, gewaltige Menschenopfer einkalkuliert und das Risiko des atomaren Winters in Kauf genommen.

Nicht *die Bombe* steht also zur Diskussion, sondern eine schwer übersehbare Zahl verschiedenster atomarer Waffen und atomarer Strategien, die bestenfalls einer Abschreckung durch atomare Kriegführungsfähigkeit dienen sollen.

Ich kenne keinen Ansatz christlicher Ethik, von dem her dies zu rechtfertigen wäre. Die Alternative: gemeinsam leben oder in gegenseitiger Zerfleischung gemeinsam untergehen, war – wenn auch weniger kraß und offenkundig – schon immer ein Teil der *Conditio humana*, und keine Interpretationskunst kommt darüber hinweg, daß die Botschaft Jesu auf das gemeinsame Leben zielt, nicht auf den gemeinsamen Tod in gegenseitigem Vernichtungsdrang. Und es bedarf auch keiner Interpretationskunststücke, um zu zeigen, daß der Drang nach Herrschaft über andere oder gar über den Erdkreis – über den damals bekannten rund um das Mittelmeer oder über den heute überschaubaren – das Gegenteil der Nachfolge Jesu ist.

Heute, am Ende des 20. Jahrhunderts, haben wir geschichtlich den Punkt erreicht, wo keine Verdrängungskunst uns davor bewahren kann, uns dieser Einsicht zu stellen.

4. Welchen Stellenwert im Leben von Christen kann Sicherheit haben?

Unser Wort »sicher« ist ein westgermanisches Lehnwort aus dem Lateinischen, also eine direkte Germanisierung des lateinischen *securus*. Securitas war ein Markenzeichen des Römischen Reiches. Die Pax Romana schuf die Securitas für die Bürger des Imperiums, Sicherheit des Reisens, Verläßlichkeit einer Rechtsordnung, Schutz nach außen durch die Legionen. Der Grieche Aelius Aristides – und hier folge ich dem informativen Buch von Klaus Wengst über die Pax Romana – schreibt: »Es bedeutet Sicherheit genug, ein Römer zu sein oder vielmehr einer von denen, die unter Eurer (der Römer) Herrschaft leben.«

Dabei machte es bekanntlich einen Unterschied, ob jemand nur Untertan war oder, wie Paulus, sich auf das römische Bürgerrecht berufen konnte. Civis Romanus zu sein, bedeutete ein Maß an Sicherheit, das es wohl nie vorher und selten nachher gegeben hat.

Wir dürfen annehmen, daß Jesus sehr wohl wußte, was die Securitas des Römischen Reiches für alle bedeutete, die sich ihr beugten, sich ihr unterwarfen und ihren Schutz genossen. Es kann ihm auch nicht verborgen geblieben sein, daß er selbst für diese Ordnung ein Sicherheitsrisiko war, ganz gleich, ob er es sein wollte oder nicht.

Das Streben nach Sicherheit kommt in den Reden Jesu nur vor, wenn er deutlich machen will, daß die Gewißheit (certitudo) der Kinder Gottes keiner Securitas bedarf. Und was die Pax Romana als Grundlage der Securitas angeht, so hielt Jesus unübersehbare Distanz. Er sagt seinen Jüngern (Markus 10,42): »Ihr wißt: Die als Herrscher über die Völker gelten, unterjochen sie, und ihre Großen unterdrücken sie mit Gewalt.« Hier spricht jemand, der am Rande des Römischen Reiches, in der fernen Provinz, die Härte römischer Herrschaft zu spüren bekommt. Das »Ihr wißt« setzt voraus, daß die Hörer selbst ihre Erfahrungen gemacht haben. Jesus fährt fort: »So jedoch ist es nicht unter Euch.« Da, wo sein Wort gilt, ist nicht die Sicherheit der triumphierenden Macht. Da sei, wer groß sein will, der anderen Diener. Da gelten nicht die Hierarchien der Macht, sondern der Dienst der Liebe.

Für unseren Kontext entscheidend scheint mir dies: Jesus hatte durchaus erlebt und verstanden, daß die römische Ordnung auf gewaltsam erzwungene Rechtssicherheit zielte. Er wußte auch, was denen blühte, die sich nicht fügten. Daher auch die klug ausweichende Art, wie Jesus auf die Frage nach dem Steuerzahlen reagiert. Im Grunde bedeutet das »Gebt dem Kaiser, was des Kaisers ist« nicht mehr als die Feststellung, daß die Juden nun einmal unter römischer Herrschaft leben und daß dies Konsequenzen hat. Jesus hat die durch römische Macht erzwungene Securitas nirgends gebilligt, er hat den Fakten Rechnung getragen, um sein ganz anderes Reich verkünden zu können.

Der Begriff von Sicherheit, der unsere Rüstungsdiskussion beherrscht, ist nach wie vor römischer Herkunft. Genauer: Er war noch selten so unverfälscht römisch wie heute. Man kann SDI auch als den römischen Limes im Atomzeitalter deuten. Wer diesseits des Limes wohnt, soll sicher, ja unverwundbar sein, wer jenseits leben will oder muß, soll jederzeit verwundbar, also der pazifizierenden Züchtigung durch die Legionen gewärtig sein. Sicherheit nach außen war für Rom erst dann gegeben, wenn der Feind entweder besiegt oder doch jederzeit besiegbar war. Cato sprach mit seinem Ceterum censeo nur aus, was römische Staatsräson war. Einen ebenbürtigen Gegner wie Karthago konnte Rom nicht dulden.

Das »Worst-Case«-Denken unserer Strategen ist ein genaues Abbild solchen Sicherheitsstrebens. Denn wenn ich im schlimmsten aller denkbaren Fälle dem Gegner gewachsen sein will, muß ich ihm in allen weniger schlimmen Fällen überlegen sein. Sicher ist man, wenn man den Gegner jederzeit besiegen kann.

Vielleicht hat das Sicherheitsdenken in der Tradition der Römer schon immer zu uferloser Rüstung und zum Krieg getrieben. Darauf hat Dietrich Bonhoeffer vor einem halben Jahrhundert aufmerksam gemacht. Jetzt könnten wir an dem Punkt der Geschichte angelangt sein, wo das Streben nach solcher errüstbarer Sicherheit für jeden sichtbar nur zu immer mehr Unsicherheit führt. Wo Sicherheit nur in der Drohung, und zwar der wirksameren, vernichtenderen, unabwendbareren Bedrohung des andern gesucht wird, also jede Drohung die schrecklichere Gegendrohung provozieren muß, könnten wir den Zeitpunkt erreicht haben, wo offenbar wird: *summa securitas est summa insecuritas,* so wie schon die Scholastik fand, daß die *summa moralitas* zur *summa immoralitas* werden kann.

Spätestens jetzt müßte die christliche Theologie ihr Verhältnis zur Securitas klären. Vielleicht wird sie dabei finden, daß wir um so hartnäckiger der römischen Securitas nachjagen, je gründlicher uns die christliche Certitudo, die Gewißheit der Gotteskindschaft, abhanden gekommen ist. Dies könnte sogar dann gelten, wenn auch christlicher Nachfolge ein Leben unerreichbar bleiben dürfte, in dem Menschen ihr Streben nach Sicherheit ganz ablegen können. Wahrscheinlich gehört das Streben nach Sicherheit vor Unwetter, Kälte und wilden Tieren, vor Hunger und Krieg zum menschlichen Erbe. Aber es könnte sein, daß wir heute, bar aller Gewißheit, unter einer Obsession der Sicherheit leiden, die tödlich enden kann.

5. Dürfen Christen das, was sie zu Recht oder Unrecht für ihre Sicherheit halten, auf Kosten anderer errüsten wollen?

Schon die Securitas Roms ging immer auf Kosten anderer. Die Unterworfenen mußten Tribut zahlen, die Legionen ernährten sich von dem eroberten Land, vor allem aber wurden die Besiegten als Sklaven verkauft. Die Securitas wurde von den Schwachen finanziert.

Das ist heute nicht anders. Ich will jetzt nicht schildern, wie in den Industrieländern – in Ost und West – Wettrüsten und Armut zusammenhängen, wie die Sozialbudgets in dem Maße schrumpfen wie die Rüstungsbudgets steigen. Viel wichtiger noch ist, daß auch diesmal die Peripherie, die Provinzen am Rand, für das Sicherheitsstreben der Zentren zu bezahlen haben.

Die Verschuldung der Dritten Welt hat 1986 die 1000-Milliarden-Dollar-Grenze erreicht. 1000 Milliarden beträgt auch etwa die Summe, die jährlich auf dieser Erde für Rüstung ausgegeben wird.

Theoretisch ist es also wahr, daß mit den Rüstungsausgaben eines Jahres die Dritte Welt total entschuldet werden könnte. Realistischer wäre es, mit 10 Prozent der Rüstungskosten von Ost und West in 5 Jahren die Verschuldung der Dritten Welt auf ein erträgliches Maß zu drücken. Aber es ist ja nicht nur einleuchtend, daß bei geringerer Rüstung – und wohl nur dann – die Verschuldung überwunden werden könnte.

Die Verschuldung selbst ist erst durch die Rüstung ins Uferlose gestiegen. Mit ihren Schuldendiensten finanzieren die Länder des Südens Rüstung mit, vor allem die in den USA. Es gibt da eine sehr dichte Kette von Ursachen und Wirkungen. Die Rüstung der USA von zirka 300 Milliarden Dollar im Jahr reißt im US-Haushalt ein Defizit von gut 200 Milliarden Dollar jährlich. Im Haushaltungsjahr 1985/86 war dieses Defizit so groß wie die Sparrate der privaten Haushalte.

So wurde der heimische Kapitalmarkt durch die Kreditaufnahme des Bundes leergefegt, die Zinsen stiegen und blieben weit höher, als sie ohne diese Defizite hätten sein müssen – und dies seit Ende der siebziger Jahre. Die Zinsen in den USA bestimmen weltweit die meisten Zinszahlungen von Süd nach Nord, zumal die meisten Schulden in Dollar kontrahiert sind.

Dazu kommt, daß die manchmal relativ, manchmal absolut hohen Zinsen in den USA Kapital aus der ganzen Welt nach Amerika locken. Es gibt heute keinen Kapitalstrom mehr von den reichen in die armen Länder, sondern einen von den armen und den reichen Ländern in das reichste, das zunehmend von anderer Leute Geld lebt – und rüstet.

Wenn etwa in Lateinamerika der Lebensstandard der Bevölkerung in den letzten Jahren um etwa ¼ gesunken ist, wenn in Brasilien 80 von 130 Millionen Menschen unter der Armutsgrenze leben, dann hat das damit zu tun, daß die lateinamerikanischen Volkswirtschaften überwiegend damit beschäftigt sind, durch Export um fast jeden Preis die Devisen zu erwirtschaften, mit denen Zinsen an die Banken in London, Zürich und Frankfurt, vor allem aber in New York entrichtet werden.

Die verschuldeten Länder bezahlen aber nicht nur mit wachsendem Elend und zunehmendem Hunger, sie bezahlen auch mit ihrer staatlichen Unabhängigkeit. Die meisten Länder der Dritten Welt sind heute vom Internationalen Währungsfonds in Washington abhängig. Verweigert der Fonds ihnen Kredite, weil sie seine Auflagen nicht erfüllen, bekommen sie von keiner Bank etwas. So bestimmt der Fonds die Richtlinien der Politik in vielen, auch großen und bedeutenden Ländern. Auch auf den Philippinen wird der Unterschied zwischen Marcos und Corazón Aquino nur so groß sein, wie der Fonds ihn zuläßt. Manche Länder sind in so etwas wie Schuldknechtschaft geraten.

Solange aber die Weltmächte den Süden nur als Manövrierfeld in ihrem Hegemonialkonflikt begreifen, ist es für die Reagan-Regierung durchaus erträglich, vielleicht sogar bequem und höchst praktisch, wenn die meisten Länder des Südens sich nur am Würgehalsband des Fonds bewegen können. Daher ist das Interesse der USA an einer großzügigen Entschuldung äußerst gering. Wenn aber die armen Länder auf vielfache Weise den Rüstungswahn der reichen zu bezahlen haben, wenn unsere Rüstung im Süden mehr Menschen den Weg eigenständiger Entwicklung verbaut, als sie im Norden zu schützen vorgibt, kann dies Christen kalt lassen?

Gibt es irgendeine Rechtfertigung für den Versuch, einer errüstbaren Sicherheit nachzujagen und am Wegrand Millionen Menschen zugrunde gehen zu lassen?

Ist es schon höchst anfechtbar, eigene Sicherheit auf Kosten des Gegners, in der tödlichen Bedrohung, der totalen Unsicherheit des andern zu suchen, so dürfte die – reale oder eingebildete – Securitas auf Kosten Dritter noch um einiges schwerer zu rechtfertigen sein. Hier ist der schmerzhafte Schnittpunkt von Frieden und Gerechtigkeit, genauer gesagt, von Unfrieden und Ungerechtigkeit. Und hier könnte der Ausgangspunkt sein für ein gemeinsames und präzises Nein der Christen.

6. Läßt sich für den Rest unseres Jahrhunderts noch Rüstung betreiben, die ohne manichäische Feindbilder zu rechtfertigen ist?

Was heute in der Rüstung geschieht, läßt sich nicht plausibel machen, dafür läßt sich – um ein verräterisches Wort zu benutzen – keine »Akzeptanz« herstellen ohne ideologische Feindbilder und manichäische Weltbilder.

Was jede Seite der andern antun kann und im äußersten Falle auch antun will – sonst wirkt keine Abschreckung –, ist so furchtbar, daß man es nur Menschen antun kann, die man nur noch als Feinde, zumindest als Werkzeug des bösen Feindes in den Blick bekommt. Nur die Bekämpfung des Bösen kann die Todesdrohung an ganze Völker und die Verelendung von Milliarden Menschen begründen. Man mag einwenden, daß die strategischen Bedrohungsszenarien von den Fachleuten kühl und ohne alle Emotionen ausgearbeitet werden. So richtig dies ist, dieses tödliche Schachspiel der Planer wird von der Mehrheit nur hingenommen und bejaht, wenn die zu Tötenden auf der andern Seite als hinreichend böse empfunden werden.

So ist es kein Zufall, daß forcierte Rüstung verbunden ist mit absoluten Feindbildern, mit dem Reich des Bösen, mit der Ankündigung vom Armageddon, mit der offenen Aggressivität von Rambo-Filmen.

Es müßte Einigkeit darüber zu erzielen sein, daß es Christen nicht erlaubt ist, das Böse nur im andern zu suchen und sich selbst das pathologisch gute Gewissen eines Kämpfers für das Gute zuzulegen.

Wenn aber ohne das simple Schwarz-Weiß-Schema verzerrender Ideologien die heutigen Bedrohungsstrategien zumindest der Mehrheit der Menschen nicht plausibel zu machen sind, dann müssen Christen wissen, daß sie mit ihrem

Nein zu den Bildern und Fratzen des bösen Feindes auch nein sagen zur psychologischen Grundlage von Strategien, die durch wachsende Bedrohung des Feindes eigene Sicherheit errüsten wollen.

7. Damit wäre ich bei einer Frage, die nicht nur mich in den letzten Jahren immer stärker umgetrieben hat.

Könnte das Gebot der Feindesliebe als Weg zum Frieden – auch zwischen Staaten und Blöcken – doch mehr bedeuten, als viele Theologen in den letzten 1700 und besonders in den letzten 35 Jahren angenommen haben?

Versteht man Feindesliebe als Gefühl gegenüber dem Feind, so sind wir überfordert. Gefühle lassen sich weder fordern noch kommandieren, tröstlicherweise nicht einmal der Haß. Pinchas Lapide hat uns auf eine andere Fährte gebracht. Für ihn bedeutet Feindesliebe ein Tun, ein Verhalten: Tu ihm etwas Liebes, damit er die Chance bekommt, etwas anderes zu werden als dein Feind.

Solche Ent-Feindung ist eminent praktisch und wohl auch eminent politisch.

Was heißt es, wenn wir dem, den wir für unseren Feind halten oder der sich für unseren Feind hält – manchmal kommt leider beides zusammen –, so begegnen, daß er die Chance erhält, etwas anderes als unser Feind zu werden, nämlich unser Gegenspieler, unser Rivale, vielleicht sogar unser Partner bei gemeinsamen Aufgaben?

Es bedeutet zuerst, ihn anzunehmen als Menschen, der wie ich auch seine eigenen Hoffnungen, Ängste und wohl auch Begrenzungen, Sperren und Vorurteile hat. Ich habe festgestellt, daß Kommunisten, gerade solche aus der Sowjetunion, in dem Augenblick Vertrauen schöpfen, wenn ich versuche, mich in ihre Schuhe zu versetzen und die Welt für ein paar Minuten aus ihrer Perspektive zu sehen. Wenn sie ihre Sorgen und damit sich selbst ernstgenommen wissen, sind sie meist auch bereit, über unsere Befürchtungen, unsere Erwartungen und unsere Interessen mit uns zu sprechen. Schließlich findet man häufig ein schmaleres oder breiteres Feld gemeinsamer Aufgaben, ja gemeinsamer Interessen. Entfeindung beginnt mit der Annahme des andern, seiner Sorgen, Ängste und Vorurteile.

Es ist darüber gespottet worden, daß für manche Kirchenleute der Begriff der gemeinsamen Sicherheit schon theologische Qualität habe. Es könnte theologisch durchaus relevant sein, ob wir Sicherheit gegen den andern in unauflöslicher Konkurrenz errüsten oder mit ihm gemeinsam suchen, definieren und vereinbaren wollen. Vielleicht ist gemeinsame Sicherheit von der gegen den andern zu errüstenden Sicherheit so fundamental verschieden, daß beides sich nicht mit demselben Begriff benennen läßt. Vorläufig fehlt uns aber eine neue, präzisere Begrifflichkeit. Gemeinsame Sicherheit soll die Fähigkeit zur Kriegführung einvernehmlich vermindern und schließlich ganz tilgen. Gemeinsame Sicherheit zielt daher auf Einschränkung und Überwindung nationalstaatlicher Souveränität.

Gemeinsame Sicherheit setzt ein Mindestmaß an Entfeindung voraus, denn sie ist nicht denkbar, wenn nicht jeder die Sicherheitswünsche des andern ernstnimmt und ihnen Rechnung trägt. Und sie schafft Entfeindung, weil sie den Krampf der Furcht lösen und menschliches Miteinander ermöglichen kann. Wer einmal entschlossen ist, nebeneinander zu leben – und leben zu lassen –, der wird eines Tages finden, daß es besser ist, miteinander zu leben, auch wenn die Gegensätze der Systeme und Wertordnungen bestehen bleiben. Gemeinsame Sicherheit setzt ein Mindestmaß an Vertrauen voraus und läßt Vertrauen wachsen. Vielleicht ist gemeinsame Sicherheit das, was Menschen erstreben können, wenn sie sich von der Obsession totaler und gegen den andern durchsetzbarer Sicherheit befreit haben. Insofern hat sie durchaus theologische Qualität.

Gegen den Gedanken einer entfeindenden gemeinsamen Sicherheit könnte ein Christ sich wohl nur dann sträuben, wenn er dem andern, dem Gegner oder Feind, die Bereitschaft dazu absprechen muß.

Was aber, wenn der andere, wie dies in den letzten zwei Jahren geschehen ist, diesen Gedanken aufnimmt, ihn selbst auf eine durchaus sachgemäße Weise beschreibt, für ihn wirbt und ihn manchmal sogar in seinem Handeln durchschimmern läßt?

Dann gibt es für Christen keinen Grund mehr, sich dem Versuch der gemeinsamen Sicherheit zu verweigern und auf einseitig gegen den andern zu errüstender Sicherheit zu bestehen. Niemand weiß, wie das Ergebnis aussieht, niemand ist jemals vor dem Scheitern sicher. Aber eines halte ich für schlicht unverantwortbar: Den andern nicht beim Wort zu nehmen, ihn nicht auf seine Aussage anzusprechen und zusammen mit ihm den Versuch der gemeinsamen, der gegenseitig zugestandenen, für den jeweils anderen gewollten Sicherheit zu machen.

Vielleicht ist dies der praktische Weg intelligenter Feindesliebe am Ende unseres kriegerischen Jahrtausends und eines noch schlimmeren Jahrhunderts. Christen können legitimerweise differieren in der Einschätzung der Realisierungschancen, aber nicht in der Richtigkeit und Gebotenheit des Versuchs. Wo schon der Versuch rundweg verworfen wird, besteht die Gefahr, daß wir nicht dasselbe meinen, wenn wir Frieden sagen.

Wer, wenn er Frieden sagt, bewußt oder unbewußt jener römischen Göttin Pax huldigt, die abgebildet wurde mit dem Fuß auf dem Nacken des besiegten Feindes, kann wohl keine gemeinsame Sicherheit wollen. Denn für ihn ist Frieden nur dort, wo der Feind entweder besiegt oder doch jederzeit besiegbar ist. Aber mit dem Frieden, der Frucht der Gerechtigkeit ist, hat dies dann nichts mehr zu tun.

Ich kann mir vorstellen, daß manche, die diesen Text lesen, den sieben Fragen andere, fruchtbarere, bessere hinzufügen werden. Das wäre nur zu begrüßen. Worauf ich gerne bestehen möchte, ist mein Ausgangspunkt: Auf welche Fragen müßte eine klare Mehrheit der Christen gemeinsam so klar antworten können, daß ihr Wort unüberhörbar und unübertönbar wird? Solche Fragen brechen da auf, wo die Botschaft Jesu auf die Wirklichkeit der achtziger Jahre trifft.

Nur solche Fragen können einen konziliaren Prozeß vorantreiben, ihn geistig und geistlich beleben und zum kirchengeschichtlichen Ereignis machen.

Trutz Rendtorff
Die Zeit drängt? – Nehmt Euch Zeit!

Wenn ich hier einige kritische Anmerkungen und Beobachtungen zu Carl Friedrich von Weizsäckers Schrift ›Die Zeit drängt‹ aufschreibe, so bin ich mir wohl bewußt, wie ungerecht Kritik zu sein pflegt, zumal gegenüber einem Autor und Denker, der die Kultur des Selbsteinwandes und der vorgängigen Selbstbefragung so pflegt wie dieser. So ist nichts von dem, was hier folgt, mit dem Anspruch versehen, ihm etwas Neues zu sagen, das er noch nicht bedacht hätte. Nur gewisse Zuspitzungen der Fragen, um die es ihm wie vielen von uns geht, sind beabsichtigt, in aller Verehrung, die dem christlichen Philosophen gebührt und gerne dargebracht wird.

Konzil des Friedens?

Wenn Dietrich Bonhoeffer Pfarrer in der römisch-katholischen Kirche gewesen wäre, dann wäre er vermutlich vom Papst ebenso selig gesprochen worden wie jüngst Pater Ruppert Mayer. Auf Bonhoeffer geht letztlich die Anregung zurück, die auf dem Deutschen Evangelischen Kirchentag 1983 in den Aufruf mündete: »Wir bitten die Kirchen der Welt, ein Konzil des Friedens zu berufen.« Bonhoeffer hatte 1934 während einer ökumenischen Konferenz auf der dänischen Insel Fanö einen Vorschlag in dieser Richtung gemacht. Er ist in der Friedensdiskussion der achtziger Jahre wiederentdeckt worden.

Bonhoeffer war nicht katholisch, und ein »Konzil des Friedens« wird es nicht geben.

Aber ein wirksames Symbol scheint damit doch aufgerichtet zu sein.

Die Gründe, warum es ein solches »Konzil des Friedens« nicht geben wird, sind bekannt. Es sind vor allem zwei: Der eine Grund ist, daß der Begriff und die Sache eindeutig besetzt sind und darum für das, was der Aufruf wollte, falsch gewählt wurden. Die aus der Reformation des 16. Jahrhunderts hervorgegangenen Kirchen kennen das Institut des Konzils überhaupt nicht. Ihnen ist vielmehr die Überzeugung eingestiftet, daß auch Konzilien irren können und daß deswegen ein Konzil einzuberufen nicht den Weg in die Wahrheit weist, die allein im Wort der Bibel ihren verläßlichen Grund hat. Auch die in den letzten Jahren verstärkt anzutreffende Rede vom »konziliaren Prozeß« bewegt sich bewußt und unpräzise fernab von der Vorstellung einer verbindlichen Entscheidungskompetenz eines kirchlichen Konzils. Die protestantische Ökumene hat in den zurückliegenden Jahrzehnten viele Wege beschritten, von denen man keinem guten Gewissens den Stempel »Konzil« aufdrücken könnte. Die römisch-katholische Kirche hat ihre eigenen Erfahrungen mit den drei Konzilien seit der Reformation gemacht; sie lassen es jedenfalls als undenkbar erscheinen, daß diese Kirche geneigt sein sollte, ein Konzil gemeinsam mit Protestanten einzuberufen. Und die orthodoxen Kirchen ruhen auf dem Felsen ihrer Konziltradition, die ihnen eine unverwechselbare Identität gewährleistet; es ist nicht zu sehen, was sie veranlassen sollte, davon abzugehen. Man könnte so fortfahren. Das war und ist alles jederzeit wohlbekannt und klar. Der Aufruf des Deutschen Evangelischen Kirchentages war deswegen von Anfang an von einer Wolke der Unglaubwürdigkeit umgeben, in welche die unbezweifelte Glaubwürdigkeit der Motive und der Integrität dessen, der den Aufruf in seine verabschiedete Formulierung gebracht hat, eingehüllt ist. Carl Friedrich von Weizsäcker hat seitdem an dem Ziel, das den Kirchen gesetzt sei, gleichwohl in beharrlicher Wiederholung festgehalten: »Ein Wort zu sprechen, das die Menschheit nicht überhören kann.« Wenn alle Kirchen es sagen und wenn sie es einmütig und einstimmig sagen! Er fordert dafür eine »verantwortlich redende, weltweit wirksame Versammlung«, die dem Geschick der meisten Konferenzen entgeht, nämlich dem Geschick der Belanglosigkeit. Darin könnte man Elemente eines eben andersgearteten Konzilsverständnisses sehen. Nur sind eben solche Elemente wie »weltweit wirksam« oder was »die Menschheit nicht überhören kann« keine Kriterien, die je einer Kirche zur Verfügung gestanden haben und zur Verfügung stehen werden. Dabei sind die Kirchen doch geleitet von der Überzeugung, daß sie schon immer eine Botschaft zu verkünden haben, welche die Welt eigentlich nicht überhören kann und deren Sinn darauf zielt, weltweit wirksam zu sein. Liegt es an der Botschaft oder an den Kirchen, wenn sie vor diesem Erfolgskriterium nicht standhalten? Die Glaubwürdigkeit der Motive kann den Test der Erfahrung der Kirche nicht umgehen. Das ist kein Appell zur Kleingläubigkeit, sondern eine Erinnerung daran, daß die Wirksamkeit der Kirche ihren primären Maßstab nicht an ihrer weltweiten Wirksamkeit hat, sondern an der Wahrheit, die ihr anvertraut ist. Um sie ging es in den Konzilien, die tatsächlich stattgefunden haben. Wollten sich die Kirchen um der Wirksamkeit auf die Welt willen konzilsförmig versammeln, so würden sie doch schwerlich die öffentliche Wirksamkeit ihrer Bekundungen zum Maßstab der Wahrheit machen wollen, es sei denn mit der bewußt gesuchten Gefahr, daß sie sich zum Instrument der erfolgreichsten Suche nach Einwirkung auf »die Welt« machen würden. Auch Carl Friedrich von Weizsäcker ist es inzwischen völlig klar, daß es ein »Konzil des Friedens« nicht geben wird. »Mögen sich die Verantwortlichen in den Kirchen auf die Sache und auf einen starken und akzeptablen Namen einigen, und zwar bald!« So der jetzige Stand der Mahnung. Die Arbeitsgemeinschaft christlicher Kirchen in der Bundesrepublik hat sich geeinigt. Sie wird im Jahre 1988 ein Ökumenisches Forum der Kirchen in der Bundesrepublik für Gerechtigkeit, Frieden und die Bewahrung der Schöpfung veranstalten. Im Jahre 1989 soll dann eine Europäische Konvokation Frieden in Gerechtigkeit folgen, die dann wiederum einmünden soll in eine Weltversammlung der Christen für Gerechtigkeit, Frieden und die Bewahrung der Schöpfung. Das sind die heute möglichen »Namen« und Verwirklichungsformen, die den Kirchen zu Gebote stehen, ob nun »belanglos« oder »stark«, das mag jeder sehen, wie er will.

Nun kann man sagen, der Name sei letztlich egal, darauf komme es nicht an. Allein die Sache, um die es geht, auf sie komme es an. Aber so einfach liegen die Dinge auch wieder nicht. Weil und solange niemand bereit und willens ist, der Unglaubwürdigkeit des Begriffs »Konzil« offen entgegenzutreten, wird dieser als Zielvorstellung weiterwirken. Das »Konzil«, das es nicht geben wird, wird deswegen alles andere, was statt dessen unternommen wird, mit dem Hauch des Uneigentlichen umgeben, wo eigentlich etwas anderes stattfinden sollte. Es ist unschwer vorauszusehen, daß der Begriff zu einem wirksamen Stolperstein aller dieser Unternehmungen avancieren wird. Fehlt den Kirchen die Kraft, hier mit sich und untereinander zu öffentlicher Klarheit und Ehrlichkeit zu kommen, dann ist nicht zu sehen, womit sie ihrer Glaubwürdigkeit und Wirksamkeit nach außen, auf »die Welt«, zu dienen vermögen.

Und nun der zweite Grund: Es geht um Frieden, der heute »Bedingung des Überlebens der Menschheit« ist. Die Formel knüpft an das an, was Carl Friedrich von Weizsäcker 1959 als These 1 der sogenannten Heidelberger Thesen formulierte: »Der Weltfrieden wird zur Lebensbedingung des technischen Zeitalters.« Aber die Sache ist so eindeutig nicht. Jedenfalls hat die Ökumene, repräsentiert von den ökumenischen Großorganisationen, die ihren Sitz in Genf haben, eine recht andere Perspektive. Dort wird die europäische und darin noch einmal spezifisch deutsche Sicht der Lage der Menschheit, wie sie durch den Ost-West-Konflikt bestimmt ist, nicht ohne weiteres geteilt. Darum sind schon auf der Weltkonferenz des Ökumenischen Rates der Kirchen in Vancouver 1983 die Weichen in eine Richtung gestellt worden, wonach in der Reihe der menschheitsrelevanten Themen »Gerechtigkeit« in der Prioritätenliste vor »Frieden« kommt und die Liste um »Bewahrung der Schöpfung« erweitert worden ist. So ist klar: Auch in der Sache wird es ein Konzil des *Friedens* nicht geben. Die Schrift, in der Weizsäcker jetzt seine eigenen Reflexionen und sehr persönlichen Vorstellungen zusammengefaßt hat, zeigt eine Auseinandersetzung mit den Einsichten und Erfahrungen, die sich nach dem Kirchentag 1985 unvermeidlich einstellen mußten. Sie lesen sich wie das Dokument eines unfreiwilligen Abschieds von einer Vision, die im Begriff eines »Konzils des Friedens« ihren keineswegs zufälligen oder beliebigen Ausdruck gefunden hatte.

Politik als Thema des Konzils?

Was bleibt und was sich durchhält, ist das Ziel der Einwirkung auf die Politik. Das ist auch in der nunmehr themenreich modifizierten Form der cantus firmus: »Eine weltweit politisch wirksame Rechtsordnung ist zu fordern.« – »Eine politisch durchsetzbare Weltwirtschaftsordnung ist politisch nötig.« – »Die Versammlung muß, wenn sie dazu noch zurecht kommt, eine gemeinsame Politik der Großmächte für

Entspannung, Rüstungsabbau, wirtschaftliche und kulturelle Zusammenarbeit dringend fordern.« – »Die großen Umweltprobleme müssen im Rahmen einer Weltwirtschaftsordnung behandelt werden.« So lauten die Spitzensätze in den Thesen, die der »Weltversammlung« als Richtschnur dienen sollen. Sie würden, das ist unschwer zu erkennen, jeder Art von Weltversammlung, die sich um Menschheitsprobleme versammelt, auf die Tagesordnung gesetzt werden können und finden sich dort ja auch tatsächlich bereits. Was hier nun genau zu fordern, auch dringend zu fordern ist, was politisch nötig und in welchem Rahmen behandelt werden muß, aus dem Stoff solcher Fragen setzt sich Politik zusammen. Die Vision einer Weltversammlung der Christen wird ja mit Sicherheit nicht bedeuten können und wollen, daß nunmehr die Kirchen das Ruder der Politik ergreifen sollten, nachdem die dazu berufenen Politiker sich als unfähig erwiesen haben. Oder ist es doch so? Speist sich die Idee aus der Überzeugung vom Versagen der Politik? Aber Politiker, die den Aufgaben, vor denen die Welt heute steht, mehr schlecht als recht gerecht werden, können doch wieder nur durch Politiker abgelöst und ersetzt werden. Jedenfalls nicht durch kirchliche Gremien. Politik ist ja der Ort, wo Forderungen und Verantwortung unausweichlich zusammenkommen und zusammenfinden müssen. Ein Forderungskatalog, der diesem elementaren Sachverhalt nicht Rechnung trägt, stößt ins Leere oder führt zur Potenzierung der Forderungen, weil ihnen der Selbsteinwand konkreter Verantwortung fehlt. Carl Friedrich von Weizsäcker hat selbst lange genug Umgang mit Politik gepflogen und kennt jeden Einwand, den man hier erheben könnte, sehr genau. Ob die Belehrung, die er selbst daraus zieht, gehört wird, gehört werden kann? Das läßt sich an einer wiederum sehr pragmatischen Frage verdeutlichen. Gefordert wird intellektuelle Genauigkeit in der Bearbeitung der Probleme, Sachkunde und die Mühsal des Details. Darum mahnt er, daß über die zeitliche Dauer einer Versammlung, die sich so großen Themen widmen will, gesprochen werde. Die großen kirchlichen Konzilien haben »oft mehrere Jahre lang gedauert«. Aber die politischen Prozesse dauern noch viel länger, nicht nur »meist mehrere Monate«. Sowohl der KSZE-Prozeß wie die verschiedenen Abrüstungskonferenzen sind ja Angelegenheiten von Jahren, teilweise sogar von Jahrzehnten. Auch das ist Politik. Dagegen ist eine kirchliche Konferenz, »die nur wenige Wochen dauert, kaum imstande, Grundsatzfragen sorgfältig zu erörtern«, von detaillierten Sachfragen ganz zu schweigen. Und wie eine Voraussage auf das, was wohl tatsächlich geschehen wird, heißt es, eine kirchliche Versammlung, die nur wenige Wochen dauert, sei in Versuchung, »sich im Grundsätzlichen auf leidenschaftliche oder fromm-nichtssagende Formeln zu einigen, die im Detail konsequenzlos bleiben«. Genau so wird es kommen; denn es wird keine Versammlung geben, die über Jahre oder auch nur Monate hin tagt. Man kann sich schwer des Unbehagens erwehren, das daraus entsteht, daß die Differenz zwischen ernsthafter, politisch verantwortlicher Arbeit und dem, was kirchliche Versammlungen bei aller Vorarbeit leisten können, so klar gesehen wird, ohne daß daraus die fälligen Konsequenzen gezogen werden. Man muß dazu gar nicht über die inhaltlichen Probleme im einzelnen reden, um klar zu sehen, daß den Kirchen hier eine ersatzweise Rolle zugemutet wird, die zu übernehmen sie sich aus geistlichen Gründen wie aus solchen der Vernunft eigentlich weigern müßten. Sie werden es nicht tun. Denn sie kämen sonst in den Verdacht, sie wollten die Welt sich selbst überlassen. Aber mit gutem Gewissen können sie es auch nicht tun. Mehr als letztlich unkontrollierbare Formen der Einflußnahme können dabei nicht herauskommen. Und wie wäre es, wenn dabei mit neuem Schub eine kirchlich geförderte Delegitimierung der Politik im Grundsätzlichen herauskäme?

Erklärungsbedürftig ist auch die Spannung zwischen dem »Die Zeit drängt!« und der an das Konzil gerichteten Aufforderung »Laßt Euch Zeit!«. Über Jahre hinweg ist immer wieder darauf hindemonstriert worden, daß die unabwendbare Katastrophe unmittelbar bevorstehe, daß die »Atempause«, in der man noch verhandeln und bereden könne, bald vorbei sei. Und die scheinbare Vergeblichkeit des politischen Prozesses ist das stärkste Motiv geworden in der Erwartung, die sich nun auf die Kirchen der Welt richtet. Treten diese aber in diesen Prozeß mit »pragmatischen Entscheidungen, den Regierungen Handlungsweisen vorzuschlagen« ein, dann braucht es Zeit, um zu solchen hörenswerten Vorschlägen zu kommen, eben die Zeit, die Politik braucht. Das Zeitmaß der Vision, im Guten wie im Bösen, ist nicht das empirische Zeitmaß des Politischen. Und der moralische und existentielle Druck, den die nukleare Strategie auf die politische Verantwortung gelegt hat, hat von sich aus ja schon lange dazu geführt, dem Politischen in den Beziehungen der Weltmächte zueinander eher den Charakter des Langzeitigen oder doch der nur äußerst vorsichtigen Bewegungen zu verleihen. Von einer raschen Bewegung hin auf eine erkennbare Katastrophe kann hier niemand ernsthaft reden. Eher ist es so, daß die Abwehrdrohung der Waffen ganz andere politische Bewegungen des Disengagements und der Rücknahme ihrer Abschreckungswirkung indiziert. Wer heute die Überwindung der Institution des Krieges fordert, der müßte doch eigentlich darauf aufmerken, wo und wie sich diese Überwindung schon schrittweise und erkennbar vollzieht. Im Verhältnis der Nuklearmächte zueinander und untereinander ist in der von den Waffen erzwungenen Gesamtlage ein Maß an Stabilität gewachsen, wie das in den ersten beiden Nachkriegsjahrzehnten, auch zum Zeitpunkt, als die Heidelberger Thesen verfaßt wurden, kaum von jemandem erwartet worden ist. Ist die drohende Formel »Die Zeit drängt« nicht eher ein Blick zurück? Warum soll denn der Zeit, die der politische Prozeß braucht und sich nimmt, die Anerkennung verweigert werden, wenn diese Zeit dann doch wieder gebraucht wird und unabdingbar nötig ist, um politisch verantwortlich und überlegt handeln zu können? Als symbolische Rede gemeint, muß eine solche Zeitverkürzungsrede doch gegen ihren Wortsinn gelesen werden: Nehmt Euch Zeit! Also müßten die Kirchen heute zur Geduld aufrufen, zur Geduld der Vernunft und der Politik. Auf die Summe der Themen, die jetzt auf die Tagesordnung einer »Weltversammlung« kommen sollen – Gerechtigkeit, Umwelt, Weltwirtschaftsordnung, internationale Rechtsordnung – paßt die Atemlosigkeit des Drängens wegen der kurzen Frist ohnehin nicht mehr. Auch hier zeigt sich, daß die ursprüngliche Vision sich doch wohl an den Korrekturen orientieren müßte, denen sie sich nunmehr nolens volens einfügt.

Theologie des Friedens?

In sehr persönlicher, unverstellt subjektiver Weise wird mitgeteilt, wo denn der eigentliche Schnittpunkt von Theologie, besser: Religion und Frömmigkeit einerseits und Politik und Weltgeschichte andererseits zu erblicken sei. Das Stichwort ist »Realeschatologie«. Das Himmelreich, von dem es in der Verkündigung Johannes' des Täufers heißt, es sei nahe herbeigekommen, und die gegenwärtige geschichtliche Stunde gehen – vielleicht – ineinander über? »Könnte das Himmelreich in unsere Geschichte eintreten, wenn wir nur bereit wären, es zuzulassen?« Aber: Könnten wir Gott daran hindern oder dazu veranlassen? »Jetzt, da die neuzeitliche Zivilisation die reale Möglichkeit entdeckt, die Natur, in der sie lebt, selbst zu zerstören, treten die altüberlieferten Bilder vom Gericht zum ersten Mal aus der kosmischen Gleichnisrede in den Gesichtskreis unseres konkreten Handelns. Jetzt sind sie mit unserem Handeln nicht nur moralisch und jenseitig, sondern diesseitig – kausal verbunden.« Nein, eine solche »diesseitig kausale« Verbindung, sie ist nur im Bekenntnis zu Jesus Christus zu erblicken. Das ist das Bekenntnis der Kirche. An ihm vorbei, d.h. am Glauben an die Auferstehung Jesu Christi vorbei, gibt es keine solche Verbindung. Wenn dazu das Neue Testament zitiert werden soll, dann wird sich die Auslegung auch solchen Worten verpflichtet wissen: »Dann kommt das Ende: Wenn Jesus Christus die Herrschaft Gott dem Vater übergibt, wenn er zunichte gemacht hat, was Herrschaft besitzt, Gewalt beansprucht und Macht ausübt. Denn er soll herrschen, bis Gott ihm alle seine Feinde unter seine Füße gelegt hat. Als letzter Feind wird der Tod zunichte werden. Denn: Alles hat er ihm unter seine Füße gelegt. Wenn ihm aber alles untertan geworden ist, dann wird sich auch der Sohn dem Vater unterstellen, der ihm alles unterworfen hat – damit dann Gott alles in allem ist« (1. Korinther 15,24ff.). Das ist die neutestamentliche Vision vom Ende aller Souveränitätsrechte. In ihrem Lichte singt der Fromme: »Jesus Christus herrscht als König, alles sei ihm untertänig.« Und der Fromme wird wohl nicht darauf kommen, statt »Jesus Christus« zu singen: »die Kirche« oder »die Christen« oder »das Konzil«. In keinem eschatologischen oder apokalyptischen Text der Bibel ist die Rede von einem »Überleben der Menschheit«. In dem Horizont der Überlebensperspektive ist die Eschatologie nicht zu Hause und sie soll es auch nicht sein. Gewiß, das ist ein großes Thema kirchlichen und theologischen Streites über die Jahrhunderte hinweg. Aber Lebenserhaltungsbedingungen werden immer nur im Lichte der Fortdauer unserer irdischen Existenz formuliert; sie von Erwartung an Endzustände und Endereignisse, die von Menschenhand mit herbeizuführen sind, freizuhalten, das ist das Gebot der Vernunft, zu dem die Theologie helfen kann allein durch klare und strikte Unterscheidungen zwischen dem, was uns zu tun geboten und möglich ist, und dem, was nun gerade nicht in die Kompetenz und den Anspruch menschlichen Handelns gehört. Eschatologische Politik müßte man fürchten. Und die modernen politischen und wissenschaftlichen »Realeschatologien« haben uns das Fürchten gelehrt. Darum ist ein solcher Satz wie dieser nicht ohne Widerspruch zu lesen: »Erst heute wird eine Theologie des Friedens möglich, auf die sich die Kirche muß einigen können; eben weil die politische Institution des Krieges aus säkular einsichtigen Gründen überwunden werden muß.« Daß die Menschheit ohne Krieg, vor allem und in erster Linie ohne nuklearen Krieg besser lebt und vor allem und in erster Linie überlebt, das ist gewiß. Die apokalyptischen Texte des Neuen Testamentes, vor allem die heute oft leichtfertig zitierten Worte aus der Offenbarung, dem letzten Buch der Bibel, sprechen allein vom Weltenbrand, in dem die böse Welt ihren wohlverdienten Untergang findet. Die Apokalyptik ist nicht die Quelle, aus der man sich die Inspiration der Friedenspolitik wünschen möchte.

Die Christenheit hat, mühsam genug, gelernt, der Eschatologie des Urchristentums nicht einen linearen, weltimmanenten Sinn zu geben. In dieser Hinsicht könnten gegenwärtig nur Regressionen passieren. Eine Theologie des Friedens wird darum immer in den Ruf münden müssen: Seid vernünftig! Und das bedeutet mehr und anderes als die Akzentuierung eines allseitig plausiblen Überlebenswillens. Politischer Auftrag ist es, Überlebensfragen in Lebensfragen zu verwandeln. Politik bedarf der Rechtfertigung. Sie muß vor Gott verantwortet werden. Darum muß sie bloße Überlebensfragen in solche der lebensdienlichen Gestaltung des Zusammenlebens, der Institutionen, des Schutzes von Freiheit und Gerechtigkeit überführen. Insofern ist es dann auch nicht ohne Logik, daß die Idee eines »Konzils des Friedens«, die sich dem Reflex auf eine nukleare Katastrophe verdankt, aus ihrer dramatischen Isolierung herausgelöst worden ist.

So bleibt abzuwarten, ob die künftigen ökumenischen

Prozesse sich davon befreien können, im Gestus alternativer Weltpolitik zu verlaufen, und statt dessen die Bejahung der Welt als einer Welt Gottes auch in eine Bereitschaft von Christen umsetzen können, sich der wirklichen Politik dienstbar zu machen.

Hilmar Lorenz
»Die Zeit drängt«: Das theologische Problem

Lieber Herr von Weizsäcker!

Sie haben mit Ihrem Büchlein in dem konziliaren Prozeß auf eine Weltversammlung der Christen zu, der hierzulande mit Ihrem Namen verknüpft wird, ausführlich Position bezogen, wofür ich Ihnen danken möchte. Denn Sie haben damit einen geistig-geistlichen Klärungsprozeß begonnen, der m. E. der Fortsetzung durch andere bedarf. Das vorliegende Büchlein und speziell diesen Brief verstehe ich als eine solche Fortsetzung.

Allerdings ist mir bei der Frage nach den Adressaten Ihres Büchleins nicht behaglich zumute. Wem gegenüber beziehen Sie Position, und wer soll Sie dabei verstehen? Verstehen werden Sie noch am ehesten die herrschende Universitätstheologie und ihre Gesprächspartner im Bereich liberaler aufgeklärter Intellektueller mit Gespür für den Ernst idealistischer Positionen. Jedenfalls dürften Sie dort spontanen Beifall finden, was agnostisch-positivistisch oder links-ideologisch Denkende vermutlich mit Mißtrauen erfüllt. Doch als Versuch, in die Kirche hineinzuwirken, kommt Ihr Büchlein m. E. nicht ungelegen.

Innerkirchlich grenzen Sie sich von »evangelikalen Fundamentalisten« ab, indem Sie mit solchen, die den »direkten Sinn der Bibel« anerkennen »und ihm gemäß zu handeln suchen«, »Zusammenarbeit« suchen, aber nicht mit solchen, die meinen, »die biblische Botschaft beziehe sich nur auf das Heil der menschlichen Seele und nicht auf die soziale und politische Realität« (S. 83).

Ich glaube nicht, daß »evangelikale Fundamentalisten«

sich mit dieser Unterscheidung verstanden fühlen. Vielmehr dürfte, gerade wer den »direkten Sinn der Bibel anerkennt« und ihn auch »auf die soziale und politische Realität« bezieht, nämlich in ihr gefallene Schöpfung sieht, sie im »direkten Sinn der Bibel«, z. B. mit Römer 13, als Gottes Schöpfung anzunehmen suchen. Es geht ihm um »das ewige Heil«, das er zeitlichen Zielen oder »pragmatischen Gründen« (S. 83) – und seien sie noch so ehrenwert – niemals unterordnen wird.

Der Spiegel der »evangelikalen Fundamentalisten«

Sie kündigen im Vorwort an, daß Sie versuchen, »die Probleme, um derentwillen die Versammlung einberufen werden soll« und die Sie zunächst »in der Sprache der heutigen weltlichen Politik und Wissenschaft« darstellen, in den Kapiteln 9–12 »in der christlichen Sprache zu verstehen«. Und Sie beginnen diese Kapitel mit Bibelworten, die Sie dann auslegen. Bei näherem Hinsehen sind diese Auslegungen jedoch so deutlich von der Sprache der weltlichen Politik und Wissenschaft geprägt, daß eher der umgekehrte Eindruck entsteht: daß Sie jene Bibelworte und sonstige Begriffe der christlichen Tradition im Horizont jener weltlichen Sprache zu verstehen und somit die Bibelworte in jene weltliche Sicht zu integrieren suchen.

Mit diesem Vorgehen grenzen Sie zwar nur eine Minderheit, aber doch eine recht aktive in der Kirche aus dem konziliaren Prozeß, wie Sie ihn verstehen, aus. Dies aber dient, zumindest innerhalb der Kirchen, nicht dem Frieden, sondern dem ideologischen Grabenkrieg, zu dem nach meiner Beobachtung jene besonders neigen. Daß sich hier die Fronten bereits formieren, dafür ist der Aufsatz mit dem doppelsinnigen Titel ›Der Anstoß von Assisi‹ vom Dezember 1986 in ›Diakrisis‹, der Zeitschrift des Theologischen Konventes der Konferenz Bekennender Gemeinschaften in den evangelischen Kirchen Deutschlands e. V. ein Indiz. Die dortige Kritik sieht den negativen Anstoß von Assisi, glasklar argumentierend, in der synkretistischen Tendenz. Gemeint ist die Umkehrung der Wertigkeit, der Vorrang, den der Papst mit dem Gebetstag von Assisi durch die Einladung außerchristlicher Religionen dem zeitlichen Gut des Weltfriedens vor dem biblischen ewigen Heil eingeräumt habe. Mit dem Artikel wird für einen »Internationalen Bekenntniskongreß« vom 13. bis zum 16. September 1987 in Zürich gegen »die synkretistische Bedrohung des christlichen Glaubens« geworben.

Ich habe dem Autor dieses Artikels, Peter Beyerhaus, daraufhin eine ausführliche Entgegnung geschickt. In diesem Brief möchte ich versuchen, den theologischen Kern des Konflikts, wie ich ihn sehe, an Sache und Aufriß Ihres Buches darzustellen. Ich hoffe so, wenn schon nicht an der Vermeidung, so doch an der Linderung des zu erwartenden Bruches mit den Bekennenden Gemeinschaften mitzuwirken. Das damit angezeigte theologische Problem könnte sich als das große Hindernis im konziliaren Prozeß erweisen.

Ich sehe das theologische Problem in einer Unklarheit, die sich z.B. in Ihrem erwähnten Umgang mit Bibelzitaten zeigt. Allerdings stehen Sie damit nicht allein, sondern in guter Gesellschaft der herrschenden Universitätstheologie. Die Unklarheit zeigt sich zuerst an dem Aufruf des Deutschen Evangelischen Kirchentages 1985, mit dem Sie Ihr Buch eröffnen. Da heißt es: »Der Friede ist heute Bedingung des Überlebens der Menschheit.« Ist dieser Satz eine Aussage oder ein Bekenntnis? Sein Vorgänger, These 1 der Heidelberger Thesen von 1959, lautet zurückhaltender: »Der Weltfriede wird zur Lebensbedingung des technischen Zeitalters.«

Die logische Klarheit in Beyerhaus' Artikel hat ihre Wurzel ebenfalls in der fehlenden Unterscheidung zwischen Aussagen und Bekenntnissen. Beyerhaus setzt biblische Bekenntnissätze wie Axiome ein, aus denen er logisch konsistente Schlüsse zieht. Jedoch äußert sich »das ewige Heil« wie alle inhaltlichen Wahrheiten zeitbedingt, z.B. in der Bibel, die Gottes Wort in der Gestalt von Menschenworten aus historischen Sprachen enthält. Die logische Konsistenz von Aussagen und Schlüssen nach ihren »ewigen« Regeln ist kein Ausweis ihrer inhaltlichen Wahrheit. Aber sie verführt Menschen, ob Fundamentalisten oder Atheisten, dazu, ewige Wahrheiten zu zitieren bzw. selber zu verkünden, bzw. Agnostiker und Positivisten dazu, trotz ausdrücklichem Skeptizismus ihre empirischen Analysen wie ewige Wahrheiten zu handhaben. Aus pragmatischem Vorgehen wird so unter der Hand eine Norm, die die Situationsbezogenheit seines Wesens verkennt und ihm dadurch die Eindeutigkeit nimmt.

Damit wirkt die skizzierte Position von Beyerhaus auf mich wie ein Spiegelbild der Ihren. Sie fordern für die Konzilsvorbereitung Bereitschaft zu »rationalem, d. h. redefähigem Denken«. Beyerhaus stellt mit seinem Aufsatz implizit die gleiche Forderung, allerdings von anderen Axiomen aus als Sie. Die Rationalität garantiert für sich noch nicht die Redefähigkeit. Historisch haben sich Bekenntnisse allemal als redefähiger erwiesen als rationale Aussagen mit der Suggestion, Ewiges über Zeitliches zu sagen. Prophetische Rede bezieht gerade aus der historischen Situation, an die sie gebunden ist, ihre fast überzeitliche Kraft. Propheten und Bekenner haben es eher vermocht, jene weltweite Kirche aufzubauen und gelegentlich in Konzilen zu einigen, während die nachaufklärerische Vernunft eher dazu neigt, Einheit mit unterschiedlich subtilen Formen der Macht zu erzwingen, als wirklich zu einigen. Darin liegt doch zumindest eine Wurzel für die Probleme, die Sie für das Friedenskonzil nennen. Wie können Sie da von jener nachaufklärerischen Rationalität erwarten, daß sie in der Weltchristenheit mit ihren unterschiedlichen kulturellen Traditionen redefähig ist?

Theologische Kritik Ihrer Themenstellung

Ihnen liegt offensichtlich daran, daß die Weltversammlung der Christenheit auf dem Niveau heutiger wissenschaftlicher Rationalität spricht. Dies erfordert eine entsprechende Analyse der Probleme, wie Sie sie in Teil II Ihres Büchleins skizzieren. Es gilt, Katastrophen zu vermeiden, deren »Verhütung ... ein Maß effektiver Vernunft« erfordert, »das bisher ebenso die Phantasie der Konservativen wie die Selbstkritik der Radikalen überfordert« (S. 25). So formulieren Sie parallel zum Beschluß des Ökumenischen Rates einer »Weltkonferenz der Kirchen über Gerechtigkeit, Frieden und die Bewahrung der Schöpfung« für 1990 die weltlichen Ziele, die zur Verhinderung von Katastrophen anzustreben sind: »Soziale Gerechtigkeit, politischer Friede und Bewahrung der Natur«.

Diese Forderungen einer weltlichen Vernunft analysieren Sie zunächst für sich, um sie dann aus der »Geschichte der

Kultur« heraus im Zusammenhang zu verstehen (S. 52 ff.). Die Geschichte der Kultur liefert Ihnen ferner den Rahmen für eine »Geschichte der Kirche« (S. 60 ff.) und damit den Kontext, in dem Sie dann Ihnen wichtige Bibeltexte zu »Gerechtigkeit« (S. 66 ff.), »Friede« (S. 72 ff.) und »Schöpfung« (S. 77 ff.) interpretieren. Sie vermuten »die Herkunft der heutigen Probleme ... im Werdegang der Hochkultur« (S. 52), aber stellen auch die Frage, was »jenseits« ihrer »Strukturen liegt und sie ermöglicht. So fragt die Naturwissenschaft, so fragt auch die Theologie«.

Sie beschreiben jedoch die Geschichte der Hochkulturen am Leitfaden der naturwissenschaftlichen Evolutionstheorie (S. 53) entlang und so auch die Geschichte der Kirche, als ob sich auch religionswissenschaftliche und theologische Fragestellungen wie die traditionellen sozialwissenschaftlichen Themen mit diesem Ansatz verstehen ließen.

Die Reihenfolge von zunächst naturwissenschaftlicher, dann theologischer Hinterfragung der Hochkulturgeschichte erweckt so den Eindruck, als sei die theologische Hinterfragung von der evolutionstheoretischen her bestimmt und damit die von Ihnen zitierten Bibelstellen lediglich Bestätigungen der aus der evolutionstheoretischen Analyse erwachsenen Antworten. Ich halte diesen Zugang zu den Problemen innerhalb der Weltchristenheit für nicht konsensfähig. Vielmehr kann er zu einer Verschärfung bzw. Wiederbelebung eigentlich aller Konflikte führen, die die Geschichte der Kirchen seit der Aufklärung in Glaubensfragen begleiten. Z.B. sind die innerkirchlichen Konflikte um die Evolutionstheorie allenfalls verdrängt, aber keineswegs ausgestanden. Die Fachtheologie scheint sie aufgrund ihrer fortschreitenden Spezialisierung aus dem Auge verloren zu haben. Oder auch umgekehrt: Die Fachtheologie scheint sich, um den Konflikten auszuweichen, in die fortschreitende Spezialisierung geflüchtet zu haben.

Die mangelnde Konsensfähigkeit ist jedoch nur Hinweis auf ein tiefer liegendes Problem, das im folgenden an Ihrer Darstellung jener genannten drei Forderungen der weltlichen Vernunft verdeutlicht werden soll.

»Kein Friede ohne Gerechtigkeit, keine Gerechtigkeit ohne Frieden« ist »eine Forderung der aufgeklärten Vernunft« (S. 26), aber auch eine Zusammenfassung des biblischen Gesetzes. Nach Paulus ist das Gesetz als Regler menschlichen

Lebens tödlich (vgl. Galater 3). Mir scheint für die aufgeklärte Vernunft das gleiche zu gelten; denn sie treibt uns ja auf die befürchteten Katastrophen zu, weil sie wie das Gesetz nach Paulus uns Menschen zu ihrer Übertretung reizt. Gesetz und aufgeklärte Vernunft unterliegen der Zweideutigkeit nichtgöttlicher Wesen (Galater 3,20).

Dies läßt sich an den Begriffen Legalität und Moralität verdeutlichen. Legalität »als Handeln gemäß dem Gesetz« und Moralität »als Handeln aus Achtung vor dem Gesetz« (S. 26) geraten miteinander immer wieder in Widerstreit. Ideologien und Ideologiekritiken pflegen dabei scharfsichtig meist nur für die Zweideutigkeiten des Gegners zu sein, wie Sie selbst ausführen (S. 27).

Politisch in begrenztem Umfang durchsetzbar war denn auch nur das Legalitätsprinzip. Menschliche Richter können nur beurteilen, ob ihre Mitmenschen die logische Form des Gesetzes verletzen. Dies verführt zu der Heuchelei, als seien Staaten, die in ihrem Handeln dieser Form genügen, bereits Rechtsstaaten. Man kann den ideologischen Konflikt zwischen Ost und West mit dieser Kritik beleuchten, wobei der sozialistische Versuch, inhaltliche Elemente von Gerechtigkeit durchzusetzen, wo er politisch erfolgreich war, immer wieder zu unerträglichen Formverletzungen des Rechtes geführt hat.

Dieses Dilemma der aufgeklärten Vernunft muß den biblischen Fundamentalisten geradezu dazu treiben, sich auf Römer 13 zurückzuziehen, d.h. er kann das Legalitätsprinzip letztlich nur als von Gott obrigkeitlich verfügt annehmen und insofern der Obrigkeit Loyalität zollen. Und nicht nur der Fundamentalist. Mir scheint nicht nur für den Osten, sondern auch für den Westen zu gelten, daß die Durchsetzung des Legalitätsprinzips letztlich nur die Loyalität der Mehrheit gegenüber diesem, verglichen mit dem Absolutismus, neuen Stil der Obrigkeit bewirkt hat. So aber bedeutet die politische Durchsetzung des Legalitätsprinzips seine Aufhebung.

Ich möchte dies an der bürokratischen Struktur des Justizvollzuges verdeutlichen. Jeder dort tätige Beamte hat sein Gelöbnis auf die sogenannte freiheitlich-demokratische Grundordnung abgelegt. Zugleich aber drängt ihn die bürokratische Struktur des Befehlens und Gehorchens in erster Linie dazu, sich in die vorgegebene Hierarchie mit seinem

Handeln loyal einzufügen. Es ist eine Frage an seine persönliche Moralität, ob er das Risiko eingeht, im Streitfall seiner Einschätzung der Legalität vor der Loyalität den Vorrang zu geben. Im Zweifelsfall wird er so das Vertrauen in seine Kooperationsfähigkeit aufs Spiel setzen.

Mit anderen Worten: Das Legalitätsprinzip spukt in den Köpfen staatstragender Juristen und einiger Intellektueller, denen aufgrund der Formalität ihrer Denkweisen das inhaltliche Umschlagen des Legalitätsprinzips in das Loyalitätsprinzip in der Lebensrealität entgeht. Wie wäre es sonst auch verständlich, daß die sogenannten demokratischen Staaten, wie Sie selbst immer wieder deutlich gemacht haben, für ihre Exekutiven wie auch für den Vollzug der Jurisdiktion die bürokratisch-hierarchischen Strukturen des Absolutismus nahezu kritiklos und ohne Abstriche übernommen haben?

Wer wie die breite Mehrheit der Industrienationen in öffentlichen Verwaltungen oder ähnlichen Strukturen der Privatwirtschaft lebt und arbeitet, wird die Durchsetzung der Forderungen der aufgeklärten Vernunft seiner Obrigkeit überlassen, es sei denn, man sieht seine materielle Existenz bedroht. Sind da nicht Fundamentalisten dieser Mehrheit noch allemal näher als Ihre idealistisch aufklärende Argumentation? Ich finde nur zu verständlich, daß sie weiter das Christentum als Religion der bloß persönlichen Umkehr vertreten, wenngleich sie auch damit zunehmend weniger verstanden werden.

Daß Kirche etwas zum Bereich weltlicher Obrigkeit, zu den sozialen, politischen und ökonomischen Strukturen zu sagen hat, wird jedoch noch weniger verstanden. Daß Kirche darüber öffentlich redet, ist nach dem Zweiten Weltkrieg weitgehend eine Neuerscheinung. Ich glaube nicht, daß auch nur die Mehrheit der am Leben der Gemeinden Teilnehmenden dies begriffen hat. Was Gemeindeglieder selber haben erleben können, ist die für manchen atemberaubende Modernisierung kirchlicher Strukturen im Sinne der Anpassung an politisch und ökonomisch vorherrschende. Wie sollen angesichts dieser nicht unumstrittenen Taten heute Worte derselben kirchlichen Institutionen verstanden werden, die solche Modernisierung hinterfragen?

Der Rückgriff auf die Bibel wird bei solcher Hinterfragung auch kaum verstanden. Denn christliche Sozialisation in unserer Gesellschaft geschieht weithin immer noch so, daß Bibel und Jesus in einem fraglos akzeptierten Kontext kirchlicher Institution vermittelt werden. Daß die Evangelien und in ihnen Jesu Auseinandersetzung mit den Pharisäern kirchenkritisch verstanden werden müssen, ist vermutlich noch in keiner Kirche konsensfähig.

So können vielleicht Fundamentalisten sogar verstehen, daß das Elend in der Dritten Welt »eine Folge der Abhängigkeit des Südens vom kapitalistischen Weltmarkt« (S. 35) ist. Aber sie werden es als Erscheinungsform der Sünde verstehen, zumal der gerade in den reichen Ländern um sich greifenden Gottlosigkeit, und hier sogar eine Brücke zu Christen des Südens finden. Es gilt aber für sie, in der sündigen Welt, wie sie nun einmal ist, der Obrigkeit untertan zu sein und das damit verbundene Leiden als Gottes Prüfung anzunehmen. Schließlich geht es um das ewige Heil, um Tod und Leben, und nur insofern um das zeitliche Gut des Überlebens, als es mit dem ewigen Heil verträglich ist.

Entsprechendes gilt für den politischen Frieden, der als zeitliches Gut dem ewigen Heil nachgeordnet wird. Vielleicht ist ja diese Nachordnung einer der Gründe, warum sich unsere Kultur mit dem politischen Frieden so schwer tut, je nachdem, was man unter ewigem Heil versteht. Auch die aufgeklärte Vernunft neigt ja dazu, ihre Forderungen wenn schon nicht als ewiges Heil, so doch als ewige Wahrheit über unser zeitliches Heil zu vertreten. So verbündet sie sich z. B. zur Durchsetzung des Legalitätsprinzips mit Widersachern wie dem Loyalitätsprinzip. Solche Bündnisse gaben immerhin den Gegnern zweier Weltkriege das jeweilige ideologische Rüstzeug, und dies ist heute zwischen Ost und West nicht anders.

Sie sprechen von der im Süden wachsenden »Abneigung gegen beide nördliche Mächte«, zitieren zu diesem Konflikt als südliche Meinung: »Das ist euer Problem, nicht unseres«, und kommentieren diese »tief verständliche Abwendung von der Sorge des Nordens, aber sie ist gefährliche Blindheit gegenüber einer Weltgefahr« (S. 38). Doch die Weltgefahr ist eine Folge jener für unsere Kultur spezifischen Bündnisse der aufgeklärten Vernunft mit ihren Widersachern, die ihre Zweideutigkeit zum Vorschein bringen.

So bleiben auch Ihre Friedensthesen (S. 42 f.) in der Zweideutigkeit des Gesetzes verhaftet. Wie die aufgeklärte Vernunft mögen sie uns Menschen zu der Einsicht erziehen, daß wir aus eigener Kraft den Frieden nicht retten werden; aber Regeln für faktisches Friedenshandeln von Menschen werden sie nur im Ausnahmefall sein, so wie wir Menschen nun einmal sind. Das ewige Heil des Friedens, als Leib Christi verstanden (vgl. S. 72 ff.), ist denn auch dort überzeugend, wo ihm weder im Leben des Einzelnen noch in der Organisation von Kirche jene Bündnisse der aufgeklärten Vernunft angehängt werden. Aber gerade weil der Einzelne wie die organisierten Kirchen sich immer wieder für ihre Bündnisse zwischen regelndem Gesetz, aufgeklärter Vernunft und obrigkeitlichem Loyalitätsprinzip auf das ewige Heil berufen haben, fehlt es ihnen so sehr an Glaubwürdigkeit, wie sie ihr historisches Überleben gesichert haben.

Aus all diesen Gründen ist m. E. dem »tiefen aufrichtigen Zweifel« traditioneller Christen (S. 76), dem gerecht zu werden Sie fordern, mit Ihrer Analyse nicht Gerechtigkeit widerfahren. Sie selbst sagen: »Die Christen haben zu sagen, daß das weltliche Reich nicht das Reich Gottes ist und daß der weltliche Gegner nicht das Reich des Bösen ist« (S. 76). Dies kann die weltliche Vernunft in ihrer inhaltlichen Zweideutigkeit nicht verstehen. Vielmehr braucht sie zu ihrer Durchsetzung Verbündete, die sie im Gebrauch aufheben. Mir scheint, es ist die inhaltliche Eindeutigkeit, mit der Sie die mythische Sprache des Neuen Testaments »als unmittelbar wahr« berühren (S. 76).

Entsprechendes gilt für die Forderung »Kein Friede zwischen den Menschen ohne Friede mit der Natur« (S. 46 ff.). Die Umweltprobleme sind ein Indiz dafür, wie sehr die aufgeklärte Vernunft in ihrer eigenen Zweideutigkeit hängenbleibt. Was ist denn für sie »Natur«? Hier ist die mythische Rede von der Schöpfung, in der wir Menschen Mitgeschöpfe sind, eindeutig. Wer den Menschen als Geschöpf unter anderen Geschöpfen sieht, kann »das Pathos der Freiheit und Gleichheit« (S. 81) nicht auf den Menschen beschränken. Dies aber erfordert eine andere Naturwissenschaft.

Daß es sich hier um eine mythologische Sprache handelt, ist ebenfalls in den Kirchen nicht konsensfähig. Der Konflikt um das damit angezeigte Problem kann zwar innerkirchlich weiter verdrängt werden. Doch die Forderungen der aufgeklärten Vernunft sind insofern erzieherisch, als sie vor Augen führen, daß die Vermeidung jenes Konflikts vielleicht dem Frieden in einer sich isolierenden Kirche, aber nicht dem Frieden in der Gesellschaft dient. Denn mit seiner Vermeidung erreicht die Kirche zwar nach außen eine relative Geschlossenheit, aber sie verschließt sich so zunehmend einer Gesellschaft außerhalb ihrer Grenzen, die sich von ihrem unklaren Verhältnis zu fundamentalistischen Positionen abgestoßen fühlt.

Die Gesellschaft außerhalb der Kirche durchschaut sehr wohl die Zweideutigkeit einer fundamentalistischen Rationalität, die wie z. B. der Aufsatz von Beyerhaus, von biblischen »Axiomen« ausgehend, zu logisch eindeutigen, aber semantisch zweideutigen Schlußfolgerungen kommt. Der Ausgang von logisch eindeutigen »Axiomen« zum ewigen Heil verhindert die Zweideutigkeit der in den Schlußfolgerungen angewandten Rationalität ebensowenig, wie es die logische Eindeutigkeit der Forderungen der aufgeklärt genannten Vernunft tut. Hinsichtlich ihrer Zweideutigkeit erweisen sich vielmehr beide als gleich unaufgeklärt, indem sie bloß logisch Eindeutiges mit dem Pathos des Absoluten vortragen.

Mit der Unterscheidung von Eindeutigkeit und Zweideutigkeit wird von Paulus der Unterschied von Evangelium und Gesetz angesprochen (Galater 3,20). Das Gesetz ist inhaltlich zweideutig und darum zwar als Erzieher, aber nicht als Regler tauglich. Dieses Argument macht von den Prinzipien der platonischen Philosophie, der Einheit und der unbegrenzten Zweiheit Gebrauch. Inhaltlich besagt es für Paulus, daß Kirche nicht durch Gesetze und Verordnungen regel- bzw. organisierbar ist.

Weil Kirche auf dem Spiel steht, verflucht Paulus denjenigen, welcher »ein anderes Evangelium«, nämlich ein solches, das ein neues Gesetz wie z. B. das der Beschneidung zur Regelung der Mitgliedschaft enthält, verkündigt (Galater 1,9). Eben dies aber tut seit Paulus' Zeit organisierte Kirche ebenso wie eine dogmatische Theologie, die der Zweideutigkeit »aufgeklärter« Vernunft erliegt, indem sie mit den Machtbefugnissen organisierter Kirche logisch eindeutige Setzungen für ihre Glieder eher zwingend als inhaltlich eindeutig macht. Die Einheit in Christo wird so per Kirchengesetz vorausgesetzt (vgl. Die Anfänge von Kirchenordnungen). Dies aber bekundet Ignoranz oder Unglaube gegenüber der Verheißung für die Gemeinde, die Einheit des Leibes Christi der Kinder Abrahams (vgl. Galater 4,21 ff.) ohne Gesetzeswerke aus Glauben heraus gemeinschaftlich zu erfahren. Setzungen und Regelungen organisierter Kirchen entzweien vielmehr die Einheit des Leibes Christi in Konfessionskirchen, die mit aufgeklärt scheinender Vernunft, d. h. mit einer Weisheit, die vor Gott zur Torheit wurde (vgl. 1. Korinther 2), über die Souveränität ihrer Setzungen von Einheit wachen, statt sie als fragwürdige Menschensatzungen zu erkennen. Wie schwer dies den Kirchen fällt, wird z. B. am Streit um den Namen der Weltversammlung der Christenheit deutlich.

Die Weltversammlung: Hindernisse und Hoffnung

Der alte Name Konzil, der einmal Eindeutigkeit und Verbindlichkeit der einen Kirche ausdrücken sollte, ist durch die Rechtspraxis der organisierten Kirchen zweideutig geworden. *Concilium* enthält den Wortstamm von griechisch *kalein* = rufen, der sich auch in dem Wort *ecclesia* (Kirche) findet. Wenn Ecclesia die Schar der von Gott aus der Welt Herausgerufenen ist, so Concilium die Versammlung der aus diesen Zusammengerufenen. Zusammengerufen wurden die Episkopoi (Bischöfe), deutsch: die Aufseher mit dem ihnen eigenen Charisma aus der Gnade des Evangeliums, nicht des Gesetzes. Kirchengesetze verengen das Konzil oder die Synode (der ensprechende griechische Terminus, deutsch: Zusammenkunft) auf den Souveränitätsbereich der Jurisdiktion einer bestimmten Konfessionskirche. Dennoch weckt der charismatische Klang von Bezeichnungen wie Konzil, Synode, Weltversammlung die Hoffnung, die Konfessionskirchen würden endlich über ihren Schatten – das Gesetz – springen.

Damit komme ich zu Ihren Fragen zur Sache des Konzils (S. 19):

1. »Wie soll eine konziliare Versammlung zustande kommen?« Der Souveränitätsanspruch der mit der jeweiligen Kirchenordnung gesetzten Einheit kann sie nicht wollen. Also hoffen wir auf das Charisma der ihre Kirchenordnungen vertretenden Menschen. Werden sie der Vernunft ihrer jeweiligen Jurisdiktion oder dem Heiligen Geist, der weht, wo er will, folgen?

2. »Was soll die Versammlung sagen? Die Wahrheit.« Ich füge hinzu: als situationsbezogenes Bekenntnis zum ewigen Heil, was sowohl die Gesetzlichkeit der Konfessionskirchen als auch die der aufgeklärten Vernunft in Frage stellt. Erst im Zusammenhang mit der Selbstkritik kann die Kritik der Kirchen an den politischen und wirtschaftlichen Herrschaftssystemen der säkularen Vernunft den Menschen Glaubwürdigkeit vermitteln.

3. »Was kann die Aussage bewirken? Die Wahrheit wirkt am tiefsten, wenn sie nicht aus Angst gesagt wird und nicht, um einen Zweck zu erreichen, sondern weil sie die Wahrheit ist.« Sie selbst nennen die Gefahren, die in der Kirche Angst machen werden: »Es gibt die Richtung, die ein politisches Engagement der Kirchen überhaupt verwirft. Es gibt politisch eher konservativ eingestellte Kritiker, welche warnen, die Kirche werde auf einer solchen Versammlung nur, zu ihrem eigenen Schaden, ihren inneren Meinungsstreit öffentlich bloßstellen und kein Unheil verhüten. Es gibt eher radikal eingestellte Kritiker, die ihre Hoffnung auf den Prozeß im Kirchenvolk setzen, aber von einer durch die Kirchenleitungen einberufenen Versammlung nur eine Erstickung der Initiative durch Kompromißformeln erwarten ... Nicht an ihnen vorbei, sondern durch sie hindurch können wir hoffen, die Erkenntnisse und die Entschlossenheit zu gewinnen, die zur Verwirklichung führen« (S. 20f.).

»Die aktuelle Aufgabe der Kirche« (S. 21 ff.) sehe ich wie Sie:

1. »Gemeinsame Wahrheitssuche« in der Erinnerung an ihren Ursprung aus dem Geist, nicht aus dem Gesetz. Auch die konziliare Versammlung kann die Einheit nicht setzen, sie bleibt die charismatische Erfahrung des Geistes der vom Gesetz Befreiten. Die Gestalt ihrer Sprache ist nicht die Aussage, die zum Dogmatismus verleitet, sondern das Bekenntnis, die prophetische Rede. Sie nimmt das Jetzt wahr, wo die Aussage lediglich den (ewigen) Bestand des Vergangenen als Vergangenes registriert. Das ewige Heil spricht sich in historischen Situationen als Bekenntnis Gottes zu deren Menschen und deren Menschen zu Gott aus, damit sie es verstehen. Dies verkennt die aufgeklärte Vernunft wie der evangelikale Fundamentalismus, die herrschende Theologie läßt es im Unklaren. Unsere Situation ist die Bedrohung von Gerechtigkeit, Frieden und Schöpfung durch die inhaltliche

Zweideutigkeit menschlicher Vernunft, wie es sie so noch nie gab.

2. »Bilder des Geschehens und inhaltliche Einsicht.« Der Zweideutigkeit menschlicher Vernunft fehlt die Einsicht in die Gefährlichkeit der Situation. Weder ihre »optimistische« noch ihre »pessimistische Apokalyptik« helfen weiter, wenngleich ihre erzieherische Funktion nicht verkannt werden darf. »Jetzt, da die neuzeitliche Zivilisation die reale Möglichkeit entdeckt, die Natur, von der sie lebt, selbst zu zerstören, treten die altüberlieferten Bilder vom Gericht zum ersten Mal aus der kosmischen Gleichnisrede in den Gesichtskreis unseres konkreten Handelns. Jetzt sind sie mit unserem Handeln nicht nur moralisch und jenseitig, sondern diesseitig-kausal verbunden. Wir können das Gericht über uns selbst herbeiführen [vgl. z.B. den Sintflutmythos oder die Apokalypsen Daniel und Johannes; H. L.]. Könnte auch das Himmelreich in unsere Geschichte eintreten, wenn wir nur bereit wären, es zuzulassen?« (S. 23)

3. »Rationales Denken und prophetisches Reden.« Mir scheint, die Ängste vor den falschen Propheten hängen mit unserer mangelnden Unterscheidungsfähigkeit zwischen den verschiedenen Sprachgestalten zusammen. Wer auf der Höhe der säkularen Vernunft und ihres Wahrheitsanspruches reden will, muß Sprachgestalten wie Aussage (rationales Denken), prophetische Rede (Bekenntnis) und Imperativ (Verheißung) unterscheiden und an ihrem Ort ihr Recht lassen. Dies leistet gerade die aufgeklärt genannte Vernunft nicht, weil sie immer wieder ihrem Absolutismus erliegt, mit dem sie ihre Zweideutigkeit verkennt. Dies leistet aber die mythische Wahrheit, die z.B. Paulus mit seiner Unterscheidung von Gesetz und Evangelium reflektiert. Wahre Mythen, wie z.B. die Weihnachtsgeschichte Lukas 2, lassen jeweils an ihrem Ort historische Aussagen, Bekenntnisse und Imperative zu. Die Weltversammlung der Christen wird dann überzeugen, wenn sie von der Wahrheit der christlichen Mythen selbst überzeugt ist. »Die Zeit drängt.«

Ihr
Hilmar Lorenz

Lili Schoeller
Sind die Kirchen überfordert?

Sind die Kirchen überfordert? Friede auf Erden, Schutz des Lebens, der Schöpfung, Gerechtigkeit – in einer Welt, in der menschliche Hybris Waffen erfunden und in großer Zahl hergestellt hat, weiter verfeinert und herstellt, von denen bereits eine, zwei ... ausreichen würden, das Leben auf der Erde zu vernichten. Auf der Erde, die die Menschen zu beherrschen meinen, untereinander jedoch verstrickt in Unfrieden, Machthunger, Gewinnsucht. Und dagegen können die Kirchen nur das Wort setzen, die Kraft der Verkündigung, die Forderung der christlichen Botschaft, das Gebet. Doch auch die Vertreter religiöser Überzeugungen kämpften und kämpfen mit Waffengewalt für ihren Glauben.

Der Titel des Buches, auf das sich dieser kleine Folgeband bezieht, lautet ›Die Zeit drängt‹: Sie drängt zunehmend trotz der derzeitigen Abrüstungslichtblicke, denn die Möglichkeit der totalen Zerstörung bleibt in Gestalt der weiter vorhandenen Nuklearwaffen auch nach der geplanten Abrüstung und, sollten sie tatsächlich alle vernichtet werden, in dem nicht mehr auszulöschenden Wissen um ihre Herstellung und technische Verbesserung. Da Veränderungen, gar grundlegende, im menschlichen Denken und Verhalten erfahrungsgemäß relativ viel Zeit brauchen, sind wir, die Menschheit als Ganzes, in einem Wettlauf mit der Zeit. Das betrifft sowohl die Vernichtungswaffen wie die Zerstörung der lebenserhaltenden Natur. Dem Inhalt des Buches kann ich nur zustimmen; die Botschaft der Bibel wird vorbehaltlos zugrunde gelegt, die Fragen und Probleme werden zudem mit nüchtern-wissenschaftlichem Durchdenken behandelt. Die klar begründeten Argumente bedürfen wohl keiner Ergänzung, doch, wie ich meine, der Verschärfung. Die Zeit drängt nicht nur, haben wir denn überhaupt noch Zeit für die notwendige Umkehr?

Militär – so selbstverständlich in das Denken, die Sprache integriert, daß man sich meistens nichts mehr dabei denkt, wenn Militärparaden, militärische Ehrenwache, Empfang mit militärischen Ehren, das Spiel der Militärkapelle als wichtige Ereignisse genannt werden. Ein grausiges Beispiel aus nicht so ferner Vergangenheit: Das Segnen der Waffen, das »Gott mit uns« auf beiden Seiten der Kriegsgegner.

Frieden heute hat zur Voraussetzung das Austragen von Konflikten nach Abbau von eingewurzelten Feindbildern, Bereitschaft zum offenen Gespräch. Frieden heute heißt letztlich Abschaffen von Waffen und Militär, Umstrukturieren der Rüstungsindustrie ohne Verlust von Arbeitsplätzen. Kreativität und Leistung der zahlreichen Wissenschaftler, Techniker und anderer, die direkt und indirekt für militärische Zwecke arbeiten, werden dringend benötigt für Projekte zur Bewahrung und Regenerierung der Natur sowie bei der Lösung der Probleme im sogenannten Nord-Süd-Gefälle. Umstrukturieren braucht Zeit.

Es wird ständig von Verteidigungsbereitschaft, Abschreckung gesprochen. Verteidigung setzt Angriff voraus. Wenn jede Seite nur verteidigen will, bedeutet abschreckende Bewaffnung Mißtrauen, Unglauben gegenüber den Erklärungen der anderen Seite. Frieden ohne Waffen ist mindestens so sehr eine Entscheidungsfrage an jeden einzelnen wie an die Politiker, die zudem auf die Zahl der Zustimmenden, der Kritiker, der Verweigerer ab einer schwer bestimmbaren Grenze reagieren müßten.

Vor allem aber ist dies eine Aussage, die in ihrer vollen Verbindlichkeit die Kirchen betrifft. Das ambivalente Verhalten der Kirchen und christlicher Gruppen im Verlauf der Jahrhunderte muß an der Grenze, die durch die Möglichkeit totaler Vernichtung allen Lebens durch Kernwaffen entstanden ist, zu eindeutiger Entschiedenheit werden. Das heißt auch, daß über die vielfachen Bemühungen und Einsätze kirchlicher Vertreter und Gruppen hinaus die Kirchen als die Erde umspannende Organisationen – dies betrifft vor allem die katholische Kirche – ihren Einfluß voll geltend machen müssen. Die Meinung, die Kirchen hätten sich nicht in politische Fragen einzumischen, ist falsch. Politik ist kein abgegrenzter Sonderbereich.

Die Kirchen spiegeln durch die Jahrhunderte hindurch die jeweiligen gesellschaftlichen Strukturen wider – im Widerstand, in der Konformität, in den Zwischenstufen. Die christliche Botschaft wird eben durch Menschen vertreten; und so finden sich von dieser Botschaft bis über normal menschliche Grenzen hinaus Erfüllte wie auch sehr menschliche, d. h. die Schwächen der Macht, der Gewalt Vertretende, die sich dennoch in seltsamer Verzerrung als Verkünder, Verbreiter der christlichen Lehre verstanden. Wir sind Zwiespältige, Gefangene unserer Natürlichkeit und dennoch Erlöste in die Offenheit.

Das Bemühen, die Botschaften des Neuen Testaments umzusetzen in die Lebensweise, zieht sich durch die zweitausendjährige Geschichte der Christen. Und da dem Menschen der Intellekt ein wichtiges Werkzeug ist, wurde die Botschaft auch diskutiert, analysiert, interpretiert, wurden Lehrmeinungen festgeschrieben, Dogmen festgelegt, und es vollzog sich die Trennung, die Luther nicht wollte, aber bewirkte. Aus dem Sendungsbewußtsein, der Überzeugung, das Wahre, die Botschaft Christi zu vertreten, doch auch aus dem oft damit verbundenen Machtstreben, entstanden Grausamkeit, Kriege, Unterdrückung im Namen Christi, der Demut und Liebe verkörpert.

Durch eine totale Bedrohung allen Lebens, wie sie in unserer Zeit dank des uns gegebenen Intellekts kombiniert mit dem unwiderstehlichen Forschungsdrang Realität geworden ist – einem Forschungsdrang, dessen Ergebnisse unweigerlich ins Materielle münden –, stehen wir zum erstenmal in der Menschengeschichte ohne jedes Wenn und Aber vor der Entscheidung für oder gegen das Leben und im christlichen Bereich für oder gegen die Botschaft Christi.

Christus, der die Liebe lebte, war kompromißlos, wenn es um das Wesentliche ging. Die Kirchen, die das Gottesreich auf der Erde vertreten, haben sich – ein roter Faden durch ihre Geschichte – in dem Netz theologischer Konflikte verstrickt. Das entspringt dem Bemühen, die Botschaft, den christlichen Glauben in seiner Wahrheit zu erkennen und zu vermitteln; das bewirkt auch lebendige Bewegung gegen mögliche Erstarrung. Die Pilatus-Frage bleibt, Menschen werden sie nie beantworten können, werden die Antworten, die Christus gab, nur in Annäherungen in unsere Sprachen übersetzen können, wenn man den Begriff Wahrheit in der vollen religiösen Bedeutung – Gott ist die Wahrheit – nimmt.

Ein wesentlicher von den Kirchen übernommener Auftrag ist es, das Leben auf dieser Erde im Geiste Gottes zu bewahren, der umfassenden Liebe, diesem Urprinzip christlichen Glaubens, zu ihrem lebendigen Ausdruck zu verhelfen, sie stärker sein zu lassen als die starken Gegenkräfte. Wie ist es einsehbar, nachvollziehbar für den naiv Gläubigen bis hin zu dem gläubigen Intellektuellen, wenn die Kirchen als Vertreter der Botschaft sich im Ziel einig bekennen, jedoch mit konfessionellen, interpretatorischen, verfahrenstechnischen Hürden das Wissen um die tickende Zeituhr verstellen? Können die Kirchen es verantworten, wegen, angesichts der äußersten Gefahr für alles Leben, zweitrangiger Differenzen das ihnen Mögliche an gemeinsamen Versuchen zur Rettung aufzuschieben? Wie wäre die Antwort der Propheten, der Apostel – wie die Botschaft Christi jetzt und hier?! Ganz gewiß ganz einfach.

Vorbehaltlos treten die Kirchen ein für das ungeborene Leben, das dann in einigen Ländern zu Scharen von verhungernden, geschwächt an Krankheiten sterbenden Kindern wird; auch das ungeborene Leben ist Leben, das geschätzt werden muß, und nach der Geburt vor Hunger, Krankheit, sozialer Misere. Doch wieviel Leben, geborenes und ungeborenes, wird in Kriegen vernichtet.

Niemand kann vorhersagen, wieviel die geplante ökumenische Weltversammlung bewirken kann. Die Kräfte der Zerstörung und ihre Vertreter sind mächtig und getrieben, doch auch sie wollen die Zerstörung, die sie als Möglichkeit, Wahrscheinlichkeit verkörpern, nicht.

Könnte man eine Aufteilung der genannten Themen, die doch eng miteinander verflochten sind, planen? Die Vorbereitung wäre weniger kompliziert und damit schneller durchführbar, wenn man sich auf das Thema Friede mit den in dem Buch genannten Thesen konzentrieren und die andern Komplexe in Arbeitsgruppen während der Versammlung vorbereitend diskutieren würde. Es handelt sich um mehrere wichtige Gebiete, so daß zu befürchten ist, das vordringlichste Ergebnis könnte bei der Vielzahl der zu behandelnden Einzelfragen an Gewicht verlieren. Zudem dürfte es bei der Friedensdiskussion einfacher sein, zu gemeinsamen Aussagen zu kommen. Die erarbeiteten Ergebnisse zum Aufruf, die Erde vor der totalen kriegerischen Zerstörung zu bewahren, würden ohne weiteres überleiten zu einer Folgeversammlung und bereits entsprechende Argumente enthalten.

Die Kirchen müssen sich die Frage stellen, und sie stellen sie sich gewiß, in welch tragisch unerlöstem, geistfernen Zustand die Menschheit als Ganzes in die Ewigkeit geschleudert würde, würde die drohende Selbstzerstörung Realität – menschliche Hybris in ihrer äußersten Ausprägung, den

Zeitpunkt der Endlichkeit des Planeten Erde mit seinen Geschöpfen selber zu setzen, nicht dies wollend, doch getrieben und gefangen in den selbstgeknüpften Netzen.

Meine Verbundenheit seit früher Jugend mit Carl Friedrich von Weizsäcker läßt mich vertraut sein mit seinem Denken und Wollen. Ich weiß von seiner tiefen Sorge, verschärft durch sein detailliertes Wissen, und von seiner vollen Hingabe an das Ziel, einen nachhaltigen Beitrag, einen wirkungsvollen Anstoß zur Erhaltung des Lebens, und das heißt zur Sicherung des Friedens, letztlich nicht des Friedens der Macht, zu leisten. Das Bemühen, die andere Meinung, die Situation der Partner oder der Andersdenkenden fair und verständnisvoll zu akzeptieren und zu wägen, ist neben der Klarheit der eigenen Einstellung in dem Buch deutlich ausgesprochen. Das Anliegen zwingt jedoch ultimativ zu Kompromißlosigkeit.

Es ist eine Binsenwahrheit, daß wir alle mit Kompromissen leben, daß im politischen und in manch anderem Bereich Beschlüsse und entsprechendes Handeln oft nur über Kompromisse möglich sind. Doch wir müssen uns der unverrückbaren Grenze bewußt sein, ab der ein Kompromiß nicht mehr zu verantworten ist. Es geht um die fundamentale christliche Botschaft »Friede auf Erden« mit ihrer derzeit aus jeder Sicht existentiellen Bedeutung.

Eine treibende Kraft bei den Versuchen, Konflikte kriegerisch zu lösen, ist Angst. Ungenannt, oft unerkannt wirkt sie. Angst vor Verlust, vor vielerlei Verlust, oft nur verschwommen und leicht durch Machtbewußtsein zu verstärken in eingängigen Formulierungen, die die Sicherheit – meist wenig konkret – ins Feld führen. Heute wächst aber die Angst vor den Waffen, die Sicherheit garantieren sollen. Wirkliche Sicherheit heißt – Unmöglichkeit von Krieg zwischen den Großmächten und ihren Verbündeten und in der Konsequenz, den noch kämpfenden Völkergruppen diese Unmöglichkeit im Hinblick auf die Eskalation einsichtig zu machen. Kriege sind heute anachronistisch, Differenzen müssen mit zeitgemäßen Mitteln ausgetragen werden. Das Einbahnstraßendenken der meisten Militärangehörigen oder -verwalter ergibt sich aus ihrer Tradition. Wir sind in einer Umdenk-, Umbruchphase, die nicht viel Zeit läßt. Auch Zeit hat eine andere Dimension im gesellschaftlichen Prozeß bekommen. Sie läuft uns davon, während wir sie in immer kürzere Intervalle, als gewinnbringend dargestellt, einfangen wollen.

Frieden auf Erden – es wird ihn in seiner vollen Bedeutung nicht geben; es wäre eine Illusion, das zu glauben. Doch die christlichen Kirchen und die Vertreter anderer Religionen gemeinsam mit ihnen können mit ihrem starken, auch politisch starken internationalen Gewicht helfen, jetzt das Schlimmste zu verhüten und uns Menschen dem Frieden näher bringen.

Während seines Besuches in der Bundesrepublik in diesem Jahr forderte Papst Johannes Paul II. eindringlich Abrüstung und geistigen Aufbruch, und er betonte die Wichtigkeit für die Ökumene, geeint für das Wesentliche einzutreten. »Warum getrennte Wege gehen dort, wo wir gemeinsam gehen können.« – »Ohne Rücksicht auf Einschüchterung und Lob muß die Kirche bereit sein, sich stets zum Anwalt des Lebens zu machen.«

Kurt H. Biedenkopf
Das Recht der Utopie

Was unsere Zeit von anderen unterscheidet, ist, daß selbst grundlegende Aussagen über unsere Gesellschaft, über das Zusammenwirken ihrer Teile, über Aufgabe und Stellung des Staates zum Problem geworden sind. Wir werden zunehmend unfähig, uns über die Grundlagen und Ziele unseres Gemeinwesens zu verständigen. Ordnungsgefüge, in denen sich die Gesellschaft noch vor wenigen Jahrzehnten fest verankert glaubte, sind ins Wanken geraten. Die stabilisierenden Kräfte der Familie, der organisierten Gruppen, des Staates oder der Kirche schwinden. Die Menschen suchen nach Orientierung, um die Unsicherheit des Ganzen zu überwinden, die dem Einzelnen die Sicherheit nimmt.

Bisher unbekannte Schwierigkeiten der Orientierung treffen zusammen mit sozialen und wirtschaftlichen Anpassungsproblemen großen Ausmaßes. Zwar neigt jede Epoche dazu, sich als Zeitenwende zu begreifen, und erst in der geschichtlichen Betrachtung späterer Jahre werden die wirklichen Bruchstellen einer geschichtlichen Entwicklung sichtbar. Gleichwohl bin ich überzeugt, daß sich in der Fülle der uns heute bekannten Daten ein neuer geschichtlicher Umbruch ankündigt. In wenigen Jahrzehnten werden sich die Staaten, wird sich die organisierte menschliche Gesellschaft in einer Weise und in einem Umfang verändert haben, die unser heutiges Vorstellungsvermögen übersteigen.

Wieder einmal hat die Menschheit in ihrer Entwicklung einen Punkt erreicht, an dem es scheint, als seien die Grenzen und die Beschränkungen, die ihr gesetzt sind, größer als ihre Möglichkeiten. Solche Abschnitte hat es in der Geschichte immer wieder gegeben. Und die geschichtliche Erfahrung lehrt uns, daß sie nicht selten nur mit Gewalt und nach langen Krisen überwunden wurden. Stets jedoch hatten sie tiefgreifende gesellschaftliche und soziale Veränderungen zur Folge.

Krisen solcher Art sind Krisen der Anpassung, der Bewältigung von Veränderungen im Verhältnis der Menschen zu ihrer Umwelt – Zeiten, in denen die Forderungen der Menschen an ihre Umwelt deren bekannte Ressourcen übersteigen. Es sind Zeiten eines dauerhaft gestörten Gleichgewichts der Institutionen. Zeiten, in denen sich die organisierte menschliche Gesellschaft als unfähig erweist, die Stabilität ihrer Institutionen mit den vorhandenen Mitteln zu gewährleisten.

Was die heutige Krise von früheren unterscheidet, ist, daß uns der traditionelle Weg zu ihrer Überwindung: der Aufbruch zu neuen Ufern – in des Wortes buchstäblicher Bedeutung – verschlossen ist. Die unserer Entwicklung gesetzten Grenzen lassen sich nicht durch Auswanderung in neue Regionen oder durch die Ausdehnung unserer eigenen Werte und Gesellschaftsordnungen in bereits bekannte Regionen überwinden. Zum ersten Mal sind wir mit der Endlichkeit der Welt und ihren bekannten Möglichkeiten und Vorräten und nicht nur mit den Beschränkungen unserer augenblicklichen Fähigkeiten konfrontiert.

Diese Endlichkeit hat völlig neuartige Verteilungskonflikte heraufbeschworen. Sie sind zunächst im Bereich der Energieversorgung sichtbar geworden, ohne daß sie dort ihren Anfang genommen hätten. Die Ursachen liegen tiefer und weiter zurück. Aber die Erdölkrise hat zum ersten Mal dem Mann auf der Straße deutlich gemacht, daß es nicht länger selbstverständlich ist, jederzeit über einen wichtigen Rohstoff in ausreichender Menge verfügen zu können. Die Dritte Welt hat ihren Anspruch angemeldet, an der Lösung der Verteilungsprobleme gleichberechtigt teilzunehmen. Sie hat die Abhängigkeit hochindustrialisierter Gesellschaften als Mittel politischer Macht entdeckt.

Wir wissen heute, daß die ganze Menschheit in einem wechselseitigen und ständig zunehmenden Abhängigkeitsverhältnis steht und ihre Probleme nur gemeinsam lösen kann. Die Welt ist zum geschlossenen System geworden, dessen Beherrschung eine Voraussetzung für den Fortbestand der Menschheit ist.

Daraus erwachsen den hochindustrialisierten Ländern neuartige Aufgaben und Verantwortungen. Sie sind es, die über das größte Potential an Kenntnissen und Fähigkeiten verfügen, und sie sind deshalb in erster Linie in der Lage, einen Beitrag zur Überwindung der neuartigen Strukturprobleme zu leisten. Konkret bedeutet dies, daß wir uns darauf einrichten müssen, einen angemessenen Teil unserer Kräfte zur Bewältigung der weltweiten Strukturprobleme einzusetzen. Die Berechtigung unseres Anspruches, als reiches Land in Freiheit von Not und Unterdrückung zu existieren, wird von der Art und Weise abhängen, wie wir uns dieser Aufgabe stellen. Und der Umfang dieser Aufgabe wird die Dimensionen, an die wir heute im Zusammenhang mit der Bewältigung unserer eigenen Probleme denken, mit Sicherheit sprengen.

Es ist nicht zuletzt die neuartige Dimension der Probleme, die dazu geführt hat, daß sich nicht nur Geisteswissenschaftler, sondern auch Naturwissenschaftler zu den politischen Fragen unserer Zeit zu Wort melden. Auf die Gefährlichkeit exponentieller Entwicklungen als Ausdruck eines dauerhaften Ungleichgewichts machte der Club of Rome 1973 als erster aufmerksam. Er erzielte damit eine weltweite Resonanz. Bald schon mehrten sich Stimmen, die vor dem Raubbau an Natur und Rohstoffen warnten und auf die Begrenztheit der Ressourcen unseres Planeten hinwiesen. Das Bild unserer Erde im All machte jedem begreifbar: Die Erde ist endlich. Wir sind, als Teil der Schöpfung, mit ihr auf Gedeih und Verderb verbunden. Sie ist, auf eine neue Weise, in unsere Hand gegeben. Und wir mit ihr.

Die Naturwissenschaftler begnügen sich jedoch nicht mit der Mitteilung der offensichtlich gewordenen Tatsache, daß die Quellen unserer Erde begrenzt sind und wir uns in diesen Grenzen einzurichten lernen müssen. Sie haben auch damit begonnen, Fragen an die Entwicklung menschlicher Gesellschaft und Kultur zu stellen und damit das Wirken des menschlichen Geistes selbst zum Gegenstand naturwissenschaftlicher Betrachtung zu machen. Die Ergebnisse dieser Arbeiten ermutigen sie dazu, die Krise der heutigen Zeit nicht nur zu beschreiben, sondern auch Erklärungen für ihre Ursachen anzubieten.

Carl Friedrich von Weizsäcker gehört zu denen, die immer wieder – zuletzt in besonders eindrucksvoller Weise mit seinem Aufruf für eine Weltversammlung der Christen (›Die Zeit drängt‹) – die Krise der Menschheit in unserer Zeit aus naturwissenschaftlicher und geisteswissenschaftlicher Sicht beschrieben haben: Ungerechtigkeit, Krieg und Zerstörung der Natur.

Als Naturwissenschaftler hat er sich, lange vor anderen, damit in Bereichen zu Wort gemeldet, die bisher den Geisteswissenschaften, den Politikwissenschaften und den normativen Wissenschaften vorbehalten waren. Als ein Mann »beider Welten«, der Naturwissenschaften und der Geisteswissenschaften, hat er den Dialog zwischen den Naturwissenschaften und den Geisteswissenschaften vorgelebt. Und uns zu diesem Dialog ermutigt, ohne den es uns nicht gelingen kann, die Herausforderungen unserer Zeit zu bestehen.

Beide – Naturwissenschaften und Geisteswissenschaften – sind aufeinander angewiesen. Für die Geisteswissenschaften wird das Gespräch mit den Naturwissenschaften befruchtend sein und sie unterstützen. Denn sie sind in eine Krise geraten. Allerdings nicht deshalb, weil das geisteswissenschaftliche Leistungsangebot immer kleiner wird, sondern – wie Odo Marquard es formulierte – weil die Nachfrage nach geisteswissenschaftlicher Ordnung und Erklärung unserer Wirklichkeit als Folge der immer schneller werdenden Modernisierung schneller wächst als das geisteswissenschaftliche Leistungspotential. Marquard schließt daraus: »Die gegenwärtige Krise der Geisteswissenschaften ist keine Leistungskrise, sondern eine Überforderungskrise.«

Ich stimme dem – wenn auch in anderem Sinne – zu. Die Geisteswissenschaften, vor allem die Wissenschaften, die Staat und Gesellschaft, Wirtschafts- und Sozialordnung erklären und damit begreifbar und handhabbar machen sollen, sind nicht nur überfordert, weil der durch die Naturwissenschaften erzeugte Modernisierungsschub größer ist als die Fähigkeit der Geisteswissenschaften, ihn aufzuarbeiten und zu erklären.

Sie sind auch überfordert, weil sie durch die immer stärkere Aufteilung in Einzelgebiete die Fähigkeit verloren haben, die Entwicklung und das Wirken menschlicher Gesellschaft in ihrer Ganzheitlichkeit zu begreifen und den *Ordnungen* nachzuspüren, die das Ganze bestimmen. In dieser Hinsicht ist es nicht nur die technisch-naturwissenschaftlich ausgelöste Modernisierung der Gesellschaften, die die Geisteswissenschaften überfordert. Ihnen fehlt auch der Dialog mit den Naturwissenschaften *über das Ganze*. Nur das Bemühen um die Wiederentdeckung der Zusammenhänge, um eine ganzheitliche Betrachtungsweise in allen Bereichen der Wissenschaft, kann uns den Zugang zu den Ordnungsgesetzen erschließen, denen die Organisation menschlicher Gesellschaft entsprechen muß, wenn sie *zugleich* lebensfähig und menschengerecht sein soll.

Carl Friedrich von Weizsäcker hat die Notwendigkeit dieses Dialogs und seine Dringlichkeit stets neu begründet. Seine Unabweisbarkeit ergibt sich für ihn aus der Sorge, die Menschheit könne sich als unfähig erweisen, die mit wissenschaftlichem und technischem Fortschritt zugleich begründeten Gefahren zu bewältigen. Er sieht die Krise umfassend und weltweit. Ihr Höhepunkt liegt nach seiner Überzeugung noch vor uns: »Das Problem der Armut, der sozialen Ungerechtigkeit ist nicht gelöst; nach den gegenwärtigen Indizien wird es sich verschärfen. Kriege werden geführt wie eh und je. Der jetzt 40jährige Waffenstillstand zwischen den Großmächten des Nordens sichert uns noch nicht vor dem Dritten Weltkrieg. Bevölkerungswachstum und technische Weltveränderungen heben das Gleichgewicht der Natur, in der wir leben, aus den Angeln.«

Carl Friedrich von Weizsäcker sieht die Bedrohung in der Zukunft. Aber er weiß, daß sie den Menschen der Gegenwart betrifft und daß wir es sind, die handeln müssen, um die Zukunft zu gewinnen. So verbindet er Zukunft mit Gegenwart und leitet daraus die Ansprüche an uns, die heute handelnden Menschen, ab. Seine Entwürfe sind positiv. Sie beruhen auf dem Imperativ: Gerechtigkeit, Frieden und Bewahrung der Schöpfung. Es sind die gleichen Dimensionen des Imperativs, der dem alten Begriff des Friedens zugrunde liegt: Schalom.

Auf den ersten Blick sind seine Beschreibung der Krise und seine Gegenentwürfe nicht neu. Sie erinnern an die Visionen alttestamentarischer Propheten, in denen Schwerter zu Pflugscharen wurden und Menschen und Tiere in Eintracht zusammenlebten. Doch die Krise unserer Zeit ist fundamental neu. Sie ist nicht die Krise von Individuen, nicht die Krise einer Gesellschaft, einer Regierung, eines oder mehrerer Völker. Die heutige Krise hat eine weltweite Dimension. Sie schließt alles, Individuen, Gesellschaft, Zivilisation und selbst das planetarische Ökosystem ein. Nicht Menschen bedrohen Menschen, nicht Völker bedrohen Völker. Der Mensch bedroht durch sein Handeln die Schöpfung als Ganzes und damit die Menschheit und sich selbst.

Die heutigen Systeme der Kriegführung, Ergebnisse

menschlichen Forschens und Denkens, sind geeignet, alles menschliche Leben auf der Erde zu vernichten. Nicht mehr das Schwert allein bedroht den Menschen. Auch die Pflugschar, Ausdruck der Technik, die der friedlichen Nutzung gewidmet und dem Ziel menschlichen Wohlergehens verpflichtet ist, ist zur Bedrohung für die Menschheit geworden. Das Menetekel von Tschernobyl zeigt, daß diese Bedrohung umfassend ist. Sie unterscheidet weder nach Einzelnen noch nach Klassen. Nicht nach Grenzen und Staaten, nicht nach Freund und Feind, nicht nach Kriegs- und Friedenszeiten.

Es ist die fortschreitende Zerstörung der Umwelt und der Mitwelt des Menschen und damit die Zerstörung seiner eigenen natürlichen Lebensgrundlage, die die heutige Dimension der Krise und der Bedrohung ausmacht. Beide sind global. Sie sind nicht an den Ort ihrer Entstehung gebunden. Niemand kann sich ihnen entziehen. Sie sind im wahrsten Sinne des Wortes ganzheitlich. Ganzheitlich kann deshalb auch nur ihre Überwindung sein.

Auch die Armut in der Welt, von der wir uns als reiche Industrienation so leicht mit dem Begriff Dritte Welt distanzieren, bedroht die Erde in ihrer Gesamtheit. Denn auch Armut führt zur Zerstörung der Natur. Der Kampf der in ihrer Existenz bedrohten Völker, in der Gegenwart zu überleben, zerstört langfristig ihre natürlichen Lebensgrundlagen. Die Schäden, die dadurch verursacht werden, lassen sich nicht mit Unkenntnis oder Verantwortungslosigkeit der Armen erklären. Es war nicht zuletzt die Kolonisierung der Erde durch die westlichen Industrienationen, die die einheimische Bevölkerung von ihren ökologisch angepaßten Existenzgrundlagen trennte, ihnen jahrhundertealte Überlebenserfahrungen raubte und statt dessen umwelt- und lebensgefährdende Systeme installierte. Auch heute unternehmen reiche Industrienationen nur wenig zur Überwindung der Armut. Statt dessen exportieren wir auch jetzt noch umweltgefährdende Industrieproduktionen und unseren Umweltmüll in die Dritte Welt. Armut und der Verlust der Ordnung, die Zerstörung der Fähigkeit, als Gemeinschaft in Frieden zu leben, sind jedoch auch Ursachen für Unterdrükkung und Kriege.

Diese wiederum erleichtern die Industrienationen mit ihrem Waffenexport. Als Ergebnis bedroht die Armut somit nicht nur die Menschen in der Dritten Welt. Sie bedroht den Menschen in der einen ganzen Welt.

Noch auf eine andere Weise unterscheiden sich unsere heutige Zeit und ihre Krisen radikal von den bisherigen Krisen der Menschheitsgeschichte. Bislang konnte der Mensch aus seinen Erfahrungen lernen. Heute sind wir in weiten Bereichen unserer Existenz der Möglichkeit beraubt, Erfahrungen zu machen und aus ihnen zu lernen. Wir sind gezwungen, ohne die Unterstützung gültiger Erfahrungen aus Einsicht zu handeln. Das gilt für den Atomkrieg ebenso wie für den Umgang mit der Natur. In beiden Fällen bedeutet gültige Erfahrung den Eintritt der Katastrophe und damit das Ende jeder Entwicklung.

So besteht das Neue unserer Zeit und ihrer Krisen vor allem darin, daß sich das Ergebnis des eigenen Handelns, der eigenen Kreativität und Genialität der Menschen gegen sich selbst richtet oder richten kann. Der Mensch muß diese Gefahr kraft eigener Einsicht überwinden. In allen existentiellen Bereichen steht ihm die Erfahrung als Lehrmeister nicht länger zur Verfügung.

Carl Friedrich von Weizsäckers Gegenentwurf zu dieser Krise lautet: Gerechtigkeit, Frieden und Bewahrung der Schöpfung. Eine Weltversammlung aller Christen soll sprechen. Entwickelt Carl Friedrich von Weizsäcker hier eine Utopie im Sinne einer Fiktion? Wird er nicht vom realpolitischen Argument, vom Verweis auf die Grenzen der Machbarkeit widerlegt?

Die Kritiker seiner Entwürfe waren schnell zur Hand mit dem Argument, der Gegensatz zwischen einer idealistisch orientierten und einer real orientierten Politik sei unaufhebbar.

Am Ideal orientierte Entwürfe würden durch die Zwänge der Wirklichkeit, durch die realen Möglichkeiten menschlichen Handelns in den Bereich der Irrelevanz verwiesen. Deshalb fehle dem idealen Entwurf jede politische Autorität. Er sei schöngeistiger Natur, politisches Feuilleton ohne praktische Relevanz.

Die damit behauptete Beziehungslosigkeit ideal gedachter Zukunftsentwürfe und realpolitischer Gegenwart soll die konkrete Politik von der Notwendigkeit befreien, sich an gedachten Möglichkeiten messen zu lassen. Die damit verbundene Weigerung, zukunftsorientierte Maßstäbe anzuerkennen, hat Carl Friedrich von Weizsäcker stets zu Recht bekämpft. Denn in Wirklichkeit ist diese Weigerung nicht Ausdruck eines durch praktische Erfahrung legitimierten Realitätssinnes, sondern Mittel zur Erhaltung bestehender Machtstrukturen.

Die realpolitische Position argumentiert mit dem, was »realistisch« ist. Dabei geht es vor allem um die Realität der Institutionen und Strukturen, mit deren Hilfe menschliche Gesellschaft gestaltet und geordnet wird. Diese strukturellen Wirklichkeiten sind jedoch von Menschen selbst geschaffen. Sie sind weder zwangsläufig noch notwendiger Ausdruck der menschlichen Natur. Sie sind vor allem nie ohne Alternativen. Selbst dann, wenn sie als Sachzwänge gegenwärtig unüberwindlich oder unaufhebbar erscheinen, verleiht ihnen dies keine dauerhafte Gültigkeit. Dauerhaft gültig sind allein die grundlegenden Wertentscheidungen menschlicher Ordnung, die sich aus der Unveräußerlichkeit der Würde des Menschen herleiten. Allein die unveräußerliche Würde des Menschen ist dauerhafte Realität und damit dauerhaft gültiger Maßstab für jede von Menschen geschaffene Ordnung.

Verliert die reale Politik den Bezug zu diesem Maßstab, so wird sie zum Argument für den jeweiligen Besitzstand. Die »weisende Funktion des Geistes« (Martin Buber) wird bewußt mißachtet, um die eigene Macht zu sichern.

Carl Friedrich von Weizsäcker hat dem stets entgegengehalten, daß es keinen unausweichlichen Sachzwang zum Rüstungswettlauf, keinen unausweichlichen Sachzwang zur Unterdrückung und Armut und keinen unausweichlichen Sachzwang zur Zerstörung der Umwelt geben kann. Aufgabe von zukunftsorientierter Politik muß es gerade sein, solche scheinbaren Sachzwänge zu überwinden, wo immer sie zur Legitimation bestehender Machtstrukturen bemüht werden.

Wirkliche Realpolitik ist deshalb nicht die Unterwerfung unter behauptete Sachzwänge. Real ist vielmehr die über Jahrtausende gewonnene Erkenntnis von der Natur des Menschen, seiner Unzulänglichkeit, seiner Endlichkeit und damit das Wissen um die Notwendigkeit, daß alles politische Handeln nur dann dem Menschen gemäß ist, wenn seine Entwürfe auch die Unzulänglichkeit des Menschen einschließen.

Jede auf die Zukunft gerichtete Politik – allgemeiner: jedes auf die Zukunft gerichtete menschliche Handeln – weist über das Bestehende hinaus. In diesem Sinne ist es utopisch: Utopie verstanden als ein Stück in der Gegenwart gedachter Zukunft. Auch diese utopische Dimension der Politik unterliegt der Gefahr des Mißbrauchs. Wo sie die Realität des Menschen außer acht läßt, öffnet sie sich der Gefahr des Totalitären. Wo immer Ideale als Machtinstrumente eingesetzt werden, wird aus utopischem Denken schnell totalitäres Handeln.

Gerade moderne Ideologien haben es immer wieder vermocht, die sehnsüchtige Erwartung von Menschen, ihren Wunsch nach Orientierung für die Zwecke der Macht nutzbar zu machen. Immer wieder werden autoritäre und totalitäre Systeme durch Visionen einer besseren Zukunft legitimiert. Solche Politik mißachtet die Natur des Menschen. Sie ist damit ebenso unmenschlich wie Politik, die sich aus selbst geschaffenen Sachzwängen legitimiert.

Wirklich menschliche Politik zielt deshalb nicht auf die Veränderung des Menschen, sondern auf die Beherrschung seiner Unzulänglichkeiten. Um mit Norbert Elias zu sprechen: Menschen sind nicht in der Lage, den Tod abzuschaffen. Aber sie sind in der Lage, das kollektive Töten abzuschaffen. Menschen sind nicht in der Lage, den Tod zu überwinden. Aber sie sind in der Lage, das Verhungern von Menschen zu überwinden – wie das Beispiel der Überwindung des Hungers in Europa zeigt.

Die Utopie als Zielvorgabe, als Orientierungspunkt und Maßstab, die die Natur und damit die Realität des Menschen einbezieht: dies ist wahrhaft menschliche Politik. Sie akzeptiert die Spannung zwischen Zielvorgabe und jeweiliger Wirklichkeit als ständig neue Herausforderung und als Bedingung menschlichen Lebens. Sie will den Widerspruch zwischen dem, was sein sollte, und dem, was ist, als ein notwendiges und wünschenswertes Regulativ jedes politischen Handelns. In diesem Sinne erfüllt Utopie eine kritische Funktion. Sie stellt das Bestehende in Frage, fordert die Inhaber der Macht zur Überprüfung ihrer Positionen auf und liefert Maßstäbe für politisches Handeln, die zukunftsorientiert sind. Vor allem aber ist der zukunftsgerichtete, in diesem Sinne utopische Entwurf Quelle der Energie für die vielen Einzelschritte hin auf die Verwirklichung des vorgegebenen Ziels.

Zugleich hilft er, die gegenwartsbezogene Ungeduld zu überwinden. Gerade in scheinbar aussichtslosen Situationen verleiht die konkrete Utopie (Ernst Bloch) politischen Willen und verändert damit die Wirklichkeit.

Carl Friedrich von Weizsäcker hat sich dieser Spannung zwischen der realen Utopie und der heutigen Wirklichkeit immer neu gestellt. Ihm ist die Einsicht in die Krisenhaftigkeit unserer Lage Mahnung und Ansporn zugleich. Mahnung zur ganzheitlichen zukunftsorientierten Betrachtung unserer Welt und Ansporn für die Politik, in der Auseinandersetzung mit utopischen Entwürfen neue Antworten für die Bewältigung unserer Wirklichkeit zu finden. Nur wer die Spannung zwischen Utopie und Wirklichkeit als bewegende Kraft in der Entwicklung der Menschheit erkennt und akzeptiert, hat die Chance, die falsche Alternative von Realpolitik und Idealpolitik zu überwinden und damit die Voraussetzung zur Überwindung der Krise unserer Gegenwart zu schaffen.

Eine Politik, die der Natur und damit der Wirklichkeit des Menschen gerecht wird *und* an seinen Idealen orientiert ist, ist eine christliche Politik. Carl Friedrich von Weizsäcker hat mit seinen Arbeiten der Formulierung einer solchen christlichen Politik wichtige Impulse gegeben und zugleich Beiträge zu einer solchen Politik geliefert. Auch hat er mit seinem eigenen Wirken dazu beigetragen, die ganzheitliche Sicht menschlicher Existenz und die Ordnung menschlicher Gemeinschaft wiederzugewinnen, die uns im Zuge der Expansion menschlichen Wissens verloren zu gehen schien.

In der Neubesinnung auf das Ganze liegt die Hoffnung, die Krise zu überwinden. Denn auch dies gehört, wie wir immer wieder erinnert werden, zur Natur und damit zur Wirklichkeit des Menschen: Die Einsicht braucht die Gefahr als Bundesgenossen. Erst die Not macht den Menschen erfinderisch.

Was bleibt, ist die stets neue Frage, ob die Befreiung des Menschen von der Versklavung durch seine selbstgeschaffenen Strukturen und Sachzwänge rasch genug vollzogen werden kann, um die Welt zu retten. Wir werden diese Frage nie mit ja oder nein beantworten können. Aber ebenso gewiß wie die Unzulänglichkeit unserer Antworten bleibt die Notwendigkeit, die Antwort stets aufs neue zu suchen. In der

Entschlossenheit, dies gegen alle Widerstände und Versuchungen als unsere eigentliche Aufgabe zu begreifen, liegt unsere Chance zu überleben.

Klaus Michael Meyer-Abich
Der aufgeschobene Kampf mit dem Drachen oder
Die Immunisierung gegen die Folgen
unserer eigenen Fehler

> Wenn ihr aufhörn könnt zu siegen,
> wird diese eure Stadt bestehn.
> Christa Wolf, Kassandra

Die Staaten bewaffnen sich aus Angst voreinander. Auch wir Deutsche trauen uns in der Mehrheit nicht zu, ohne Waffen angstfrei zu leben. Also kommt alles darauf an, denen, die diese Angst haben, statt dessen Mut zu machen, Mut zur Gewaltlosigkeit. Weizsäckers Buch ›Die Zeit drängt‹ macht denen Mut, die sich ohne Waffen fürchten. Ich habe dies in seinen früheren Büchern nicht so empfunden. Da war mehr Verständnis gegenüber den Mächtigen – zuviel Verständnis, wie auch ich erst heute so entschieden meine. Und da waren, dementsprechend, die dunklen Gesichte, daß es so nicht gutgehen könne. In dem neuen Buch wird die Verstrickung weiterhin gesehen, aber doch auch die damit verbundene Torheit der Machthaber. Sie erscheint in einem Licht der kulturgeschichtlichen Vernunft des christlichen Denkens.

Dies also ist ein Buch der Hoffnung. Der Hoffnung, »daß die Institution des Kriegs in dieser Zeit überwunden werden muß und kann« (S. 83). Diese Hoffnung »ist phantastisch, weil sie vernünftig ist und weil die herrschende Verdrängung der Gefahr und Fehlwahrnehmung des jeweiligen Gegners gerade das Vernünftige als unzweckmäßig erscheinen läßt« (S. 91). Carl Friedrich von Weizsäcker hatte immer schon viel Verständnis für phantastische Hoffnungen, aber er hat sie nicht ganz geteilt oder dies für sich behalten. Nun teilt er sie mit anderen und teilt sie anderen mit.

Die Zeit ist reif auch für dieses Buch. Wahrscheinlich ist es gut, daß Weizsäcker es erst so spät geschrieben hat. Wer so viel Verständnis gezeigt hat, darf dem dann auch schließlich selbst Grenzen setzen. Es ist wie in einer Geschichte, die er mir einst – ich war damals sein Assistent – erzählte, als ich für ihn viel Post von Leuten beantwortete, die sich aus aller Welt an ihn wandten, weil sie bei anderen für ihre Gedanken, wie die Welt besser werden könnte, als sie es ist, kein rechtes Verständnis fanden. Die Geschichte lautete etwa folgendermaßen: Ein Physikprofessor bekam (wieder einmal) einen Brief von jemandem, der ein Perpetuum mobile erfunden und den Energieerhaltungssatz damit widerlegt zu haben glaubte. Er antwortete geduldig und erklärte dem Absender, wo dieser sich geirrt hatte. Der aber schrieb erneut: Der Herr Professor habe ganz recht, was seinen früheren Entwurf angehe – nun aber habe er den Irrtum beseitigt und wirklich ein Perpetuum mobile erfunden. Der Professor fand wiederum den Fehler, antwortete geduldig, bekam erneut verbesserte Entwürfe. So ging es elf Mal hin und her. Beim zwölften Mal wurde es dem Professor zuviel. Er nahm eine Postkarte und schrieb zurück: Nun lassen Sie mich endlich in Ruhe mit Ihrem Quatsch! Darauf kam die Antwort: Ich bin Ihnen unendlich dankbar – Sie haben mich jetzt befreit von der fixen Idee, an die ich mein Herz gehängt hatte. – Entscheidend für diese Heilung aber waren die elf geduldigen Versuche *und* die Abfuhr beim zwölften Mal. Hätte der Professor schon früher die Geduld verloren, so hätte der andere ihn zu den vielen Dogmatikern gerechnet, die seine umwälzende Erfindung nicht wahrhaben wollen, und wäre nicht geheilt worden.

Kann uns und unseren politischen Akteuren nun durch Weizsäckers Buch geholfen werden? Es weist uns den richtigen Weg. Und wenn die vorgeschlagene Konvokation der Christenheit zustande kommen und gelingen würde, könnte sie das Schweigen brechen, das seit Konstantin und dem Arrangement der Christen mit den Mächten dieser Welt verborgen hat, warum Kriege nicht sein dürfen. Die Christenheit würde dann endlich in den Ruf einstimmen, der eigentlich schon mit der Ausbreitung des Christentums hätte um die Welt gehen sollen, dann aber in Rom verstummt war: »Jesus gibt der machtlosen Gemeinschaft seiner Jünger, durch sie dem machtlosen jüdischen Volk und im Missionsbefehl der machtlosen christlichen Gemeinde das eindeutige

Gebot des Gewaltverzichts« (S. 91). Christen also dürfen keine Kriege führen, weder zwischen den Völkern noch gegen die natürliche Mitwelt, wie es die Industriegesellschaften tun.

Was die Kriege unter den Menschen angeht, so weist Weizsäcker mit Recht darauf hin, daß es sie keineswegs »immer gegeben« habe, wie manchmal resignierend oder rechtfertigend gesagt wird, sondern erst seit wenigen tausend Jahren, nämlich seitdem es Hochkulturen und später Staaten gibt. Projiziert man die Menschheitsgeschichte, einige Millionen Jahre, auf ein Jahr, so gibt es Kriege erst seit dem Morgen des Tags, an dessen Abend wir stehen. Der noch unerfüllte Auftrag, keine Kriege mehr zu führen, verlangt also nicht, etwas noch nie Dagewesenes zu leisten, sondern etwas erst neuerlich Aufgekommenes wieder abzuschaffen. In der Kürze und relativen Machtlosigkeit eines Menschenlebens ist es zwar ungeheuer schwer, etwas für die Abschaffung des Kriegs zu tun. Am Mittag des Tags, an dessen Morgen die Kriege ausgebrochen sind, aber ist Christus erschienen und hat uns den Weg der Gewaltlosigkeit gewiesen. Was haben wir damit bis zum Abend dieses Tags angefangen?

Der Frieden ist in der Regel das Ziel der Politik. Die Pax Romana war eine Form des politischen Friedens, Bündnissysteme waren und sind es auch. Die Christenheit hat sich mit dem politischen Weg zum Frieden insoweit arrangiert, als im Gegenzug versucht worden ist, »gerechte Kriege« mitzutragen und nicht zu verurteilen. Ein neuerer, auf eine dezidierte Form der Verteidigungsrüstung bezogener Versuch dieser Art ist die auf dem Hannoveraner Evangelischen Kirchentag 1967 geprägte Formel, daß es den Friedensdienst sowohl mit als auch ohne Waffen geben könne: »Die Kriegsdienstverweigerer leisten den Friedensdienst ohne Waffen, die Soldaten leisten ihn mit Waffen. Friedensdienst soll beides sein, die Bundeswehr wäre anders gar nicht zu verantworten, und als Friedensdienst soll auch beides anerkannt werden. Daß es den Friedensdienst mit und ohne Waffen gibt, legitimiert nicht nur die Verweigerer gegenüber den Waffenträgern und Waffenentwicklern, sondern auch diese gegenüber jenen. Solange der Kompromiß des Friedensdiensts mit und ohne Waffen gilt, müssen beide Seiten einander gelten lassen. Die Moral ist nicht nur auf der Seite der Verweigerer.«

Bis vor zwei Jahren glaubte auch ich, daß beide Seiten so miteinander leben könnten. Dann aber wurde ich, gleich im ersten Jahr meiner Amtszeit als Wissenschaftssenator in Hamburg, in eine Auseinandersetzung über die Rechtfertigung von Rüstungsforschung hineingezogen, weil der Vorschlag gemacht wurde, eine Hamburger Hochschule solle sich um Mittel aus dem Verteidigungsetat bemühen. Persönlich wäre ich nicht willens gewesen, mich an rüstungsbezogenen Forschungen zu beteiligen; was aber war meine Pflicht als Mitglied einer Regierung? Ich berichte hier von dieser Erfahrung, weil Carl Friedrich von Weizsäcker damals an der entscheidenden Stelle das richtige Wort gefunden hat.

Meine damaligen Überlegungen habe ich in einem kleinen, unveröffentlichten Aufsatz zusammengefaßt, dem auch die eben gewählte Formulierung des Kompromisses entnommen ist. Daß es den Friedensdienst sowohl mit als auch ohne Waffen geben könne, ist – nach diesem Manuskript und im Sinn der evangelischen Heidelberger Thesen (1959) – als ein Kompromiß gedacht »zwischen denen, die heute schon nach der Ethik von morgen leben wollen, und denen, die auf dem Weg dorthin weiter nach der herkömmlichen Ethik leben. Es gehört zum Charakter der Geschichte, daß auf dem Weg zu den Regeln von morgen zuerst immer noch die von gestern gelten, daß aber einige vorangehen müssen.« Außerdem kommen für den Friedensdienst mit Waffen, wenn es ihn tatsächlich gibt, natürlich nur Verteidigungswaffen in Frage und meines Erachtens z. B. keine Pershing-Raketen zur Nachrüstung.

Denen, die von mir ein schnelles Wort gegen die Rüstungsforschung erwarteten, habe ich damals entgegengehalten, daß dies der paradoxe Kompromiß sei, auf dem der politische Grundkonsens in unserem Land beruhe. Ohne diese wechselseitige Toleranz in der Koexistenz entgegengesetzter Entscheidungen seien beide Gruppen miteinander nicht ein Volk und ein Staat. Was aber für die Bundeswehr gelte, müsse auch für die Rüstungsforschung gelten, soweit sie – wenn wir schon Soldaten haben – erforderlich ist, um diese ihrer (Verteidigungs-)Aufgabe und der Bewaffnung der anderen entsprechend auszurüsten. Mit dem Mut zur paradoxen Konsequenz, den ein Philosoph haben muß, fügte ich dann sogar noch hinzu: »Niemand sollte sich etwas darauf zugute halten, an der Rüstungsforschung keinen oder einen nur sehr entfernten Anteil zu haben, sondern statt dessen denen dankbar sein, welche dies für ihn übernehmen. Man brüstet sich ja auch nicht damit, keinen Wehrdienst geleistet zu haben.«

Wenn die Koexistenz von Wehrdienstverweigerern und Wehrdienstleistenden zum Grundkonsens unserer Gesellschaft insgesamt gehört, so sollte dies also meines Erachtens auch für den Teilbereich Wissenschaft, die gesellschaftliche Verfassung unseres Wissens gelten. Dann aber durfte ich keine institutionellen, sondern nur individuelle Absagen der Beteiligung an Rüstungsforschungsprojekten zulassen; die Entscheidung lag in der Verantwortung der einzelnen Beteiligten – in seiner Wissenschaftsfreiheit, also Selbstverantwortung, nach dem Vorbild der Göttinger Achtzehn von 1957.

Hinzu kam, und auch darauf habe ich damals hingewiesen, daß kein Wissenschaftler sich so eindeutig für oder gegen eine Beteiligung an der Rüstungsforschung verhalten kann, wie dies hinsichtlich des Wehr- oder Zivildiensts möglich ist. Unabhängig davon, wieweit Gelder aus dem Verteidigungshaushalt im Spiel sind, dient die Wissenschaft nämlich zu zirka 90 Prozent zivilen Zwecken und zu zirka 60 Prozent militärischen Zwecken, so daß beide Zielsetzungen sich zu etwa 50 Prozent überlappen. Beispiele sind:

– Ermüdungserscheinungen an Materialien wahrzunehmen, solange die betreffenden Teile ihre Funktion noch erfüllen, also bevor sie kaputtgehen, dient der militärischen wie der zivilen Zuverlässigkeit von Anlagen und sogar der Kostenminderung.

– Turbulenzen (Kavitation) an Schiffspropellern zu vermeiden, erhöht im wirtschaftlichen Interesse deren Haltbarkeit, vermindert im wirtschaftlichen und militärischen Interesse den Energieumsatz und im militärischen Interesse außerdem die Geräuschentwicklung.

Wer sich schon dadurch aus der Rüstungsforschung heraushalten zu können glaubt, daß er nicht mit Forschungsgeldern aus dem Verteidigungsetat arbeitet, macht sich also etwas vor.

Meine Konsequenz war, solange der Kompromiß zwischen dem Friedensdienst mit oder ohne Waffen gilt, von Amts wegen weder generell gegen Rüstungsforschung noch speziell gegen Drittmittel aus dem Verteidigungsministerium sein zu dürfen, zumal die Wissenschaft auch ohne solche Mittel bereits überwiegend sowohl zivilen als auch militärischen Interessen dient.

Ich habe das Manuskript, in dem diese Überlegungen entwickelt waren, damals in einem kleinen Kreis von Freunden und Kollegen aus Wissenschaft und Politik zur Diskussion gestellt. Es gab drei Gruppen von Reaktionen:

1. Einige, politisch zur Rechten, nahmen beifällig auf, daß ich somit für die Rüstungsforschung eintrete, und hätten dies allenfalls gern noch etwas stärker akzentuiert gehabt. Bemängelt wurde lediglich, daß ich in der zu tolerierenden Koexistenz der beiden Friedensdienste dem Dienst ohne Waffen doch die Zukunft gab und zum Ende meines Manuskripts Vorschläge machte, wie das Gleichgewicht im Lauf der Zeit zum Friedensdienst ohne Waffen hin verschoben werden könnte. Denn dadurch werde die grundsätzliche Bejahung der Rüstungsforschung doch eigentlich wieder zurückgenommen.

2. Eine zweite Gruppe stimmte mir im wesentlichen zu, fand aber die den anderen bereits zu weit gehenden Vorschläge umgekehrt zu zaghaft. Etwas – ja auch meiner Meinung nach so Paradoxes wie ein Friedensdienst mit Waffen (!) – sei allenfalls zu ertragen, wenn gleichzeitig politisch in einer glaubhaften Weise alles geschähe, um die Waffen abzuschaffen, und davon könne derzeit ja wohl keine Rede sein. Statt dessen würden zur Nachrüstung Pershing-Raketen installiert, was ich doch wohl nicht zum Friedensdienst mit Waffen rechnen wolle.

Während ich den letzteren Anregungen nur zustimmen konnte und sie für den Fall einer Veröffentlichung meines Manuskripts natürlich aufgenommen hätte, waren mir die zuerst genannten Reaktionen keineswegs geheuer. Denn sie deuteten darauf hin, daß der von mir angenommene Kompromiß, es gebe heute noch den Friedensdienst sowohl mit als auch ohne Waffen, anzustreben sei, aber der letztere in der politischen Wirklichkeit nicht gilt. Eben dies bestätigten andererseits die Reaktionen zur Linken:

3. Einer schrieb mir, als Pazifist könne er das Konstrukt eines Friedensdienstes mit der Waffe nur als monströs empfinden. Ein zweiter: Gerade für diejenigen, die sich mir politisch verbunden fühlen, müßten meine Überlegungen tief verstörend wirken; ein Beispiel sei der Gedanke, das Prinzip der allgemeinen Wehrpflicht sei auf die Wissenschaft übertragbar; wie immer ich dies begründe – damit könne ich auch bei Wohlgesonnenen nur auf Entsetzen stoßen. Ein dritter: Meine Argumente seien ihm zu abstrakt – es sei nicht einzusehen, warum wir an der betreffenden Hochschule um relativ geringer Summen willen unsere zivile Unschuld verlieren sollten.

Dies alles entzog meinen Überlegungen den Boden, die Voraussetzung nämlich, unsere Gesellschaft sei in sich einig und insoweit eine, daß der Friedensdienst sowohl mit als auch ohne Waffen wechselseitig toleriert wird. Mein Ansatz war damit gescheitert, und ich gab den versuchten Kompromiß auf. Das Problem war noch größer als ich gedacht hatte; von einer Antwort auf meine Frage war ich weiter entfernt denn je.

Weitergeholfen hat mir zuerst ein Hinweis von Günter Altner. Er schrieb mir:

»Du nimmst in Deinem Aufsatz gewissermaßen eine staatspolitische Position jenseits der ethischen Fronten ein. Du sagst ja: ›Der Kompromiß lautet, daß es den Friedensdienst mit und ohne Waffen gibt.‹ Diese Position ist für einen Verweigerer und dann eben auch für einen Wissenschaftler, der seine Arbeit möglichst von Waffenentwicklungen fernhalten möchte, nicht befriedigend. Indem ich verweigere, entschließe ich mich, zur Friedenssicherung einen Weg zu gehen, der dezidiert von der Friedenssicherung durch Waffen abweicht. Ich mag diesen anderen Weg verstehen, aber meine Billigung hat er nicht. Ich halte ihn für den schlechteren, für mich nicht mehr akzeptablen Weg, und gerade deshalb verweigere ich den Kriegsdienst. Auch wenn ich als einzelner Verweigerer immer noch unter dem Schutzschild der Bundeswehr, wenn es denn ein echter Schutzschild wäre, lebe, habe ich durch den Schritt meiner Verweigerung entschieden begonnen, mich von diesem Weg zu lösen. Deshalb verweigere ich ja. Und ich hoffe, daß mein Beispiel Anlaß für viele Beispiele und eine entsprechend veränderte Politik sein wird.«

Hinsichtlich der Wissenschaft gibt Altner natürlich zu, daß

zivile und militärische Erkenntnis weitgehend untrennbar sind; dann aber müsse man eben die militärischen Abzweigungen zu durchkreuzen versuchen – in Entschiedenheit, und sei es bei ständiger Vergeblichkeit.

Günter Altners Brief hat mir gezeigt, daß es eine Lösung des Problems nur jenseits politischer Positionen geben kann. Tatsächlich hatte ich in meinem Amt die Heidelberger Thesen zu einer solchen Position verfestigen wollen, und dieser Versuch ist mißlungen. An seine Stelle tritt die politische Beunruhigung, daß zu den vielen Spaltungen, die unsere Gesellschaft mehr und mehr durchziehen, unabänderlich auch die über die Verteidigung mit den heutigen Vernichtungswaffen gehört. Unser Volk, soweit wir eins sind, ist außerdem zutiefst uneins z.B. über die Bewertung von Arbeit und Leistung, über die Bewertung materiellen Konsums, über die Richtung des technischen Fortschritts im Verhältnis zur Natur und über den Umgang mit polizeilicher Gewalt. Wahrscheinlich ertragen wir Bürger der Bundesrepublik Deutschland dies nur deshalb, weil wir uns so wenig als Bürger ein und desselben Landes fühlen. Gut finden kann ich dies alles nicht, denn ohne einen hinreichenden Grundkonsens ist ein Volk nicht lebensfähig.

Nehmen wir aber die Probleme, wie sie sind, so bleibt die Frage, ob es jenseits staatspolitischer Positionen noch ein Licht gibt, das uns einen Weg weist. Das entscheidende Wort hierzu verdanke ich Carl Friedrich von Weizsäcker. Ich widme ihm diesen Aufsatz, weil es ein besonderes Erlebnis war, von meinem Lehrer nach mittlerweile dreißig Jahren nicht nur immer noch am besten verstanden zu werden, sondern, wo ich mich verloren hatte, auch noch wieder den richtigen Anstoß zu bekommen, der mir weiterhalf.

Weizsäcker schrieb mir, seine Reaktion sei »etwas gespalten. Einerseits finde ich, daß Sie in der Sache durchaus recht haben. Andererseits bleibt mir an dem Text irgendein Unbehagen, das ich nur schwer lokalisieren kann. Vielleicht hatten Sie selbst ein ähnliches Gefühl und haben ihn mir deshalb geschickt. Nachdem ich eine Nacht darüber geschlafen hatte, habe ich mich dann heute früh hingesetzt und habe, ohne den Text noch einmal anzusehen, den Gedankengang, den ich im wesentlichen für den Ihren halte, im Ich-Ton kurz zusammengefaßt niedergeschrieben... Vielleicht regt mein Text Sie nun zu irgendwelchen Änderungen des Ihrigen an.« Weizsäckers Zusammenfassung lautet:

»Klaus Michael Meyer-Abich könnte etwa folgendes sagen: Ich bin öffentlich für Frieden unter den Menschen und Frieden mit der Natur eingetreten. Dabei habe ich teils Zustimmung, teils Widerspruch gegen meine konkreten Vorschläge gefunden. Jetzt bekomme ich Kritik von manchen, die mir sonst zugestimmt haben, weil ich mich nicht für die Verweigerung der Kriegsforschung einsetze.

Tatsächlich sind heute bei uns 90 Prozent aller Forschung thematisch für nichtmilitärische Zwecke, aber 60 Prozent aller Forschung sind auch militärisch relevant. Diese Überlappung von 50 Prozent ziviler, aber militärrelevanter Forschung zeigt, daß das Problem mit persönlicher Verweigerung nicht gelöst wird. Es ist gleichermaßen unzureichend zu sagen: ›Ich mache militärische Forschung, wenn ich dafür Geld bekomme‹, wie zu sagen: ›Ich weigere mich, militärische Forschung zu machen, und habe folglich ein reines Gewissen.‹ Keine der beiden Haltungen stellt sich dem wirklichen Problem; keine von beiden trägt dazu bei, das drohende Unheil zu verhindern. Beide geben ihrem Träger eine illegitime Gewissensentlastung.

Das wirkliche Problem ist: Die politische, wirtschaftliche und technische Struktur der Menschheit müßte so verändert werden, daß ein institutionell gesicherter Friede unter den Menschen und mit der Natur möglich würde. Wer dieses Problem einmal verstanden hat, der kann freilich zunächst fast nur verzweifeln. Vor dieser Verzweiflung fliehen beide oben geschilderten Haltungen. Sie tragen damit zur Unlösbarkeit des Problems bei. Das Problem wäre lösbar, wenn eine Mehrheit der Verantwortungsträger unter den Menschen sich ihm stellte. Dazu aber wäre nötig, daß sie sich der Verzweiflung stellen. Wer sie bis auf den Grund seiner Seele durcherlebt hat, ist verändert; er kann sehen und tun, was er vorher nicht sehen und tun konnte. Er wird mehr tun als nur seine Forschung fortführen, sei sie nun militärisch oder nicht.

Mit Menschen, die auf diesem Wege gehen, bin ich bereit zusammenzuarbeiten. In ihrer Zusammenarbeit wird sich ergeben, welche konkreten Veränderungen möglich werden.«

Das erlösende Wort heißt: Verzweiflung. Ich fange an zu

verstehen, was damit gemeint ist: Nicht wir sind es, die uns helfen können.

Die Frage ist, wieweit und in welcher Weise es hier auf uns ankommt. Den Frieden innerhalb politischer Handlungsspielräume zu suchen, ist ein Versuch, ihn selbst herbeizuführen. Tatsächlich bedarf es der Politik überall dort, wo etwas Vernünftiges nicht von alleine geschieht. Den Frieden zu suchen also ist auch eine Aufgabe der Politik. Wieweit aber stimmt die zweite Prämisse, daß wir etwas tun können, um ihn zu finden? Sind wir denn das Subjekt der Geschichte? Was die Welt wirklich verändert, sind nicht Handlungen von Regierungen, sondern die Regierungen entsprechen in ihrem Handeln, wenn sie gut sind, den wesentlicheren und wahrhaften Veränderungen. Zwar können Teile der Menschheit zeit- und teilweise einige ihrer Geschicke in die eigene Hand nehmen, aber steht es damit nicht oft genug wieder so wie in der eingangs erzählten Geschichte von dem Mann, der auf seine Erfindung eines Perpetuum mobile fixiert war? Und was ist dann beim zwölften Mal das erlösende Wort, wenn es um des Friedens willen auf die Überwindung des Kriegs ankommt?

Kriege hat es zwar nicht immer gegeben, sondern damit hat die Menschheit erst in ihrer allerjüngsten Vergangenheit begonnen. Es gibt sie nun aber doch schon seit mehreren hundert Generationen, und der dritte Weltkrieg kann schon morgen ausbrechen. Zwar sind auch innerhalb kurzer Zeiträume weitreichende Wandlungen möglich, besonders in der Industriegesellschaft, jedoch erfahrungsgemäß nicht aufgrund planmäßigen Handelns. Wer also mag sich zutrauen, die Abschaffung des Kriegs wollen zu können und den Krieg abschaffen zu *wollen*?

Die meisten Menschen würden den Krieg wohl gern abschaffen wollen, wenn sie es könnten. Aber dieser Wille bleibt im Konjunktiv stecken oder führt allenfalls bis zur Verweigerung, selbst zum Kriegsdienst bereit zu sein. Ich glaube, daß dies noch nicht genügt. Resigniert oder unüberlegt weiterhin das zu tun, was nun bereits seit Jahrtausenden getan wird, oder sich diesem Verhalten wenigstens individuell zu versagen, liegt noch zu nahe beieinander. Mit Waffen geht es nicht, bloß ohne Waffen aber geht es auch nicht, wenn die Umkehr nicht weitergeht. Mir kommt es so vor, als sei die Menschheit in eine Krise geraten, die beide Gruppen zunächst einmal als eine gemeinsame wahrnehmen sollten, um nicht gemeinsam darin steckenzubleiben.

Einem Kranken ist von Jesus, bevor er ihn geheilt hat, die
Frage gestellt worden: Willst Du gesund werden? Der Wille,
nach dem hier gefragt wird, war nicht der, aus eigenem Vorsatz und eigener Macht sich selbst helfen zu können. Und
doch sollte die verheißene Hilfe dem zu Heilenden auch
nicht passiv und willenlos zuteil werden. Ich verstehe die
Frage so, daß der Wille zum Gesundwerden da sein muß,
weil er die Kraft ist, welche der Stärkung durch den Heilenden bedarf. So ist es auch, wenn der Arzt vor allem die
Selbstheilungskräfte des Kranken unterstützt und machtlos
ist, wenn der Wille fehlt, gesund zu werden. Hilfe braucht
zunächst einmal der Wille, dem die Zuversicht fehlt. Wenn
nun aber Jesus vor uns stünde und fragte im Hinblick auf
den Krieg: Wollt Ihr gesund werden? würden wir dann nicht
zurückfragen: Wieso gesund, sind wir krank?

Ich denke, wir sind nicht weit davon entfernt. Die Lebensund Überlebenskrise, in der sich die Menschheit befindet,
droht in Krankheit umzuschlagen, wenn wir im Krisenmanagement steckenbleiben. Ein Fortschritt wäre die Einsicht,
daß es dieselbe Fehlhaltung ist, deretwegen wir den internationalen Frieden und den Frieden mit der Natur bisher verfehlen, so daß beiderlei Frieden enger zusammenhängen, als
dies in Weizsäckers Buch deutlich wird. Unser Friede mit
der Natur, der des Teils mit dem Ganzen, ist eine andere und
viel weitergehende Frage als die der gerechten Verteilung der
»Ressourcen« (S. 48). Der soziale Frieden innerhalb der Industriegesellschaft ist sogar auf Kosten des Friedens mit der
Natur gefunden worden, und dies sollte nicht erneut der
Preis des sozialen Ausgleichs zwischen Nord und Süd sein.
Soviel ich sehe, ist es auch gerade die Entwicklung von Wissenschaft und Technik, durch die die Menschheit in die Krisis hineingetrieben worden ist, in der die Fehlhaltung unter
den Völkern wie gegenüber der natürlichen Mitwelt gleichermaßen klar erkennbar wird, in der aber auch die Chance
des Durchbruchs zur Überwindung der Gewalt liegt. Diese
müßte dann noch weitergehen als bis zur Abschaffung des
Kriegs.

Für Platon und Aristoteles war die Welt primär ein Kosmos, ein wohlgegliedertes Ganzes, und die Glieder dieses
Ganzen waren dadurch bestimmt und zu erkennen, daß in

ihnen Gestalten, Strukturen oder »Ideen« wiederzuerkennen sind, deren Vielfalt ihrerseits einen ganzheitlichen Zusammenhang hat. Die geschlossene Ordnung des antiken Kosmos entsprach aber nicht mehr dem Weltgefühl der Initiatoren der modernen Welt im Spätmittelalter und in der frühen Neuzeit. Aufbruch hieß nun die Devise, zunächst ins Heilige Land und noch im Gewand des Glaubens, später übers Meer und um die Erde. Diese erwies sich dann zwar doch als endlich, aber die Entdeckungsreisen zu Schiff fanden alsbald ihre Fortsetzung im Siegeszug der modernen Naturwissenschaft. Welche geistig-politische Sprengkraft und Gefährdung der alten Ordnung in diesem Denken lag, hat die katholische Kirche richtig erkannt, als sie Giordano Bruno und Galileo Galilei den Prozeß machte. Daß sie sich durch das Ergebnis dieser Prozesse obendrein ins Unrecht setzte, mag den Zerfall noch beschleunigt haben.

Den antiken Kosmos (im spätmittelalterlichen Verständnis) zu sprengen und eine weitergehende Wandelbarkeit der Welt zu erleben, versprach nun nicht mehr Unsicherheit und Unzuverlässigkeit, sondern Offenheit und Flexibilität, und das Sichgleichbleiben wandelte sich von der Verläßlichkeit zur Starrheit. Es ist für mich keine Frage, ob dieser Weg falsch war. Die Geschichte der Wahrheit ist auch die Wahrheit der Geschichte. Probleme und Krisen zeigen nicht notwendigerweise, daß man auf dem falschen Weg ist, denn es gibt auch die richtigen Konflikte, die auszutragen sind, wenn man den richtigen Weg geht. In einer Krise aber stehen wir, und vielleicht in der größten, welche die Menschheit je erlebt hat.

In dieser Krise nun erweisen sich die Bereitschaft zur organisierten Gewalttätigkeit zwischen Völkern und die zur gleichermaßen und in gleicher Weise organisierten Gewalttätigkeit gegenüber der natürlichen Mitwelt als ebenbürtig. Mit Recht sagt Ernst Bloch: »Unsere bisherige Technik steht in der Natur wie eine Besatzungsarmee in Feindesland.« Im technokratisch organisierten Völkermord der Nazizeit gingen beiderlei Gewalttätigkeiten, die industrielle und die militärische, ineinander über. Es ist im wesentlichen dieselbe wissenschaftliche Technik, die beiderseits zur Anwendung kommt – deshalb kann die Wissenschaft zu 90 Prozent zivilen Zwecken und zu 60 Prozent militärischen Zwecken dienen, so als hätten wir uns auf eine 150prozentige Wissenschaft eingelassen. Der dritte Weltkrieg verhält sich zu den Katastrophen in Tschernobyl, Bhopal und Basel wie diese zum Normalbetrieb der betreffenden Industriezweige, aber alle zusammen sind dieselbe Sache. Es sind dieselben Menschen, es ist dieselbe Wirtschaft und es ist dieselbe Technik. Es ist auch dieselbe Krise.

Welche Krise? An körperlichen Krankheiten wird oft erkennbar, daß sie zur Seelenlage des Erkrankten passen. Dies gilt für Individuen in ihrer jeweiligen Lebenssituation. Typische Krankheiten einer Epoche scheinen aber zugleich auf Krisen der Zeit hinzudeuten. So paßt der Krebs offenbar zu dem zerstörerischen Wachstum in der Wirtschaft. Mit fällt auf, daß die Immunschwächekrankheit ebenfalls in einer merkwürdigen Weise unserer geistigen Situation entspricht. Denn ihr Gegenteil, die Unverwundbarkeit, ist nicht nur ein alter Menschheitstraum, wie im Siegfried-Mythos des Nibelungenlieds, sondern ganz besonders gerade der Traum der Industriegesellschaft.

Ich verdeutliche meine These zunächst für die Rüstungstechnik, denn hier ist die Grundhaltung, in der wir stecken, noch augenfälliger als im industriewirtschaftlichen Umgang mit der natürlichen Mitwelt. Z. B. im Sinn des SDI-Projekts der amerikanischen Regierung gleich ein ganzes Land, und ein so großes wie die USA, mit einem Schutzschild gegen äußere Bedrohungen umgeben zu wollen, ist eine geradezu archaische Erneuerung des Unverwundbarkeitstraums. Dies um so mehr, als die Friedensforschung längst zu der Einsicht geführt hat, jedes Land habe ein wahres Interesse daran, daß andere Länder keine Angst vor ihm haben. Wer sich selbst unverwundbar macht, ist aber eine Bedrohung für alle, die es nicht sind und ihn deshalb fürchten müssen.

Im Kopf die Einsicht, daß Sicherheit ein gegenseitiges Interesse ist, und in den Abgründen der Seele den Siegfriedstraum – im Rüstungswettlauf geraten wir in die Abgründe. Dort sitzt nämlich auch die Angst, deretwegen die Staaten sich gegeneinander bewaffnen, weil die Menschen sich in ihrer Mehrheit nicht zutrauen, ohne Waffen angstfrei zu leben – oder jedenfalls angstfreier als mit den vielen Waffen. Dies aber ergibt nicht Friedlichkeit, sondern nur eine Art von Siegfriedlichkeit: militärische Immunsysteme, hinter denen die Völker sich voreinander verstecken.

Ich plädiere nicht dafür, daß es gar keine Abwehr geben

solle. Z. B. halte ich das Gewaltmonopol des Staats im modernen Rechtsstaat für eine angemessene Ebene der Abwehr individueller Gewalttätigkeit. Auch in der Natur gibt es eine Fülle von Krankheitserregern, gegen die uns zu schützen unser natürliches Immunsystem gut ist. Die Fehlhaltung, die ich meine, liegt dort, wo wir uns *gegen unsere eigenen Fehler* und die aus ihnen folgenden Gefahren immunisieren. In bezug auf diese Immunisierungen sollte uns die Immunschwächekrankheit zu denken geben.

Das gesamte Militär, auch als Verteidigungsrüstung, ist das augenfälligste Beispiel einer Immunisierung gegen die Folgen unserer eigenen Fehler. Der erste Fehler ist in diesem Fall die Bereitschaft, internationale Konflikte gewaltförmig auszutragen. Der zweite Fehler ist dann der Versuch, uns ausgerechnet mit Waffen dagegen zu immunisieren, daß dies geschieht. International suchen wir den Frieden durch diese militärische Immunisierung gegen die Folgen der von vornherein falschen Bereitschaft, Konflikte überhaupt gewalttätig austragen zu wollen. Innenpolitisch ist demgegenüber der moderne Rechtsstaat eine große historische Errungenschaft, Konflikte nicht gewalttätig, sondern äußerstenfalls vor Gericht auszutragen.

Durch die versuchte Immunisierung tun wir überdies nicht nur das Falsche, sondern unterlassen zugleich das Richtige. Siegfried nämlich wurde (fast) unverwundbar durch den Kampf mit dem Drachen. Die Großmächtigen aber, die einander damit drohen, sich unverwundbar zu machen, führen diesen Kampf gerade nicht. Sie sehen das Böse jeweils nur im anderen, nicht in sich selbst und erliegen dadurch dem wahrhaft Bösen, dem Drachen, der eigentlichen Gefahr, die zu fürchten ist. Der Drache ist heute der Krieg selbst und bedroht das Leben insgesamt, das der Menschheit und der natürlichen Mitwelt. Wer ihn sieht, stellt sich der Verzweiflung. Sie aber sehen ihn gar nicht und dienen ihm doch, indem sie sich einreden, um des Friedens willen der Waffen zu bedürfen, und voreinander so tun, als hätten sie den Drachen schon besiegt und die Unverwundbarkeit gewonnen. Das alles ist Imponiergehabe, zur Zeit vor allem auf seiten der Amerikaner. Ein hinhaltendes Krisenmanagement, das den Krieg schlafen lassen möchte, führt aber von der Krise in die Krankheit und Zerstörung. Der Drache tut nämlich nur so, als ob er schläft.

Wie in der Rüstung, neigen wir auch gegenüber der natürlichen Mitwelt dazu, das Leben mit den Folgen unserer eigenen Fehler zu ermöglichen, statt diese selbst zu unterlassen. So wird der Kampf mit dem Drachen wiederum nur aufgeschoben, und die Bereitschaft zur Gewalttätigkeit wird immer größer. Ein besonders paradoxes Beispiel der falschen Immunisierung ist der Vorschlag eines Politikers, dem Waldsterben dadurch zu begegnen, daß Bäume gezüchtet würden, die gegen die Gifte im Boden und in der Luft resistent sind. Uns dadurch gegen die Folgen unserer eigenen Fehler zu immunisieren, daß die natürliche Mitwelt diesen Fehlern angepaßt wird, ist auch das Ziel der Züchtung herbizidresistenter Nutzpflanzen. Dabei soll ein Teil der natürlichen Mitwelt – derjenige nämlich, den wir für unsere Ernährung brauchen – selbst gegen die Gifte immunisiert werden, mit denen die übrige Welt – Wildpflanzen und Unkräuter – planmäßig umgebracht wird, damit die Nutzpflanzen ungestört gedeihen können. Dies alles ist nur konsequent, solange der Umweltschutz dadurch begründet wird, daß es uns schaden würde, ihn zu unterlassen. Statt dessen sollten wir wissen: Die natürliche Mitwelt erwartet von uns, wie es im 8. Kapitel des Römerbriefs heißt, daß wir – nachdem Jesus gerade als Mensch Fleisch geworden ist und uns den Weg des Lebens kundgetan hat – auch in der Natur Zeichen der Erlösung und Befreiung von der Gewalt setzen. Es ist der Natur nicht egal, ob wir in diesem Buch an sie denken.

Durch die Anpassung an Fehlentwicklungen, indem wir uns gegen die Folgen unserer eigenen Fehler immunisieren, kommen wir aus der Krise der Industriegesellschaft nicht heraus. In der Krise nun gleichermaßen an die Überwindung des Kriegs und an den Frieden mit der Natur zu denken, ist die Wahrnehmung des Drachens, der uns bedroht: des Drachens der Gewalttätigkeit zwischen Völkern und gegenüber der natürlichen Mitwelt – der Gewalttätigkeit, durch die wir selbst umkommen werden, wenn wir uns weiterhin mit dem Drachen zu arrangieren versuchen.

In der Krise liegt, wie Pedro Arrupe sagt, zweierlei: »Sie besagt etwas, das zum Leben drängt, aber noch nicht aufgebrochen und zur Reife gekommen ist. Krise besagt aber immer auch Bedrohung, etwas, was das Bestehende und Aufbrechende töten oder verfälschen kann.« Wenn wir den Drachen wirklich überwinden wollen, kann uns in der Krise die

Kraft zur Überwindung der Angst zuwachsen, deren Ausdruck die Bereitschaft zur Gewalt ist. Von uns aus aber haben wir diese Kraft nicht. Das Ja auf die Frage: Wollt Ihr die Angst und den Krieg überwinden? müßte so gesprochen werden, wie wenn Jesus Christus uns fragte und wir an ihn glauben, nicht nur wie das zaghaft-konditionale Ja der Abrüstungskonferenzen. Meine Hoffnung ist, daß die Frage auf der Konvokation, zu der wir uns durch die Kirchen versammeln wollen, wie von Jesus selbst an die Menschheit ergehen möge, und daß wir dann Ja sagen.

Nachwort: Mit dem Problem des Steckenbleibens bin ich in diesem Aufsatz zunächst auch selber steckengeblieben. Herausgeholfen hat mir meine Schwester, Margreth Erdmann in Darmstadt, indem sie mir zeigte, auf welchem Weg ich war.

Konrad Raiser
»Es wird keine Armen unter euch geben«

I

Der besondere Reiz, wie auch die denkerische Leistung der Schrift von Carl Friedrich von Weizsäcker liegt darin, daß sie versucht, die Probleme von Gerechtigkeit, Frieden und Umwelterhaltung konsequent miteinander zu verknüpfen, sowohl in der Analyse wie in der Formulierung von Zukunftsaufgaben. Der Angelpunkt der rationalen Analyse ist die Rückführung der Probleme auf das Entstehen der Hochkulturen. Krieg, strukturelle soziale Ungerechtigkeit und Umweltzerstörung sind Ausdruck einer gesellschaftlich-kulturellen Entwicklung, die heute an ihr Ende gelangt. Um des Überlebens der Menschheit willen ist eine radikale Änderung des Bewußtseins und des gesellschaftlichen Verhaltens nötig. Dies ist eine Forderung der Vernunft. Die Änderung, die bislang als utopisch erscheinen mußte, wird möglich, eben weil sie notwendig ist. Der Weg dahin führt freilich durch Leiden und Verzweiflung und schöpft aus der Erfahrung von Gnade. Nur eine über die gegenwärtige Problemkonstellation hinausgreifende Hoffnung schafft die Kraft, den drohenden Gefahren zu begegnen. Die Berufung auf diese religiös begründete Hoffnung kann freilich die rationale Analyse nicht ersetzen; sie dient vielmehr zur Schärfung des Blicks, insbesondere auf die Grenzen dessen, was in funktional gesteuerten Systemen machbar ist. So spürt die Schrift in ihrem zweiten Teil den sich heute neu erschließenden Zukunftsperspektiven nach und entwickelt die Umrisse einer »asketischen Weltkultur«, einer Kultur der bewußten Selbstbeschränkung.

Diese Perspektive ist am prägnantesten ausformuliert im Blick auf eine künftige Friedensethik, welche der Forderung genügt, die Institution des Krieges zu überwinden. Demgegenüber bleiben die Überlegungen zu den ungelösten Grundproblemen politischer und sozialer Gerechtigkeit in eher vorsichtigen Andeutungen stehen. Dieser kleine Beitrag möchte versuchen, hier ein wenig weiterzudenken. Als Leitthese soll dabei die Forderung gelten, daß die *strukturelle Armut* überwunden werden muß. Die Analogie der Formulierung zu der entsprechenden These bei von Weizsäcker im Bezug auf die Institution des Krieges (siehe S. 76) ist beabsichtigt. Damit soll seine Prämisse ernstgenommen werden: »Kein Friede ohne Gerechtigkeit, keine Gerechtigkeit ohne Frieden« (S. 26).

II

Einige Elemente aus der Weizsäckerschen Analyse des Gerechtigkeitsproblems sollen ausdrücklich festgehalten werden, um daran anzuknüpfen. Dazu gehört vor allem die Unterscheidung und zugleich Verknüpfung von politischer Gerechtigkeit im Sinne von Legalität, verdichtet vor allem in der Vorstellung der bürgerlichen Menschenrechte, und sozialer Gerechtigkeit im Sinne der Überwindung des Gegensatzes von arm und reich. Beides sind institutionelle und strukturelle Probleme, die daher nicht allein auf der Ebene der Moralität, d.h. der ethischen Gesinnung des einzelnen gelöst werden können, sondern Forderungen an die vernünftige Regelung des menschlichen Zusammenlebens stellen. Beide sind unlösbar miteinander verbunden und dürfen nicht gegeneinander ausgespielt werden. »Keine Gerechtigkeit ohne Freiheit, keine Freiheit ohne Gerechtigkeit« (S. 29).

Aber wenn dies gilt, dann folgt daraus, daß die legal garantierte politische Freiheit allein das Problem der sozialen Gerechtigkeit, d. h. den Konflikt von arm und reich, noch nicht löst. Sie gestattet allenfalls, diesen Konflikt ausdrücklich zum Thema der Politik zu machen (siehe S. 31). Unterhalb der Grenze der absoluten, strukturell bedingten Armut werden jedoch auch die politisch garantierten Freiheitsrechte nutzlos. Der Anstoß zu Menschenrechtsbewegungen, ebenso wie zu politischen Revolutionen, kommt selten von den unmittelbaren Opfern struktureller Armut.

Als Thema der Politik ist der soziale Konflikt von arm und reich unter dem Vorzeichen des Gegensatzes von marktwirtschaftlicher und sozialistischer Wirtschaftsordnung verhandelt worden. Weizsäckers Analyse der politischen Perspektiven, welche die wirtschaftlichen Doktrinen des Marktes und des Sozialismus eröffnen, ist fair, aber sie endet offen. Er vermutet wohl zu Recht, daß das Grundproblem sozialer Gerechtigkeit in der heutigen Welt im Rahmen dieses, aus der westeuropäischen Tradition stammenden ideologischen Gegensatzes nicht wirklich erfaßt werden kann. Aber er verzichtet in seiner Analyse darauf, die seit Mitte der siebziger Jahre entwickelten Vorstellungen für eine neue Weltwirtschaftsordnung ausdrücklich zu diskutieren.

Diese Perspektiven orientieren sich an der Überzeugung, daß es analog zu den bürgerlich-politischen Rechten ebenfalls wirtschaftliche, soziale und kulturelle Rechte gibt. Diese Überzeugung hat ihren Ausdruck gefunden in den Menschenrechtspakten der Vereinten Nationen vom Dezember 1966. Zwar begegnet das Rechtsdenken der Vorstellung von sozialen Grundrechten noch immer mit Vorbehalten. Dies hat seinen Grund in einer offenkundigen Asymmetrie zwischen den beiden Rechtsfiguren. Geht es bei den bürgerlichen und politischen Rechten in erster Linie um Freiheits-, Schutz- und Teilhaberechte und damit um einklagbare Forderungen gegenüber staatlichen Organen, so geht es bei den sozialen Grundrechten um die Sicherung elementarer Lebensgrundlagen und damit um schwer einklagbare Forderungen im Blick auf öffentliche soziale Leistungen. Auch hier jedoch kommt die Schutzfunktion ins Spiel im

Sinne des Schutzes vor mißbräuchlicher Ausübung von wirtschaftlicher und gesellschaftlicher Macht.

Die ökumenische Diskussion hat die Komplementarität zwischen individuellen und sozialen Grundrechten mit Nachdruck aufgegriffen. So stellte die 5. Vollversammlung des Ökumenischen Rates der Kirchen in Nairobi 1975 sechs Prioritäten im Einsatz für die Menschenrechte heraus:

1. das Grundrecht auf Leben (unter Einschluß der Rechte auf Arbeit, Nahrung, Gesundheit, Wohnung, Bildung, den Schutz der Umwelt und der zukünftigen Generationen);
2. das Recht auf Selbstbestimmung, kulturelle Identität und Schutz von Minderheiten;
3. das Recht auf Mitbestimmung in der Gesellschaft;
4. das Schutzrecht für die Andersdenkenden;
5. den Schutz der Würde des einzelnen und
6. das Recht auf Religionsfreiheit.

Die hier formulierte Forderung eines Grundrechtes auf Leben im Sinne der Befriedigung der Grundbedürfnisse aller Menschen ist seither zum zentralen Kriterium in der internationalen Entwicklungsdiskussion geworden. Eine Gesellschaft, welche die elementaren Bedürfnisse ihrer Glieder auf Nahrung, Kleidung, Wohnung, Gesundheit und Bildung nicht gewährleistet, kann nicht gerecht genannt werden, auch wenn sie den Forderungen der Legalität genügt und die bürgerlich-politischen Rechte respektiert.

Dieser Maßstab gilt sowohl national wie im Verhältnis der Staaten untereinander. Die heutige liberale Ordnung der Weltwirtschaft versagt gegenüber diesem Maßstab. Auch hochentwickelte Industrieländer, die sich den Zielen einer sozialen Marktwirtschaft bzw. des Wohlfahrtsstaates verpflichtet haben, sind betroffen durch die Wirklichkeit neuer Armut, deren Ursachen struktureller Natur sind. Die Frage muß daher gestellt werden, ob die Probleme struktureller Armut mit marktwirtschaftlichen Mitteln zu lösen sind. Diese Frage zu stellen, heißt noch nicht, sich für den Sozialismus zu entscheiden. Vielmehr geht es um die rationale und kritische Prüfung dessen, was der Markt leisten kann, bzw. um die Bestimmung der Grenzen des Marktes.

Auf eine erste Einschränkung macht von Weizsäcker selbst aufmerksam. Der Markt reagiert nur auf Bedürfnisse, die sich in geldwerter Kaufkraft niederschlagen. Unterhalb der Grenze absoluter struktureller Armut können sich menschliche Bedürfnisse nicht mehr als Kaufkraft artikulieren und werden daher durch den Markt nicht befriedigt. Die Folge ist die zunehmende Marginalisierung von ganzen Sektoren der Bevölkerung, die faktisch aus dem Marktkreislauf ausgegliedert sind und auf der Basis einer Tausch- oder Subsistenzwirtschaft existieren. Sie werden daher auch langfristig von den Zuwachsraten des Bruttosozialproduktes nicht erreicht.

Diesen Entwicklungen kann nur durch eine konsequente Umverteilung von Land, Einkommen und letztlich von Macht begegnet werden, d. h. durch politische Maßnahmen, die nicht dem freien Spiel der Marktkräfte unterliegen. Diese politischen und rechtlichen Rahmenbedingungen des Marktes sind zwar in ihrer Bedeutung anerkannt, werden aber in der rein ökonomischen Analyse des Gleichgewichts von Kosten und Nutzen, von Angebot und Nachfrage vernachlässigt. Sie allein garantieren jedoch das relative Funktionieren des Marktes in den entwickelten Industrieländern. Die Tatsache, daß diese politischen und rechtlichen Voraussetzungen auf Weltebene weitgehend fehlen, ist eine der entscheidenden Ursachen für den faktischen Fehlschlag marktwirtschaftlicher Politik im internationalen Rahmen. Der totale Markt zerstört letztlich die Freiheit, die zu schützen sein Legitimationsanspruch ist.

Damit wird die Bestimmung der Grenzen des Marktes zu einer zentralen Forderung an die politische und wirtschaftliche Vernunft, wenn das Ziel der Überwindung struktureller Armut erreicht werden soll. Hier kann der Hinweis auf die Formulierung des sozialen Grundrechts auf Leben weiterhelfen. Die marktwirtschaftliche Ordnung soll das freie Spiel und den Ausgleich privater wirtschaftlicher Interessen gewährleisten und vor staatlichen Eingriffen schützen. Sie ist gleichsam die Verlängerung des Grundgedankens der bürgerlichen und politischen Freiheitsrechte in den wirtschaftlichen Bereich hinein. Wo jedoch ein soziales Grundrecht auf Leben in dem obengenannten Sinne anerkannt wird, d. h. auch als Schutzrecht gegen mißbräuchliche Ausübung gesellschaftlicher und wirtschaftlicher Macht, ergeben sich klare Kriterien für die Bestimmung der Grenzen des Marktes. Es müßte dann als Grundsatz gelten, daß die Befriedigung der elementaren Bedürfnisse nach Nahrung, Kleidung, Wohnung, Gesundheit und Bildung nicht einfach dem freien Spiel der Kräfte auf dem Markt und damit der Konkurrenz wirtschaftlicher Macht überlassen werden darf, sondern durch öffentliche Maßnahmen gewährleistet werden muß. Die Umsetzung dieser Kriterien in die konkrete nationale wie internationale Wirtschaftspolitik kann hier nicht geleistet werden. Es ist jedoch deutlich, daß etwa die Maßnahmen des Internationalen Währungsfonds diesen Kriterien schwerlich entsprechen. Der Einwand, hier handle es sich um willkürliche Eingrenzungen des Marktes, hält der Analyse nicht stand. Vielmehr wird gerade am Beispiel vieler Entwicklungsländer deutlich, daß ein wirklicher Markt erst entstehen kann, wenn diese Mindestforderungen erfüllt sind. Damit ergeben sich jedoch aus der rationalen Analyse eine Reihe von politischen Bedingungen für eine gerechte Wirtschafts- und Gesellschaftsordnung.

Noch eine letzte Überlegung sei angefügt im Anschluß an von Weizsäckers Hinweis auf die Auswirkungen des »Luxurierens der Macht«. »Das Luxurieren des Reichtums … führt … zum Elend der Armen. Das Luxurieren der Machtkonkurrenz führt zum nichtendenden Elend der Kriege. Das Luxurieren menschlicher Verfügung über Mittel führt zur Zerstörung ihrer natürlichen Basis« (S. 58). Der unkontrollierte Überschuß wirtschaftlicher Macht zerstört die Grundlage des freien Marktes. Um des Erhalts der Freiheit willen ist daher die Kontrolle der Macht notwendig. Wir erleben jedoch allenthalben, daß die Konzentration wirtschaftlicher Macht zunehmend den Entscheidungsspielraum der Politik einengt. Nur in wenigen Staaten ist es gelungen, wirksame Maßnahmen gegen die Bildung wirtschaftlicher Monopole und Kartelle durchzusetzen. Auf internationaler Ebene begegnet dies Problem in Gestalt transnationaler Unternehmen, die sich bislang jeder Kontrolle ihrer Macht entziehen. Die sogenannten Verhaltenskodizes sind gedacht als Instrumente der Selbstkontrolle, aber es erweist sich als nahezu unmöglich, ihre Einhaltung zu überprüfen. Die Instrumente des Marktes allein erweisen sich als untauglich, um das Luxurieren wirtschaftlicher Macht zu verhindern. Auch hier gilt analog die These, die von Weizsäcker im Blick auf den Weltfrieden formuliert: »Der funktional notwendige Weltfriede kommt – das sehen wir immer deutlicher – gerade nicht durch das funktionale Denken der großen politischen und wirtschaftlichen Mächte zustande« (S. 76).

Hier liegt die Berechtigung der Forderung nach Demokratisierung der Wirtschaft als Gegengewicht gegen die potentiell zerstörerische Eigengesetzlichkeit des Marktes. Demokratisierung, d. h. Teilnahme der als Wirtschaftssubjekte betroffenen Bürger, nicht nur an den Entscheidungen über die Verteilung der Wirtschaftsgüter über das Spiel von Angebot und Nachfrage, sondern auch an den Entscheidungen darüber, was, wie, für wen und mit welcher Prioritätensetzung produziert wird.

IV

Die Überwindung struktureller Armut als Zielperspektive setzt in der Tat ein radikales Umdenken voraus. Der Weg zu diesem Bewußtseinswandel führt, wie im Falle der Überwindung des Krieges, durch die Erfahrung des Leidens. Diese Einsicht von Weizsäckers wird bestätigt durch die geschichtliche Beobachtung, daß die Subjekte der großen gesellschaftlichen Umwälzungen der letzten beiden Jahrhunderte letztlich die Armen selbst gewesen sind. Hier liegt freilich auch die bleibende Anziehungskraft des Sozialismus in vielen Entwicklungsländern. Der Sozialismus jedenfalls scheint in der Lage zu sein, Gerechtigkeit im Sinne der Befriedigung der elementaren Bedürfnisse aller Glieder der Gesellschaft zu gewährleisten. Allzu oft freilich geschah dies um den Preis der Freiheit, und das heißt der politischen Gerechtigkeit. Politische und soziale Gerechtigkeit sind aber auf die Dauer nicht voneinander trennbar. Keine Gerechtigkeit ohne Freiheit, keine Freiheit ohne Gerechtigkeit.

Der Begriff der Gerechtigkeit bezeichnet nach von Weizsäcker gleichsam »die ideale Gestalt der Objektivierung der menschlichen Beziehungen in der großen Gesellschaft der Hochkultur« (S. 70). Das Pathos der Gerechtigkeit auf der Ebene der Vernunft ist stets bedroht durch den Umschlag in Selbstgerechtigkeit. Dem stellt von Weizsäcker das moralische Pathos der Liebe gegenüber und konstatiert die unausweichliche Spannung zwischen Gerechtigkeit und Liebe. Bezogen auf die griechisch-römische Vorstellung von Gerechtigkeit trifft diese Beobachtung sicherlich zu. Aber läßt sich die Spannung von Gerechtigkeit und Liebe auch in der biblischen christlichen Tradition verifizieren?

Unbestreitbar ist der Unterschied zwischen den Strukturen menschlicher Beziehungen in großen und kleinen Gesellschaften. Und es ist kein Zweifel, daß die biblische Tradition, vor allem das Neue Testament, weitgehend im Rahmen der Großfamilie oder der Hauswirtschaft denkt. In diesem Umfeld ist direkte, unvermittelte Zuwendung zum einzelnen Menschen möglich, die in den großen Hochkulturen durch differenzierte, rechtliche und institutionelle Strukturen vermittelt werden muß.

Bei genauerem Zusehen zeigt sich jedoch, daß gerade die rechtlichen Ordnungen des Bundesvolkes im Alten Testament verstanden werden wollen als konkrete Gestalt der Liebe. Gott wacht selbst über die Einhaltung der Gemeinschaftsverhältnisse. Er will das Wohlergehen, den Schalom aller Glieder der Gemeinschaft. Daher ist das Recht und das Gebot Gottes nicht so sehr eine allgemeine ethische Norm, nach der im konkreten Einzelfall über Recht und Unrecht entschieden wird. Gottes Recht bezeichnet vielmehr das Geflecht von Gemeinschaftsbeziehungen. Es ist ein Verhältnisbegriff. Gerecht ist ein Mensch, ein Verhalten, das dem Schalom, dem Wohlergehen aller dient. Daher ist Gottes Recht prägnant Schutzrecht für die armen und schwachen Glieder des Volkes, für die Witwen und Waisen, für die Sklaven und die Fremdlinge (Deuteronomium 10,18; 24,17; 27,19). Israel war tief durchdrungen davon – das zeigen die Gesetzesbücher ebenso wie die Weisheitssprüche, die Propheten (besonders Amos, Jesaja und Jeremia), ebenso wie die Psalmen –, daß Gott eintritt für das Recht, den legitimen Anspruch der Bedrängten und Unterdrückten. So sagt Psalm 103,3: Der Herr schafft Recht und Gerechtigkeit allen, die Unrecht leiden, und Psalm 140,13: Denn ich weiß, daß der Herr des Elenden Sache führen und den Armen Recht schaffen wird.

Gott zu erkennen, heißt zu erkennen, daß er Recht, Gerechtigkeit und Güte auf Erden schafft. Gott wird erkannt in dem, was er getan hat, besonders in der Befreiung aus der Sklaverei in Ägypten, in dem, was er noch immer tut. Dabei denkt die biblische Tradition, wie die Gebote für das Sabbat- und das Halljahr zeigen, nicht an Gottes Erbarmen über das Elend des gefallenen, sündhaften Menschen, sondern an konkrete Armut und an gesellschaftlich-politische Bedrängnis. Psalm 72 mißt die Rolle und Aufgabe des Königs an diesem Bild Gottes, der den Elenden im Volk Recht schafft, der den Armen hilft und die Bedränger überwindet. Dieses Verständnis von Gottes Recht ist die Grundlage der prophetischen Kritik an der Herrschaftsausübung durch die Könige. Zugespitzt kann Gottes Eintreten für das Recht geradezu übergehen in die Forderung des Rechtsverzichts, der Vergebung (1. Könige 8,49ff.; Jesaja 30,18ff.). Das Sabbatgebot und seine Auslegung im Sabbatjahr sind Beispiele für die konkrete Gestalt dieses Rechtsverzichts.

Gottes Recht und Gottes Gnade und Barmherzigkeit sind daher gerade keine Gegensätze. Das Recht der Armen ist das, was ihnen als Gliedern der Volksgemeinschaft zukommt. Gottes Gericht über die Armen ist seine Gnade und Barmherzigkeit, seine Liebe, deren Folge die Erniedrigung der Hochmütigen ist. Die Propheten formulieren die Vision eines zukünftigen messianischen Reiches als eines Reiches des Rechts und der Gerechtigkeit (Jesaja 9,6; 11,1–5; 28,17; Hesekiel 36,27). So wird das Recht Gottes geradezu gleichbedeutend mit der durch Gott gewirkten Erlösung. Der Knecht Gottes in Jesaja 42,1–4 erhält den Auftrag, das Recht zu den Völkern zu bringen und das heißt, ihnen Heil und Erlösung zu bringen.

Hier setzt offenkundig auch die neutestamentliche Verkündigung an. Deutlich ist die Verbindung mit den alttestamentlichen Verheißungen, etwa in Lukas 2 und 4 (vgl. Jesaja 61) und in den Gleichnissen Jesu. Gottes Reich ist die Verwirklichung der Herrschaft Gottes als König im alttestamentlichen Sinn, d.h. Gott wird herrschen als der, der den Armen und Bedrängten Recht schafft. Diese Vorstellung steht im Hintergrund der Gleichnisrede vom Weltgericht in Matthäus 25 und sie durchzieht die ganze Praxis Jesu. Aber dies ist auch der Inhalt der paulinischen Anschauung von der Gerechtigkeit Gottes: Gott tritt in Jesus Christus ein für den, der vor ihm rechtlos ist. Gottes Recht und Gerechtigkeit offenbaren sich als Gnade und Barmherzigkeit, als Liebe. Gott verzichtet auf den Rechtsanspruch und stiftet Vergebung.

So ergeben sich überraschende Verbindungslinien zwischen der biblischen Redeweise von Gottes Recht und Gerechtigkeit und der sozialen Auslegung der Menschenrechte.
– Gottes Gerechtigkeit zielt auf die gerechte, heile Gemeinschaft des Bundesvolkes. Gott erkennen heißt seinem Recht dienen, der Ordnung der Gemeinschaft entsprechen.
– Gottes Recht ist Schutzrecht für die Schwachen und Armen. Gerade weil Gottes Sorge allen Menschen gilt, richtet sie sich vornehmlich auf die, die unter den Menschen rechtlos sind.
– Die Menschenrechte sind daher als Beziehungsgrößen zu verstehen: Sie bestimmen, was einem Glied der Gemeinschaft gerechterweise zusteht.

Die biblische Tradition kehrt damit die traditionelle Perspektive um, indem sie das Wohlergehen der Gemeinschaft den Freiheitsrechten des einzelnen vorordnet, indem sie den Armen Priorität gegenüber einer abstrakten Gleichheit aller Menschen einräumt. Die katholische Soziallehre mit ihrer Orientierung am Gemeinwohl, der Vorordnung menschlicher Arbeit vor den Eigentumsrechten, sowie der in neuerer Zeit formulierten »vorrangigen Option für die Armen« steht dieser Tradition näher als die landläufige evangelische Sozialethik. Die biblische Vorstellung einer gerechten Ordnung von Wirtschaft und Gesellschaft steht unter der Verheißung: »Es wird (oder soll) keine Armen unter euch geben« (Deuteronomium 15,4). Gewiß sind die biblischen Anordnungen nicht unmittelbar auf komplexe Industriegesellschaften zu übertragen. Dennoch bieten sie nach wie vor entscheidende Anstöße, wie z.B. die Forderung des Schuldenerlasses, über die Bedingungen einer gerechten Gesellschaft heute neu nachzudenken.

V

Die vorangehenden Überlegungen sollten dazu dienen, die Forderung nach der Überwindung struktureller Armut zu entfalten. Die in Umrissen skizzierte alttestamentliche Ordnung des Bundesvolkes sollte eben diesem Ziel dienen. Aus biblischer Perspektive sind Reichtum und Armut unlösbar aufeinander bezogen. Absolute Armut ist der Ausdruck und eine Folge von gesellschaftlicher Ungerechtigkeit. Krasser

Reichtum, aufreizender Überfluß sind ebenso wie absolute Armut, d.h. die strukturell bedingte Unfähigkeit, ein menschenwürdiges Leben zu führen, die Folge von Ungerechtigkeit, und d.h. einer gestörten Gemeinschaftsbeziehung. So wird absolute Armut zum kritischen Maßstab für verantwortbaren Reichtum. Reichtum wird in dem Maße zu einem ethischen Problem, als es innerhalb der Gemeinschaft absolute Armut gibt.

Im Zentrum der biblischen Tradition steht die Forderung nach einem ausdrücklichen Rechtsverzicht, dem Verzicht auf die Nutzung der Ansprüche aus Eigentum und der Ausübung wirtschaftlicher Macht. Die verschiedenen Schutzrechte für die Armen, wie z.B. die periodische Umverteilung des Landes, dienen letztlich nicht dem Interesse der Armen allein, sondern dem Überleben der Gemeinschaft im ganzen. Versteht man den Satz: »Es wird keine Armen unter euch geben« als Ausdruck der Hoffnung, daß die strukturelle Armut überwunden wird, so heißt das nicht, daß die Bibel völlige Gleichheit fordere. Gerecht ist nicht eine Gesellschaft, in der völlige Gleichheit des Besitzstandes herrscht, sondern eine Gesellschaft, in der die Beziehungen zwischen Menschen nicht mehr durch den Gegensatz von Überfluß und absoluter Armut gestört sind, in der alle Menschen ihre elementaren Bedürfnisse befriedigen können. Die Armen sind daher der Maßstab dessen, was gesellschaftlich verantwortbarer und damit am Maßstab der Gerechtigkeit legitimer Reichtum ist.

Die hier vorgebildete Denkfigur des Rechts- und Machtverzichts entspricht genau der Forderung des Verzichts auf das Souveränitätsrecht der Kriegführung, die nach von Weizsäcker erfüllt werden muß, soll die Institution des Krieges überwunden werden (siehe S. 44). Beide sind Ausdruck einer »asketischen Weltkultur«, der bewußten Selbstbeschränkung. Weder Krieg noch strukturelle Armut sind einfach schicksalhafte Gegebenheiten oder in der sündhaften Natur der Menschen verwurzelt. Beide sind Produkte einer politisch-gesellschaftlichen Kultur, die heute ihrem Ende zugeht. Soll die Überwindung des Krieges als Institution gelingen, so muß zugleich an der Überwindung struktureller Armut gearbeitet werden. Dies entspricht der These: Kein Friede ohne Gerechtigkeit, keine Gerechtigkeit ohne Frieden.

So ist es nur folgerichtig, wenn die amerikanischen katholischen Bischöfe ihrem großen Hirtenbrief zum Frieden »Die Herausforderung des Friedens – Gottes Verheißung und unsere Antwort« inzwischen einen weiteren Hirtenbrief zum Thema »Wirtschaftliche Gerechtigkeit für alle. Katholische Soziallehre und die US-Wirtschaft« haben folgen lassen. Drei der in diesem Hirtenbrief formulierten vordringlichen Zielsetzungen seien hier genannt:

»1. Die Befriedigung der Grundbedürfnisse der Armen genießt die höchste Priorität.

2. Erhöhte aktive Mitbeteiligung derjenigen, die gegenwärtig aus dem Wirtschaftsleben ausgeschlossen oder verwundbar sind, hat eine hohe soziale Priorität.

3. Der Einsatz von Kapitalvermögen, Begabungen und menschlicher Energie sollte besonders auf das Wohl jener gerichtet sein, die arm und wirtschaftlich ungesichert sind.«

Die Bischöfe sind sich im klaren darüber, daß die gegenwärtige wirtschaftliche Herausforderung der politischen Herausforderung vergleichbar ist, vor der die Begründer der amerikanischen Demokratie standen. »Wir glauben, daß die Zeit für ein ähnliches Experiment zur Sicherung wirtschaftlicher Grundrechte reif ist; für die Schaffung einer Ordnung, die jedem die Grundforderung der Menschenwürde im Bereich der Wirtschaft garantiert«. Ähnlich wie die katholischen Bischöfe in den USA hat auch die United Church of Christ ihre erste Denkschrift über die Voraussetzungen eines »gerechten Friedens« inzwischen ergänzt durch ein Studiendokument über »Christlichen Glauben und Wirtschaftsleben«. In der Formulierung christlicher Prinzipien wirtschaftlicher Gerechtigkeit kommt dieses Dokument den Aussagen der katholischen Bischöfe sehr nahe. Beide Texte zeigen, daß sowohl in der ökonomischen wie in der biblisch-ethischen Analyse neue Perspektiven zu erschließen sind, die um des menschlichen Überlebens in der Welt willen notwendig sind. Daran sollte auch in unserem Land weitergearbeitet werden.

Ernst Benda
Von der Ambivalenz des technischen Fortschritts

Die Rechtsordnung – ein kritischer Begleiter

Technischer Wandel ist in unserer Zeit keine gleichmäßige Entwicklung, sondern ein dynamischer, sich immer noch beschleunigender Prozeß. Die Naturgesetze bleiben unverändert, aber die Fähigkeit des Menschen, sie zu erkennen und zu nutzen, eröffnet immer neue, bisher für utopisch gehaltene Möglichkeiten. Der Mensch steht fasziniert, aber auch verwirrt und unsicher vor solchen Entwicklungen. Soll er ihnen nicht ausgeliefert sein, muß er versuchen, den politischen und gesellschaftlichen Prozeß der Technik anzupassen und diese seinem Willen unterzuordnen.

Der technische Fortschritt ist ambivalent. Er kann den Menschen vor den Naturgewalten besser als bisher schützen und ihm neue Möglichkeiten der Lebensgestaltung eröffnen. Zugleich bringt die Technik neuartige Bedrohungen mit sich. Sie können mit der neuen Technik selbst verbunden sein, weil diese, wie die Kernenergie, früher nicht erforderliche Sicherungs- oder Entsorgungsmaßnahmen benötigt. Andere technische Entwicklungen, wie die automatische Datenverarbeitung, führen bisher nicht gekannte Möglichkeiten ihres Mißbrauchs herbei. Welche technische Entwicklung möglich ist, wie sie genutzt werden kann und welche Gefahren sie herbeiführen kann, ist vor allem eine durch die Sachkunde des Naturwissenschaftlers zu entscheidende Frage. Dagegen ist die Anwendung technischer Neuerungen, also die Abwägung des erhofften Nutzens gegen die sich hieraus ergebenden Gefahren, nicht allein nach dem auf Sachkunde gegründeten Urteil über die technische Durchführbarkeit zu beantworten. Ob das, was möglich erscheint, auch zu wünschen ist, muß auch nach ethischen und rechtlichen Maßstäben beantwortet werden. Die gesellschaftlichen Auswirkungen neuer Technik bedürfen einer politischen Entscheidung; die Ergebnisse der politischen Willensbildung müssen in die Rechtsordnung umgesetzt werden. Recht und Politik beanspruchen hierbei nicht eine größere Sachkunde als die technisch-wissenschaftlichen Spezialisten, wohl aber die Zuständigkeit für die Entscheidungen, welche den einzelnen Menschen und die Gesellschaft betreffen. Damit wird der technisch Sachverständige nicht übergangen. Seine Sachkunde soll auch die außertechnischen Folgen mitbedenken und von der Mitverantwortung des Wissenschaftlers getragen sein. Aber die bloße Hoffnung darauf reicht nicht aus, daß von neuen Möglichkeiten stets nur ein verantwortungsbewußter Gebrauch gemacht werde.

Die Rechtsordnung soll den Menschen vor den Gefährdungen der sich rasch wandelnden Verhältnisse schützen. Verfassungsrechtliche Grundlage der staatlichen Schutzpflicht sind die vor allem in den Grundrechten enthaltenen Wertentscheidungen des Grundgesetzes. Es ist insbesondere Pflicht der staatlichen Organe, sich schützend vor die in Artikel 2 Absatz 2 des Grundgesetzes enthaltenen Rechtsgüter (Leben und Gesundheit) zu stellen und diese vor Eingriffen Dritter zu bewahren.

Wo die im Grundgesetz geschützten Rechtsgüter in Gefahr geraten, ist die Rechtsordnung zum Handeln verpflichtet. Dies muß nicht stets bedeuten, daß die Anwendung einer technischen Neuerung zu verbieten ist. Überwiegt der Nutzen das Risiko, kann die Förderung und Zulassung der neuen Technik unter der Voraussetzung vertretbar sein, daß hierbei die Risiken bewältigt werden. Ein Beispiel hierfür ist die Entscheidung für die Nutzung der Kernenergie zu friedlichen Zwecken: § 1 Nr. 1 des Atomgesetzes entscheidet sich für die Förderung der neuen Technik; § 1 Nr. 2 und 3 des Atomgesetzes und vor allem § 7 des Atomgesetzes schreiben die erforderliche Gefahrenvorsorge vor, und §§ 25 ff. des Atomgesetzes regeln die Verteilung eines verbleibenden Restrisikos. Die Rechtsordnung überläßt so die Technik nicht sich selbst, sondern trifft die erforderlichen flankierenden Regelungen.

Eine Aufgabe – nicht nur für Juristen

Die Aufgabe der Rechtsordnung, die von ihr geschützten Menschen vor Schäden zu bewahren, setzt voraus, daß das Gefahrenpotential deutlich erkannt wird. Dies ist bei neuen Techniken eine Aufgabe, die der Jurist allein nicht lösen kann. Welche Gefahren von einem Dampfkessel oder von einem Kraftfahrzeug ausgehen, kann – in Grenzen – auch der technisch nicht ausgebildete Jurist erkennen. Dagegen ist er kaum in der Lage, sich über das Gefahrenpotential eines Kernreaktors oder der Methoden der Gentechnologie ein so genaues Bild zu machen, daß er Art und Umfang der erforderlichen Sicherheitsvorkehrungen bestimmen kann. Eine Möglichkeit, dem zu begegnen, ist die Bildung interdisziplinär besetzter Kommissionen, in denen die Fachwissenschaftler mit den Juristen und den Vertretern anderer Disziplinen (wie etwa der philosophischen Ethik oder der Moraltheologie) gemeinsam nach einer Lösung suchen. So hat die von den Bundesministern für Forschung und Technologie und der Justiz gebildete Arbeitsgruppe »In-vitro-Fertilisation, Genom-Analyse und Gentherapie«, der ich als Vorsitzender angehörte, die Gefahren und Risiken der Humangenetik bestimmt. Sie hat untersucht, welcher rechtliche Handlungsbedarf besteht und ob Empfehlungen an den Gesetzgeber zu geben sind. Die von der Arbeitsgruppe 1985 verabschiedeten Lösungsvorschläge sind inzwischen Grundlage vielfältiger Diskussionen gewesen; überwiegend wurde dabei den Empfehlungen der Kommission zugestimmt.

Auf die Frage, wie im einzelnen die rechtliche Flankierung einer neuen Technik aussehen soll, gibt es im wesentlichen zwei Lösungsmöglichkeiten:

1. Die Rechtsordnung kann konkrete und präzise Regelungen treffen. Dies bedeutet etwa, daß sie für den Reaktorbau detaillierte Beschaffenheitsangaben festlegt, oder daß sie bestimmte medizinische Versuchsmethoden untersagt. Solche klaren Entscheidungen haben den großen Vorteil der Rechtssicherheit. Da aber die Technik sich schnell entwickelt, kann die Rechtsordnung mit ihr so kaum Schritt halten; die Rechtsnormen werden durch den technischen Fortschritt überholt.

2. Daher knüpfen die rechtlichen Regelungen an den jeweiligen Stand der fachspezifischen Erkenntnisse an. Das Gesetz nimmt mit generalklauselartigen Wendungen auf den jeweiligen Stand der Technik Bezug. Die Anpassung an die Entwicklung ist so möglich, aber sie beeinträchtigt die Rechtssicherheit. Der das Recht anwendende Richter übernimmt die Verantwortung. Er muß unbestimmte Rechtsbegriffe anwenden und sich hierbei weitgehend der Unterstützung durch technische Normen oder Sachverständige bedienen.

So ist es dem Richter aus eigener Sachkenntnis regelmäßig nicht möglich, ohne die Hilfe von Sachverständigen die Frage zu beantworten, ob etwa beim Reaktorbau »die nach dem Stand von Wissenschaft und Technik erforderliche Vorsorge gegen Schäden durch die Errichtung und den Betrieb der Anlage getroffen ist« (§ 7 Abs. 2 Nr. 3 des Atomgesetzes). Damit verlagert sich die Entscheidung von dem demokratisch legitimierten Gesetzgeber über den Richter auf den technisch Sachverständigen. Damit liegt letztlich die Aufgabe, den technischen Wandel rechtlich zu flankieren, wieder bei denen, die diesen technischen Wandel selbst betreiben. Dies ist gewiß eine überspitzte Aussage, die aber helfen mag, das Problem zu kennzeichnen.

Ob es gelingt, für dieses Dilemma eine angemessene Lösung zu finden, ist eine unter den mit Technikfragen befaßten Juristen viel diskutierte, aber bisher noch nicht beantwortete Frage. Von ihr hängt für das Verhältnis des Rechts zur Technik vieles ab; die Rechtsordnung kann die von neuen Techniken ausgehenden Gefährdungen nicht gleichgültig hinnehmen, aber die ihr obliegende Aufgabe kann auch nicht mit Technikfeindlichkeit gelöst werden. Auch die positiven wirtschaftlichen und gesellschaftlichen Entwicklungsmöglichkeiten einer neuen Technik und ihr Nutzen für den einzelnen Menschen sind von einer auf das Wohl der Allgemeinheit und des einzelnen orientierten Rechtsordnung zu bedenken. So sind Technik und Recht einander nicht Feinde, sondern sie sind auch Partner des Fortschritts.

Christine und Ernst Ulrich von Weizsäcker
Warum Fehlerfreundlichkeit?

Das Wort ist ein Skandal. Fehlerfreundlichkeit heißt Fehler akzeptieren und sie geradezu provozieren. Große und kleine Fehler, boshafte und harmlose. Jahrhundertelang hieß die Devise »Fehler erkennen und vermeiden«. Das war das Ziel der Moral und der Philosophie, der Wissenschaft und der Technik. Und jetzt soll man auf einmal fehlerfreundlich werden?

Die Industrie spricht neuerdings gerne von fehlerverzeihender oder fehlertoleranter Technik und meint damit die Robustheit gegen die täglichen kleineren Unregelmäßigkeiten. Automatische Monitoren und Systemredundanz sorgen dafür, daß die kleinen menschlichen Fehler nicht zu großen Unfällen führen. Daß Fehlertoleranz zum industriellen Schlagwort geworden ist, ist ein großer Fortschritt. Der Tschernobyl-Reaktor war nicht robust, nicht fehlerverzeihend genug. Die deutschen Kraftwerke sind sicherer, und man muß dafür dankbar sein. Aber man darf sich nicht mit dieser Art Fehlertoleranz begnügen.

Carl Friedrich von Weizsäcker spricht nicht von den alltäglichen Unregelmäßigkeiten. Ihm geht es um die Sicherheit von Kernkraftwerken gegen Sabotage und Kriegseinwirkungen. Terror und Waffengebrauch gegen Kraftwerke, das sind keine kleinen Fehler, das ist verbrecherisch. Die Fehler von Bosheit und Verbrechen verzeihen selbst die deutschen Atomreaktoren nicht. Dafür sind sie nicht robust genug. Also müßte man entweder Bosheit und Verbrechen ausrotten oder die Technik so gestalten, daß sie auch Bosheit und Verbrechen verzeiht. Nicht geringer als das letztere ist die Forderung der Fehlerfreundlichkeit. Es sieht aus wie ein moralischer Skandal!

Vielleicht war ja Jesus Christus ein Skandal. Er sah die Sünden der Menschen und sah, daß weder die harte Hand der Obrigkeit noch die Belehrungen durch Schriftgelehrte die Sünde auszutreiben vermochten. Und doch liebte er die Menschen.

Da wir die Menschen nicht zu Engeln machen können, müssen wir Technik und Politik so einrichten, daß auch die großen Fehler und Sünden verzeihlich bleiben.

Wir wollen nicht, daß Fehlerfreundlichkeit romantisiert wird. Kriege mit Lanzen, Kanonen oder Napalmbomben waren nicht weniger boshaft und für den Getöteten nicht weniger grausam als der Atomkrieg. Aber diese Kriege waren trotz aller Schrecken noch einigermaßen fehlerverzeihend. Nach dem Krieg gab es wieder Phasen der Erholung. Man konnte aus gemachten Fehlern lernen. Der Krieg konnte sogar als Fortsetzung der Politik mit anderen Mitteln stilisiert werden. Ähnlich bei der zivilen Technik: Wenn Römer an Bleivergiftung starben, weil ihre Wasserleitungen bleiern waren, oder wenn Brücken einstürzten oder Menschen auf eine von hundert Weisen, die Agatha Christie beschreibt, ermordet wurden, war das individuelle Leid nicht geringer als bei einer strahlenbedingten Leukämie. Aber das Leid hatte Grenzen.

Erst die weltweite Zerstörung der Wälder, das weltweite Artensterben, die Schädigung des Ozonschutzes, anthropogene Klimaveränderungen und die Sorge vor atomaren Störfällen mit weiträumigen Folgen haben uns klargemacht, daß selbst die zivile Technik in vielen Hinsichten nicht mehr fehlerfreundlich ist, und zwar weil ihre Auswirkungen keine Grenzen mehr haben.

Fortschritt war lange Zeit das Niederreißen von Grenzen. Zunächst ging es um die Entdeckung und Eroberung neuer Räume. Kolumbus und Vasco da Gama stehen für den Anfang der Neuzeit. Später um Missionierung und Kolonisierung aller Erdteile. Dann um die technische und ökonomische Etablierung des Weltmarkts. Und wo rückständige Kulturen noch nicht weltmarktfähig waren, brauchten sie Entwicklungshilfe. Als dann alles Land entdeckt und der Weltmarkt etabliert war, rief Kennedy die Jugend auf, »neue Grenzen« zu entdecken und zu erstürmen, wissenschaftliche, technische und politische.

Für Ökonomen ist das Fortschrittsziel noch heute, daß alle Handelshindernisse gänzlich ausgeräumt werden und der Gütertransport möglichst billig und risikolos wird. Bis daß Coca-Cola in Irkutsk und auf den Seychellen und Toyotas auf allen Straßen der Welt anzutreffen sind.

Grenzen niederzureißen mag ökonomisch sein, aber es ist nicht fehlerfreundlich. Kulturen werden standardisiert, lokale, an die klimatischen Bedingungen angepaßte Wirtschaftsformen werden zerstört, Hölzer und Erze werden rascher abtransportierbar, also rascher abgebaut. Die Schuldenkrise ist ein erstes bedenkliches Signal der Anfälligkeit einer ökonomisch völlig verflochtenen Welt.

Für Biologen ist es nicht verwunderlich, daß das Niederreißen von Grenzen bedenkliche Nebenwirkungen hat. Ökosysteme können ihre Komplexität nur halten, wenn die Beweglichkeit der Einzelorganismen begrenzt ist und wenn es Barrieren gibt. Isolierte Populationen und Arten entwickeln sich in neue Richtungen, wenn die Konkurrenz der Hauptart fehlt. Nach tausenden Generationen mögen sie Fähigkeiten entwickelt haben, die der Hauptart fremd bleiben. So können sie sich unter Umständen auch dann halten, wenn die Barriere wieder fällt. Wenn aber laufend nur Barrieren verschwinden, schwindet die Vielfalt.

Der Schutz der Sonderlinge durch Barrieren ist ein Beispiel biologischer Fehlerfreundlichkeit. Es gibt noch andere. Tiere, vor allem Jungtiere, sind neugierig und explorationsfreudig. Sie begeben sich in Gefahr und begehen, vom Standpunkt der Sicherheit aus gesehen, ständig Fehler. Sie können es sich im Normalfall auch leisten, weil sie fehlertolerant gebaut sind. Und gelegentlich wird die Neugier belohnt. Vor allem findet Lernen statt.

Analoges findet sich auf der Ebene des Erbguts. Laufend entstehen neue Mutationen. Es gibt zwar Reparaturmechanismen zum Eindämmen von Mutationen, aber es sieht keineswegs so aus, als würden Mutationen minimiert. Eher werden sie auf einem optimalen Niveau gehalten. Und das Erstaunlichste: Die meisten Mutationen werden vor dem Zugriff der Selektion die meiste Zeit *geschützt*. Sie sind »rezessiv«, d.h. sie kommen im Körper nicht zur Ausprägung, wenn sie mit einem Normalgen gepaart sind. Erst wenn das gleiche rezessive Merkmal von beiden Eltern auf das Kind übertragen wird, kommt es zutage und muß sich in der Selektion bewähren. Dies Aufeinandertreffen von gleichen mutierten Genen von beiden Eltern kommt in großen Populationen so selten vor, daß einmal entstandene »Fehler«

praktisch nicht mehr verlorengehen können – sehr zum Kummer der Eugeniker. Nur in isolierten Kleinpopulationen ist eine Anreicherung solcher Gene wahrscheinlich genug, daß sie einen die weitere Evolution bestimmenden Einfluß ausüben können. Evolution findet also vor allem im Randgebiet oder im Notfall statt, dann aber relativ rasch und unter Rückgriff auf lange angereicherte Mutationsvorräte. Das ist die neue, von Stephen Jay Gould entwickelte Evolutionsauffassung. Sie baut auf den Evolutionsvorstellungen seines Lehrers Ernst Mayr auf, welcher den »Evolutionsfaktor Isolation« neben den landläufig bekannten Faktoren Mutation und Selektion eingeführt hat. Wie auch immer man Goulds spezifische Behauptung bewertet, daß die Evolution nicht kontinuierlich, sondern in abgesetzten Treppenstufen verläuft, so kann man schwer umhin, die Isolation, die Mutation und die Rezessivität von Merkmalen als »fehlerfreundlich« einzustufen. Fehler werden erzeugt, geschützt und genutzt.

Die Nutzung von Fehlern, ihre Transformation in Nützliches ist unvorhersagbar und überraschend. Sie ist opportunistisch, nicht geplant. Fehlerfreundlichkeit ist eine Absage an die perfekte Planung und zugleich eine sehr realistische, keineswegs romantisch-idyllische Form des Umgangs mit der Zukunft. Die Zukunft kommt ja auch ungeplant.

Wie verhält sich nun Fehlerfreundlichkeit zu Fehlertoleranz, zur »fehlerverzeihenden« Organisation und Technik? Fehlerfreundlichkeit *umfaßt* die Fehlertoleranz als eine Komponente. Als gleichgewichtige Komponente umfaßt sie aber auch die Fehlerproduktion. Die beiden Komponenten stehen in wechselseitiger »fehlerfreundlicher« Kooperation. In dieser Kooperation geschieht die *Nutzung* der Fehler, die überall in der lebenden Natur anzutreffen ist. So ist am Ende nicht mehr auszumachen, ob Fehler bloß toleriert oder aktiv erzeugt wurden, sowenig wie man mit Gewißheit sagen kann, ob Fehler z.B. durch Rezessivität unterdrückt und unschädlich gemacht werden (was der Fehlertoleranz entspricht) oder ob sie aufbewahrt und vor der Selektion geschützt werden (was eher der Fehlerproduktion entspricht). Weil die beiden Komponenten funktional miteinander verschränkt und gerade im Erfolgsfall der kreativen Fehlernutzung gar nicht recht unterscheidbar sind, wird es, wie Christine von Weizsäcker schon 1976 sah, wissenschaftlich unausweichlich, für die funktionale Einheit einen eigenen Begriff zu verwenden, eben die Fehlerfreundlichkeit.

Zurück von hier zur Technik und Gesellschaft. Fehler sind beim Menschen genau wie bei anderen Lebewesen eine Selbstverständlichkeit, sie sind ein Teil der Wesensbestimmung des Lebens. Das Ausmaß der Wirkungen von Fehlern hängt vom Wirkungsbereich der betreffenden Handlungsebene ab. Bei der Mordlust einer Hyäne ist der Wirkungsradius etwa ein Kilometer, und der Wirkungsbereich umfaßt vielleicht ein Dutzend Antilopen oder Gazellen.

Die Reisen Vasco da Gamas und die Feldzüge Napoleons hatten viel beträchtlichere und anhaltendere Wirkungen. Hitlers Fehler und Verbrechen schließlich erschütterten die ganze Welt und bleiben ein Fluch »bis ins dritte und vierte Glied« und zugleich eine Lehre für Generationen. Fast ist man aber versucht, sich glücklich zu schätzen, daß der Verbrecher Hitler sein tödliches Lehrstück gerade noch rechtzeitig vor dem Beginn des Atomzeitalters zu Ende brachte. Heute könnte sich die Welt keinen Hitler mehr an der Spitze einer Großmacht leisten.

Wenn die angestammte, das Leben charakterisierende Fehlertoleranz und Fehlerfreundlichkeit immer weiter erodiert sind und Fehler und Bosheit globale und säkulare Bedeutung erlangen, was soll man dann noch tun, was würde Jesus heute tun? Am wichtigsten scheint uns, daß man nicht im Angesicht der heutigen Technologie Sünde und Verbrechen weiterhin verdrängt. Selbstverständlich geht es wie in früheren Zeiten um den Kampf gegen beide. Während man hierbei aber früher stets auf jedermanns reiche Erfahrungen mit den eigenen Fehlern zurückgreifen konnte, aus denen jeder Beteiligte lernen konnte, hat man es heute mit lauter Erfahrungskrüppeln in bezug auf den Wirkungsradius der eigenen Handlungen zu tun. Was lernen wir denn darüber, was für Fernwirkungen unser Käuferverhalten, unsere Stimmabgabe, unsere Kindererziehung, unsere Ästhetik haben? Die Wirklichkeit »antwortet« nur sehr undeutlich auf das, was wir ihr antun. Wie können wir da Verantwortung für unser Tun tragen? Wie können wir Sünde von Nichtsünde unterscheiden?

Fehlerfreundlichkeit heißt, daß dieses Antworten der Wirklichkeit wieder etabliert werden muß. Eine Rückkehr zur Fehlerfreundlichkeit, oder »Rückkehr zum menschlichen Maß«, wie es bei Ernst Friedrich Schumacher heißt, ist nicht ein Rückschritt, sondern eine Wiederherstellung der Bedingungen weiterer evolutionärer Fortschritte. In der Technik, der Wirtschaft, der Politik sind Maßnahmen der Wirkungsbegrenzung überhaupt nichts neues. Abschottungen in Schiffen, Modulbauweise, gedrosselte Motoren, Antitrustgesetze, Schutzzölle und Nichteinmischungsverträge sind klassische Beispiele. Aber all diese Maßnahmen blieben peripheres Beiwerk gegenüber dem großen und kulturell akzeptierten Trend der Zerstörung der Fehlerfreundlichkeit.

Diesen Trend gilt es umzukehren, und auch hierbei drängt die Zeit.

Günter Altner
Machet euch die Erde untertan –
Haushalten als Empfangen und Teilen

Carl Friedrich von Weizsäcker hat in ›Die Zeit drängt‹, in seinen Vorschlägen für eine Weltversammlung der Christen die Friedensproblematik und die Verpflichtung zur Bewahrung der Schöpfung eng miteinander verknüpft. Seine Überlegungen gehen von der Erkenntnis aus: »Kein Friede unter den Menschen ohne Frieden mit der Natur. Kein Friede mit der Natur ohne Frieden unter den Menschen.« Aus dieser Grundeinsicht werden eine Reihe wichtiger Handlungsperspektiven abgeleitet, die man so zusammenfassen könnte:

1. Entwicklung eines bindenden ökologischen Verpflichtungsrahmens für die Weltwirtschaft (unter besonderer Berücksichtigung von Energieproblematik, Waldzerstörung, Bodenerosion und Klimaänderung). Ziel dabei ist der Versuch, Ökonomie und Ökologie in Einklang zu bringen.

2. Potenzierung der wissenschaftlich-technischen Vernunft durch kritische Diskussion der mit ihr verbundenen Folgen und Zwecke.

3. Einübung in »demokratische Askese« im Sinne eines gesellschaftlichen Verzichts auf verfügbare Güter zugunsten anderer.

4. Förderung eines Schöpfungsverständnisses, das Mensch und Natur auf dem Weg eines krisenhaften Werdeprozesses sieht. Dabei soll Frieden mit der Natur das Ziel sein.

Würde die in Aussicht genommene Weltversammlung auf den von Weizsäcker anvisierten Problemebenen zu Erkenntnisfortschritten kommen, so wäre damit viel gewonnen. Immerhin würde das – über schöpfungstheologische Grundsätze hinaus – Ökonomie-, Technologie- und Lebensstilfragen betreffen. Der Konsens der christlichen Kirchen auf diesen Problemfeldern würde nicht ohne politische Wirkung bleiben. Hier könnte eine neue Phase der mit 1. Mose 1,28 intendierten Haushalterschaft eingeleitet werden.

Versteht man dieses Konzept als Notprogramm, als ersten Netzwurf über unermeßliche Problemfelder, dann wird gleich auch die Relativität und Vorläufigkeit dieses Programms und der in ihr vorausgesetzten Prämissen bewußt.

1. Analysiert man die Strategie der »nachholenden Industrialisierung«, wie sie sich heute in der Dritten Welt überall vollzieht, und versetzt man sich an das Ende der internationalen Absatzstrategien und Märkte, dorthin, wo die von der Produktion gelieferten Fertiggüter in Profit, Ausbeutung, Vergiftung und ökologische Zerstörung umschlagen, dann fragt man sich doch, ob das bei Weizsäcker vorausgesetzte Modell des ökologisch kontrollierten Kapitalismus Aussicht auf Verwirklichung hat. Die vielfach getroffene Annahme ist ja die, daß in den sozialstaatlich verfaßten Demokratien das Modell des kontrollierten Kapitalismus gelungen sei. Und man müsse das nun im Weltmaßstab genauso machen. Schaut man genauer hin, so stellt man fest, daß diese Zwischenerfolge in erheblichem Maße auf Kosten der Entwicklungsländer und des ökologischen Bestandes errungen wurden. Die Ausbeutung wurde gewissermaßen um einige Hausnummern weitergeschoben. Wohin aber könnten wir unseren Ausbeutungsvorschuß verlagern, wenn wir eben diese Praxis globalisieren wollten? Irgendwann kommt die Stunde der Wahrheit, da die Prämissen der kapitalistischen Marktwirtschaft (auch die des Staatskapitalismus) diskutiert und die durch Wachstum und Geldwirtschaft erzeugten Zerstörungen grundsätzlich erörtert werden müssen. Warum also nicht auf der Weltversammlung darüber sprechen?! Ohne

die ernsthafte Einbeziehung der Natur in das ökonomische Gesamtkalkül wird die Vermehrung des (klassischen) Bruttosozialprodukts immer stärker auf den Produktionsfaktor Natur zurückschlagen. So kann nicht Friede mit der Natur und Friede unter den Menschen werden.

2. Ebenso müßten die Grundsätze der technischen Zivilisation zur Diskussion stehen. Weizsäcker fordert zu Recht dazu auf, die Selbstzwecklichkeit der technischen Kultur durch politische Zielsetzungen zu kontrollieren. Und weiterführend ist gewiß auch der Hinweis auf die »fehlerfreundlichen Techniken«, eben auf jene Techniken, die Fehler erlauben und als Anreiz für neue (bessere) Nutzungskonzepte kompensierbar machen. So »arbeitet« ja die Evolution seit Jahrmillionen.

Andererseits warnt Weizsäcker vor dem Verzicht auf wissenschaftliche Vernunft: »Nicht der Verzicht auf die Wissenschaft ist gefordert. Nicht der Verzicht auf die Wahrheitssuche; das hieße, unserer Kultur das Herz herausoperieren.« Dieser Satz mag als Warnung vor Wissenschaftsfeindlichkeit und spirituellem Eskapismus gesprochen sein. Aber er kann uns ja doch nicht der Notwendigkeit entheben, die Frage nach der »anderen« Wissenschaft zu stellen. Fundament der technischen Zivilisation ist bis heute das Paradigma objektivierender Erkenntnis, die in ihrer Konzentration auf das Berechenbare an Natur die tagtägliche Praxis der Naturbeherrschung ermöglicht. Da ist es schon ein entscheidender Schritt nach vorn, die Verantwortung des technisch Möglichen gesellschaftlich zur Diskussion zu stellen und dies gerade auch unter internationaler und globaler Perspektive zu tun. In diesem Rahmen bewegen sich auch die aktuellen Ansätze der Technologiefolgenbewertung. Hier müßte dann auch über einen veränderten Politikstil nachgedacht werden, mit dem die Suche nach der besseren Technik unter Einbeziehung der Öffentlichkeit gestaltet werden könnte.

Aber damit wären die tieferen Bedingungen für den Frieden mit der Natur immer noch nicht erörtert. Hier muß die Erkenntnismethodik selbst als vermutlich tiefste Ursache für die neuzeitliche Überlebenskrise auf den Prüfstand. Kann Friede mit der Natur sein, wenn sie mehr und mehr als Objekt und nur als Objekt menschlicher Erkenntnisinteressen figuriert? Und sind diese Fragen nicht zuletzt deshalb heute so brennend, weil Biologie und Biotechnologie einen exponentiellen Erkenntnisboom verzeichnen, der sich auf vielfältige Weise mit den Möglichkeiten der Mikroelektronik vernetzen wird? Müssen die durch den wissenschaftlichen Erkenntnisfortschritt bedingten Ausblendungen und Folgen nicht reflektiert werden? Muß das Erkennen nicht fühlend und das Fühlen erkennend werden?

Wer solche Fragen stellt, stürzt nicht in Irrationalität ab, bedroht auch nicht das Herz unserer technisch-wissenschaftlichen Kultur. Wenn es so ist, daß wir Natur nur noch als Geschichte und diese Geschichte nur noch als Werden dieser einen Erdenwelt begreifen können, wie kann dann die im letzten immer noch Descartessche Methode des Objektivierens das ausschließliche Erkenntnismonopol in den Wissenschaften beanspruchen? Muß dann nicht *auch* über Erkenntnis als Teilhabe und als Interaktion gesprochen werden?! Nichts fürchten die Verfechter des alten Wissenschaftssystems mehr, als daß der Mensch seine souveräne Subjektstellung gegenüber der Natur relativieren könnte und müßte. In einer umfassenden Theorie der Ökologie müßte aber genau das erfolgen, müßten die Bedingungen des Überlebens so beschrieben sein, daß Mensch und Natur auf eine neue symbiotische Perspektive verwiesen werden. Und wie sollte das ohne eine »entsprechende« Wissenschaft und eine daraus resultierende Technik vor sich gehen können?

3. Schließlich ist auf Weizsäckers Forderung nach »demokratischer Askese« zu verweisen. Weizsäcker vermutet, durch das Pathos der Freiheit und Gleichheit sei dem heutigen Bewußtsein das Verständnis für asketische Lebensformen entglitten. Man muß sich freilich davor hüten, hier auf der Grundlage westlich-bürgerlicher Standards zu sozial-reaktionären Urteilen zu kommen. Diejenigen, die ihren Nachholbedarf gedeckt haben, haben es leichter, von Askese zu reden, als diejenigen, die noch warten. Und gewiß ist die Lebensstilbewegung mit ihren vielen respektablen Versuchen ein typisch westliches Mittelschichtsphänomen. Vielleicht wäre es hilfreicher, vom Grundwert der Solidarität auszugehen. Dann müßte es wohl so sein, daß wir uns heute zu neuen Mustern des Gebens und Nehmens zwischen Reichen und Armen entschließen. Und darin würde auch viel Anreiz für eine veränderte Praxis des Umgangs mit der Na-

tur liegen. Dann würde sich auch das eingangs beklagte Muster der »nachholenden Industrialisierung« in der Dritten Welt in dem Sinne auflösen, daß wir unsere ökologisch orientierten Korrektur- und Alternativtechnologien als Instrumente der Entwicklungshilfe selbstlos und ohne Verzug zu transferieren hätten. Aber auch hinter dieser Hoffnungsperspektive steht als Voraussetzung die Notwendigkeit, daß wir die *ars moriendi* im Sinne des radikalen Abschiednehmens von der bisherigen Praxis lernen müßten. Das führt uns zu den theologischen und religiösen Voraussetzungen der vor uns liegenden Wende zum Frieden zurück.

4. Bei unserem Durchgang durch die von Weizsäcker angemahnten Pflichtenhorizonte (Wirtschaft, Technik, Askese) sind wir auf die Notwendigkeit gestoßen, die auf mittelfristige Lösungen orientierten Vorschläge durch grundsätzliche Einrede zu radikalisieren. Dabei sollte die Notwendigkeit, auf der vorgesehenen Weltversammlung über erreichbare Mittelfristziele zu sprechen, keineswegs bestritten werden. Wir gehen nun auch hier bei Weizsäckers Überlegungen zum Thema Schöpfung so wie bisher vor. Weizsäcker interpretiert Natur als Geschichte. Das ist der Beginn einer neuen Schöpfungstheologie. Bei der Auslegung von 1. Mose 1,28 bewegt sich Weizsäcker allerdings in den gewohnten Auslegetraditionen der letzten Jahre. Herrschen im biblischen Sinne heißt Haushalten mit dem Versuch der permanenten Minderung von Gewalt im Umgang mit Mensch und Natur. Für die am interreligiösen Gespräch über die Naturzerstörung beteiligten Partner war aber in den letzten Jahren die entscheidende Frage vielmehr die, was uns in der Überlebenskrise als Geschick begegnet. Wie sensibel und umsichtig wir das Untertanmachen und Herrschen auch interpretieren mögen, dahinter steht eine in der Geschichte Europas internalisierte Denkstruktur, die den Menschen als den »kleinen Schöpfer« mit der Schöpfung handeln läßt. Wenn Natur sich aber nun darin als Schöpfung zeigt, daß sie Geschichte ist und sich als solche in immer neue Offenheiten hineinstellt (mögen sie dem Menschen eröffnet oder durch ihn bewirkt sein), dann stellt sich auch die Frage nach den Bedingungen des Werdens im Sinne des Erscheinens Gottes in seiner Welt. Der übliche Beziehungsbogen von 1. Mose 1,28 über die jesajanischen Friedensverheißungen (Jesaja 11) bis hin zu

dem vom Apostel Paulus beschworenen Seufzen der Kreatur (Römer 8,18ff.) bleibt ja doch weitgehend auf der Seite des Menschen, der Verantwortung zu tragen und zu handeln hat. Und hier ist ja dann auch in den letzten Jahren ungeheuer viel an gutem Willen und Phantasie für das Leben investiert worden! Wie aber ist bei alledem vom Kommen Gottes, von seiner Nähe bei den Dingen, von seiner befreienden und verändernden Gnade im Gericht einer sich dynamisierenden Selbstzerstörung zu sprechen?

Die Weltversammlung der Christen für Gerechtigkeit, Frieden und die Bewahrung der Schöpfung wird nur dann Wege in die Zukunft weisen können, wenn sie es wagt, den verborgen-nahen Gott ernstzunehmen und die Tradition des Untertanmachens im Sinne des Empfangens, des Teilens und Bewahrens radikal anders auszulegen, als es bislang in Ökonomie, Wissenschaft und Technik üblich war. Meine Vermutung ist eben die, daß sich die christlichen Kirchen in ihrem Bemühen um die Bewahrung des Friedens nicht einfach im Konsens mit den sie tragenden Kulturtraditionen bewegen können, sondern eben auch hier die Frage nach der Alternative stellen müssen.

Ohne eine prinzipielle Besinnung ist die Struktur der uns heute bedrängenden Probleme nicht zu lösen. Es geht dabei nicht, wie vielfach vermutet wird, um eine »endgültige Abkoppelung« der zeitgenössischen Kultur von der technischen Zivilisation, um eine »Pseudotheologisierung der Ökokrise« (Rohrmoser), wohl aber um ein Ernstnehmen der Erkenntnis, daß die heute ersehnte Möglichkeit des Weltfriedens nicht mit der Fortsetzung des bisherigen Fortschrittsweges erreicht werden kann.

Nun sollte man aus diesen Überlegungen heraus die in Aussicht genommene Weltversammlung nicht als verfrüht bezeichnen. Man muß nur wissen, auf was man sich da einläßt. Ethische Fragen der Friedenssicherung und der Lebensbewahrung werden heute zu Bekenntnisfragen. Ist es aber so, dann sind es sich die Kirchen schuldig, sie als solche ernstzunehmen und auch entsprechende Zwischenschritte bis zur abschließenden Behandlung vorzusehen. Mit mehr oder weniger pragmatischen Lösungsvorschlägen allein, die auch aus dem Feld der Politik kommen könnten, wäre es jedenfalls nicht getan.

Dieter Radaj
Machtfeld der Technik und Bewahrung der Schöpfung

Der Aufruf Carl Friedrich von Weizsäckers zu einer Weltversammlung der Christen für Gerechtigkeit, Frieden und die Bewahrung der Schöpfung in einer Zeit bedrängender Gefährdung macht die unmittelbare Aufnahme der Sachdiskussion im Vorfeld der geplanten Versammlung wünschenswert. Auch sollte die Versammlung selbst nicht nur Willensbekundung sein, sondern zusätzlich Sacharbeit leisten.

Die nachfolgenden Ausführungen beziehen sich hauptsächlich auf den dritten Teil des Aufrufs, auf die Bewahrung der Schöpfung, ein Auftrag, der dem Machtpotential der Technik gegenübersteht. Das Fortbestehen der Schöpfung ist heute durch die dem Menschen verfügbaren technischen Mittel in Frage gestellt. Dies gilt nicht nur hinsichtlich der Extremsituation atomarer Kriegführung. Die Technik erscheint ganz allgemein als Zerstörer der natürlichen Umwelt. Wenn von Bewahrung der Schöpfung gesprochen wird, muß daher der maßvollere Gebrauch der technischen Möglichkeiten erörtert werden. Die Bewahrung der Schöpfung hängt von der Kontrolle der technischen Macht ab. Dabei geht es weniger um die dem Politiker verfügbare Macht, sondern mehr um die Macht der Ingenieure, die Technik entwickeln, um die Macht der Unternehmer, die Technik vermarkten, und um die Macht der Bürger, die Technik verbrauchen.

Zur Technik zähle ich die Ergebnisse herkömmlicher Ingenieursarbeit, also beispielsweise Maschinen, Fahrzeuge, Geräte, Werkzeuge, Waffen, Bauwerke, Werkstoffe, Verfahren, Systeme unter Einschluß der medizinischen Technik sowie der technisch bedeutsamen Züchtungsverfahren bei Pflanze und Tier, nicht jedoch die moderne Gentechnik. Mit der Gentechnik werden weitergehende Probleme angeschnitten, als mit herkömmlicher Technik gestellt sind. Es ist bemerkenswert, daß die sittliche Relevanz der Gentechnik sofort erkannt wurde – es liegen bereits erste Grundsatzpapiere dazu vor –, während herkömmliche Technik bis heute weitgehend außerhalb ethischer Anforderungen gesehen wird.

Die christlich-aufklärerische Ausgangsposition von Weizsäckers wird in der nachfolgenden Argumentation beibehalten. Das hat einen naheliegenden, auch für Nichtchristen einsichtigen Grund. Die im Fortschrittsglauben aufklärerischer Vernunft entstandene moderne Technik ist ein Produkt der säkularisierten christlich-abendländischen Kultur. Die Probleme dieser Technik müssen daher mit den geistigen und materiellen Möglichkeiten dieser Kultur überwunden werden. Die Technik muß sich trotz Aufklärung am christlichen Grundverständnis messen lassen. Wirksamer Schutz der verbliebenen Natur ist auch nur mit den Mitteln moderner Technik möglich.

Die pragmatisch ausgerichtete chinesische Kultur, noch vor fünfhundert Jahren dem Abendland in Technik und Wissenschaft in vieler Hinsicht überlegen, hätte die heutigen Probleme mit der Technik wohl nicht erzeugt. Der Chinese stand der technischen Rationalität von alters her kritisch oder gar ablehnend gegenüber. In einer vor über zweitausend Jahren bei Tschuang-Tse im Lichte des Taoismus aufgezeichneten Geschichte antwortet ein Gärtner, der mit einem Eimer das Wasser aus einem Brunnen in die Gräben zu den Gemüsebeeten schöpft, auf die Frage, warum er keinen Hebel, vorne leicht und hinten beschwert, zum schnelleren Schöpfen benütze: »Die listige Hilfsgeräte haben, sind listig in ihren Geschäften, und die listig in ihren Geschäften sind, haben List in ihrem Herzen, und die List in ihrem Herzen haben, können nicht rein und unverderbt bleiben, sind ruhelos im Geiste, und die ruhelos im Geiste sind, in denen kann Tao nicht wohnen. Nicht daß ich diese Dinge nicht kenne; aber ich würde mich schämen, sie zu benützen.«[*]

Die spekulativ ausgerichtete indische Kultur andererseits hätte unsere Technik eben wegen ihrer Weltabgewandtheit nie entwickelt. Die mit heutiger Technik verbundenen Probleme würde sie wahrscheinlich als nicht objektivierbare Trugbilder im kosmischen Spiel abtun.

Die christlich-aufklärerische Ausgangsposition drückt sich in der Zuversicht aus, das Problem der modernen Technik überhaupt lösen zu können, und zwar im Vertrauen auf die Vernunft und im Glauben an die Gnade des erlösenden Gottes. Der glaubenslose, säkularisierte Mensch kann diese

[*] Martin Buber (Hrsg.): Reden und Gleichnisse des Tschuang-Tse. Leipzig 1912, 1976, S. 49 f.

Zuversicht aus seiner (philosophisch gesehen) nihilistisch-subjektivistischen Sicht nicht gewinnen, zumal unter dem Eindruck der entsetzlichen Kriegsereignisse der Neuzeit, des Holocausts der Juden und der drohenden atomaren Vernichtung. Der für den modernen Menschen geistig zwingende Durchbruch vom Subjektivismus, Existentialismus, Atheismus oder Materialismus zu einer ganzheitlichen religiösen Basis wird von Nishitani überzeugend dargestellt.[*] Die dabei nachgewiesene Konvergenz zwischen Christentum und (Amida-)Buddhismus kann als Hinweis aufgefaßt werden, daß die christliche Lösung des Technikproblems weltweitere Akzeptanz finden wird.

Der Kern der nachfolgenden Argumentation ist jedoch kein religiöses Anliegen, sondern ein Aufruf zu mehr ethischer Verantwortung in Technik, Wirtschaft und Politik, egal mit welchen religiösen Vorstellungen diese Ethik verbunden wird. Der Mensch wird in Freiheit und aus Vernunft als ethisch ansprechbar und besserbar angesehen. Diese Ethik des technischen Handelns kann zunächst nur in den wichtigsten Grundpositionen umrissen werden.

Der Begriff »Schöpfung«

Die Naturwissenschaft beschreibt die Entstehung der Welt, also die Entstehung von Weltall, Sonnensystem, Erde, unbelebter und belebter Natur bis hin zum Auftreten des Menschen in der Natur als einen lang dauernden, aber mit zunehmender Zeitverkürzung stattfindenden Evolutionsprozeß. Erklärungen und Datierungen sind in erstaunlich hohem Maße möglich. Als Grundphänomen wird das Spiel zwischen Zufall und Notwendigkeit in offenen Systemen erkannt. »Offen« im Gegensatz zu »geschlossen« sind Systeme, denen Energie bzw. Informationen von außen zugeführt werden. Ein Teil des jeweiligen Phänomens folgt vorgegebenen Strukturgesetzen, der andere Teil ist dem Zufall unterworfen. Unter der Energie- bzw. Informationszufuhr von außen setzt sich die Höherentwicklung zunächst jeweils in bestimmten Enklaven fort.

Der Schöpfungsmythos im Buch Genesis der Bibel ist mit

---

[*] Keiji Nishitani: Was ist Religion? Frankfurt am Main 1982.

der naturwissenschaftlichen Erkenntnis verträglich, wenn die unterschiedliche Ausgangsfrage von Mythos und Wissenschaft beachtet wird. Der Mythos will die Situation des Menschen bildhaft erhellen. Wesentlich am Schöpfungsmythos der Bibel ist die durch Schöpferwort verfügte gute Ordnung der Natur. Die Naturwissenschaft andererseits sucht das mathematisch-abstrakte und empirisch nachprüfbare, einheitliche Naturgesetz hinter der Vielfalt der Erscheinungen. Die Naturwissenschaft zielt also auf die gesetzmäßige Beschreibung der natürlichen Vorgänge in Raum und Zeit.

Subjektiv erfahrbarer Schöpfergott und objektives Naturgesetz sind nicht unverträglich. Dem aufgeklärten Naturwissenschaftler ist die Schöpfung zwar nicht notwendigerweise Schöpferwille, aber die Erklärung für die tatsächliche Gestalt der Welt, die nur eine von unfaßbar vielen, naturgesetzlich möglichen Welten ist, bleibt in den Naturwissenschaften offen.

Als naturhafte Schöpfung wird der Zustand der Welt vor tiefgreifender Veränderung durch den Menschen verstanden, also die vom Menschen noch nicht wesentlich veränderte Natur. Im Mythos der Bibel ist das der Weltzustand unmittelbar nach dem siebenten Schöpfungstag. Menschheitsgeschichtlich ist das der Zustand vor Beginn der Hochkulturen, vor Ackerbau, Bewässerungstechnik und Stadtkultur, also vor mehr als fünftausend Jahren. Im Mythos wird dieser Zustand als paradiesisch, d.h. als friedlich, glücklich und in sich ruhend beschrieben. Tatsächlich befand sich die »paradiesische« Natur in ständiger Veränderung. Entstehen und Verderben, Geburt und Tod, Fressen und Gefressenwerden waren allgegenwärtig, aber es herrschte die Ausgeglichenheit der pflanzlichen und tierischen Biotope, und die Natur gedieh mit zunehmender Höherentwicklung und Artenfülle.

Wenn heute die Bewahrung der Schöpfung als vordringliche, für das Überleben der Menschheit wesentliche Aufgabe hervorgehoben wird, ist damit längst nicht mehr der naturhafte Zustand der Schöpfung gemeint. Die natürlichen Biotope sind bis auf wenige Reste zerstört, die Artenfülle hat rapide abgenommen, die Zahl der Individuen pro Art ist im allgemeinen nachhaltig reduziert, wo noch Leben gedeiht, herrscht meist Ungleichgewicht und Artenmonotonie, nur Mensch und Ratte scheinen unangefochten zu überleben. Da aber der Mensch in vielfältiger Weise Bestandteil der Natur ist, ist auch seine Gefährdung trotz der Expansion seiner Art offenkundig.

Die Schöpfung kann nie mehr in den früheren, naturhaften Zustand zurückversetzt werden, aber es lassen sich noch Reservate relativ unberührter Natur schützen und auch neu einrichten. Noch läßt sich der Vergiftung von Luft, Wasser und Erde Einhalt gebieten, noch läßt sich der derzeitige Naturzustand bewahren und allmählich verbessern, noch kann eine weitere Reduktion der Artenfülle verhindert werden. Alles dies wäre unter Bewahrung der Schöpfung zu verstehen: behutsamer, pflegender und verantwortlicher Umgang mit der Natur.

Der Begriff »Technik«

Mit dem Auftreten des Menschen in der natürlichen Evolution ist ein Lebewesen entstanden, das durch seine geistigen Möglichkeiten über die Natur hinausweist.

Zunächst sei der naturhafte Zustand des Menschen betrachtet. Der Mensch ist weniger geschützt als die Lebewesen in seiner Umgebung: körperlich schwach, Hitze und Kälte ausgesetzt, für Angriff und Verteidigung schlecht ausgerüstet. Aber seine Körper- und Sinnesorgane sind erheblich verbessert: der aufrechte Gang, die Freisetzung der Hände, das räumliche Sehen, die Kehlkopfausbildung zum Sprechen. Und am bedeutsamsten erweist sich die Entwicklung des Gehirns zu bisher unbekannter Größe und Differenziertheit, so daß eine höhere Ebene von Intelligenz, Gedächtnis und Gestaltwahrnehmung erreicht wird.

Mit der naturhaften Höchstentwicklung ist die Ausbildung des naturtranszendierenden geistigen Bewußtseins verbunden: Bewußtsein von den Vorgängen in der Umgebung mit Sprach- und Begriffsbildung, Bewußtsein von sich selbst in naturhafter Vergänglichkeit und religiösem Bezug, Bewußtsein von sittlicher Verantwortung. Diese geistigen Qualitäten des Menschen treten dem naturhaften Reagieren vielfach entgegen. Menschliche Existenz steht im Widerstreit zwischen naturhaftem Drang und dessen Überwindung mit den geistigen Mitteln des Bewußtseins: einerseits die dem naturhaften Verhalten naheliegende Akkumulation politischer, militärischer und wirtschaftlicher Macht, andererseits die das naturhafte Verhalten transzendierende religiöse, geistige und künstlerische Entfaltung, die Durchsetzung sittlicher, rechtlicher und sozialer Normen, die Wertschätzung von Freiheit, Gleichheit und Brüderlichkeit, die Entwicklung der Wissenschaften. Die Geschichte der Menschheit zeigt, daß die Einbindung des naturhaften Seins in die geistige Welt die Voraussetzung für gedeihliche Entwicklungen war. Immer wenn das jeweils mögliche geistig-sittliche Niveau verlassen wurde, trat eine in der Natur unbekannte Bestialität auf.

Welches ist das Wesen der Technik und welche Bedeutung hat die Technik in der menschlichen Geschichte?

Technik ist überlegter (»listenreicher«) und kunstfertiger Einsatz von Mitteln zur Erreichung äußerer Zwecke, die vom einzelnen oder von der Gemeinschaft gesetzt werden. Nur der Mensch ist in der Lage, technisch zu handeln, denn Technik setzt Bewußtsein in Form von theoretischem Wissen und praktischem Können voraus. Wissen und Können stehen dabei in einem sich wechselseitig bedingenden Zusammenhang. Das neuzeitliche Wissen um die Naturgesetze ist mit den Fortschritten in instrumenteller Technik unlösbar verbunden. Eigentümlich für technisches Handeln ist nach Hans Sachsse der bewußt gewählte lohnende Umweg.[*] Das angestrebte Ziel wird auf indirektem Weg besonders wirkungsvoll erreicht.

Technische Schöpfungen sind also nicht Abbilder oder Ausweitungen natürlicher Vorbilder, sondern eher, nach Friedrich Dessauer[**], Entdeckungen präexistenter Ideen (im Sinne Platons). In der Technik manifestiert der menschliche Geist die Naturgesetze in übernatürlich reiner Form. Technik ist darin wesensverschieden von der Natur. Rad und Kurbel haben kein Vorbild in der Natur. Flugzeuge flogen, bevor der Vogelflug erforscht war, die künstliche Intelligenz eines Computers ist von der natürlichen Intelligenz grundsätzlich verschieden. Wenn dennoch vereinzelt nach einem Vorbild in der Natur gesucht wurde, dann war die so gewonnene technische Lösung wenig erfolgreich.

Technik ist in christlicher Sicht eine Schöpfung des Men-

[*] Hans Sachsse: Anthropologie der Technik. Braunschweig 1978.
[**] Friedrich Dessauer: Streit um die Technik. Frankfurt am Main 1958.

schen im Gegensatz zur Schöpfung der Natur durch Gott. Die Technik unterscheidet den Menschen einerseits vom Tier, andererseits aber auch von Gott.

Die Triebfedern der technischen Entwicklung sind die menschlichen Bedürfnisse, die häufig auf Machtansprüche ausgeweitet werden. Aber auch der Spieltrieb des Menschen, seine Gestaltungs- und Schaffensfreude, sein Wissens- und Eroberungsdrang spielen eine große Rolle.

Das Mangelwesen Mensch benötigte zum Überleben in der Natur Nahrung, Kleidung, Behausung und Waffen, zu deren Beschaffung die ersten technischen Fähigkeiten entwickelt wurden. Aber auch Schmuck und religiöse Darstellung waren in besonderem Maße technikfördernd. Ackerbau, Bewässerungsanlagen und Städtebau bildeten später die technische Grundlage der ersten Hochkulturen. Stand die Technik anfangs mehr im Dienst des einzelnen, paßte sie sich jetzt mehr den Bedürfnissen der Großgemeinschaften an, vor allem aber ihrem besonderen Bedarf an Kriegs-, Transport- und Energietechnik.

Mit Anbruch der Neuzeit wurde aus der bis dahin handwerklichen Technik eine auf Naturgesetzen wissenschaftlich begründete Technik mit grenzenlos erscheinendem Entwicklungspotential. Die Verfremdung des Menschen in dieser »industriellen Revolution« führte zur sozialen Problematik des Industriearbeiters. Die fortschreitende Differenzierung der technischen Produkte schuf schließlich eine Art »Technik für die Technik« mit immer fragwürdigerer Ausrichtung gemessen an den menschlichen Bedürfnissen. Die Verselbständigung weiterer Bereiche der Technik, verbunden mit rücksichtsloser Ausbeutung der Natur, ist eines der heutigen Weltprobleme. Im Gegenzug geht es darum, die Kontrolle zurückzuerlangen, um Mensch und Natur zu bewahren.

Für die Ausbreitung der Technik war der Machtaspekt ausschlaggebend. Erfolgreiches technisches Handeln ist Überwindung von Unterlegenheit und somit Überlegenheit. Oft ist der Machtaspekt auch äußerlich dominant, so bei der Waffentechnik, die als Schrittmacher technischer Neuerungen gilt. Technik verleiht Macht über Sachen und Macht über Menschen. Technische Macht ist dabei Akkumulation von Können, Wissen und Mitteln zur Erreichung äußerer Zwecke, die für den einzelnen oder für die Gemeinschaft von Interesse sind.

Wenn vom Wissen in bekannter Weise gesagt wird, es sei Macht, so ist damit die auf der Kenntnis der Naturgesetze beruhende technische Macht gemeint. Der Mensch befreite sich aus der Knechtschaft der Naturgesetze durch deren Erkenntnis und bewußte Anwendung. Der dafür zu zahlende Preis war die Reduktion des Menschen auf Naturgesetzlichkeit, was erst zum Bruch zwischen Religion und Wissenschaft und später zum philosophischen Nihilismus und Subjektivismus führte.[*]

Da die Träger der technischen Macht austauschbar sind und technische Macht auch dann latent vorhanden ist, wenn vorübergehend keine Machtträger auftreten, wird zutreffenderweise vom »Machtfeld der Technik« gesprochen. Im Stadium der Individualtechnik ist die technische Macht dem einzelnen oder seiner Gruppe zugeordnet. Im Stadium der Gemeinschaftstechnik tritt die Großgemeinschaft als Machtträger in den Vordergrund. In den diktatorischen oder bürokratisierten Zwangswirtschaften wächst die technische Macht den Funktionsträgern der politischen Hierarchie zu. In den freiheitlichen Marktwirtschaften gedeiht die technische Macht im Wechselspiel von Angebot und Nachfrage und ist vor allem dem Zusammenspiel von Wirtschaftsführern und Verbrauchern zuzuordnen.

Analogien zwischen natürlicher und technischer Evolution

Die Evolution der Natur ist ein jedermann geläufiger Tatbestand und die wichtigste Erklärungsbasis für die Naturphänomene. Weniger geläufig ist das Bild der technischen Evolution, in der sich eine Analogie zur natürlichen Evolution kundtut. Diese Analogie verführt dazu, die Technikentwicklung als Fortsetzung der Naturentwicklung anzusehen. Daraus wird dann voreilig der Schluß gezogen, Technik sei die Fortsetzung der Natur mit intelligenten Mitteln, die Technik sei ebenso gottgewollt wie die Natur, ebenso wie in der Natur könne es auch in der Technik unbegrenzte Entfaltung geben. Dies ist der Kern der Fortschrittsgläubigkeit der Techniker, soweit diese nicht nur naiv geglaubt, sondern

[*] Näheres dazu bei Keiji Nishitani: Was ist Religion? Frankfurt am Main 1982.

bewußt reflektiert wird (eine philosophische Erklärung der Fortschrittsidee wird von Nishitani gegeben). Die Analogien zwischen natürlicher und technischer Evolution werden nachfolgend herausgestellt, um anschließend um so eindringlicher auf die Unterschiede einzugehen.

Natur und Technik gelten als offene, praktisch unbegrenzt entwicklungsfähige Systeme. Ähnlich wie die Evolution der Natur von Jacques Monod[*] und Manfred Eigen[**] als ein Spiel zwischen Zufall und Notwendigkeit beschrieben wird, kann auch die Evolution der Technik gedeutet werden. Einerseits gelten Festlegungen, Regeln, Baumuster, von denen nicht mehr abgewichen werden kann, andererseits treten Innovationen auf, die dem Zufall unter Wahrscheinlichkeitsgesetzen unterworfen sind.

Den Lebewesen in der Natur entsprechen die Artefakte in der Technik, also die Maschinen, Fahrzeuge, Geräte, Werkzeuge, Waffen und Bauwerke. Lebewesen und Artefakte sind für den Alltagsverstand mit relativ hoher Sicherheit unterscheidbar. Welche Kriterien dabei zur Anwendung kommen, bedarf einer besonderen Untersuchung.

Die Lebewesen gedeihen in ihrer natürlichen Umwelt, die in der Gesamtheit ihrer Beziehungen als Biotop bezeichnet wird. Das Analogon zum Biotop für die Lebewesen ist der Markt für die Artefakte. Die Absatzmöglichkeiten auf dem Markt entscheiden über die Weiterentwicklung des jeweiligen Artefakts. Natürliche Evolution ebenso wie technische Evolution ist nicht nur Aufeinanderfolge von Einzelwesen bzw. Einzelgebilden, sondern ebenso Aufeinanderfolge von Gleichgewichtszuständen in den Biotopen bzw. Märkten.

Was in der natürlichen Umwelt das Überlebensbemühen ist (*struggle for survival*), das ist auf dem Markt der Konkurrenzkampf. In der Natur überlebt der Angepaßteste (*survival of the fittest*), auf dem Markt bringt das dem Kundenwunsch besser entsprechende Erzeugnis den Erfolg (»das Bessere ist des Guten Feind«).

Die Lebensdauer eines Individuums kann mit der Gebrauchsdauer eines Artefakts analog gesetzt werden. Die für das Überleben einer Art wesentliche Fortpflanzungsrate kann der Absatzrate einer Produktgattung gleichgesetzt

[*] Jacques Monod: Zufall und Notwendigkeit. München 1975.
[**] Manfred Eigen: Das Spiel. München 1975.

werden. Ebenso wie in der Natur Nachkommenüberschuß produziert wird, ist in der Technik der Produktionsüberschuß geläufig. Schließlich hat das Luxurieren natürlicher Merkmale (beispielsweise Gefieder oder Geweih) seine Entsprechung in funktional unbegründeten Erscheinungen an technischen Gebilden (beispielsweise Werbe- und Symbolattribute).

Es liegt nahe, aus einer derart naturanalog gesehenen, technischen Evolution die unbegrenzten Möglichkeiten, das Laissez-faire, den technischen Fortschrittsglauben abzuleiten. Dabei werden aber die wesentlichen Unterschiede zwischen natürlicher und technischer Evolution übersehen.

Unterschiede zwischen natürlicher und technischer Evolution

Natürliche und technische Evolution unterscheiden sich wesentlich in ihrem göttlichen bzw. menschlichen Ursprung.

Die natürliche Evolution ist nach christlicher Auffassung Vollzug der Schöpfung gemäß göttlichem Willen. Die Natur bildet die Entwicklungs- und Lebensgrundlage des Menschen, der als Ebenbild Gottes aus der Natur hervorgehoben ist. Nur dem Menschen unter den Lebewesen ist das sittliche und religiöse Bewußtsein gegeben, an das der Ruf Gottes in Liebe und Freiheit ergeht. Die Natur ist somit die Grundlage des Erlösungswerks Gottes am Menschen. Die finale Ausrichtung der natürlichen Evolution ist rückblickend unübersehbar. Sie drückt sich in der insgesamt stetigen Höherentwicklung der Lebewesen und in deren von Anfang an gegebenen individuellen Fortpflanzungsfähigkeit aus.

Die technische Evolution ist dagegen Menschenwerk. Technik dient der Befriedigung individueller bzw. gemeinschaftlicher Bedürfnisse des Menschen. Technik ist nicht Fortsetzung oder Abbild der Natur, sondern Schöpfung des menschlichen Geistes, seiner Vorstellungen und Einsichten. Moderne Technik insbesondere ist durch einen hohen Grad an naturwissenschaftlicher und mathematischer Durchdringung gekennzeichnet.

Die Technik baut in ihren Mitteln auf dem Bestand des naturhaft Gegebenen auf. Es ist geradezu ein Merkmal des Technischen, daß es die Natur nicht als lebendigen Organismus auffaßt, sondern als ausbeutbaren unerschöpflichen Vorrat. In der modernen Technik »stellt der Mensch die Natur«, wie es Heidegger treffend ausgedrückt hat.[*] Technik und Natur sind somit trotz der aufgezeigten Analogien miteinander völlig unverträglich. Es gibt keine Symbiose, keine ausgleichende Überlappung zwischen Technik und Natur.

Dadurch, daß Technik Menschenwerk ist und der Natur unversöhnlich gegenübertritt, untersteht sie in besonderem Maße Ansprüchen der Ethik, der sittlichen Verantwortung, die sich in der Achtung vor dem Leben dokumentieren. Werden diese Ansprüche nicht zur Geltung gebracht, so erscheint Technik als eigendynamisch, inhuman und bedrohlich. Ein Laissez faire ist daher in der Technik ebenso unangebracht und gefährlich wie in der sich ihrer bedienenden Wirtschaft. Technik und Wirtschaft bedürfen der Steuerung nach Maßgabe ethischer Ansprüche. Jedoch ist weder Zwangstechnik noch Zwangswirtschaft eine Lösung. Die Technik ebenso wie die Wirtschaft benötigen das freie Spiel der Kräfte, um erfolgreich und effizient zu sein. Die Steuerung der Technik muß daher über eine freiwillige Selbstbeschränkung der Hersteller und Verbraucher, über freie Initiativen unterschiedlichster Art und nur flankierend über die Gesetzgebung erfolgen.

Der Übergang vom ungebundenen Wirtschaftsliberalismus zu einer sozialeren, von ethischen Maßstäben mitgetragenen Marktwirtschaft begann vor etwa hundert Jahren aufgrund der damaligen sozialen Mißstände. Die Erkenntnis eines entsprechenden Mißstands und Übergangsproblems in der Technikentwicklung ist dagegen jüngeren Datums. Zwar gab es schon immer neben dem Fortschrittsglauben an die Technik die Technikfeindlichkeit aus unterschiedlichen sozialen und weltanschaulichen Gründen,[**] die Faktizität der Technik trug aber noch immer einen breiten Überzeugungssieg davon. Erst in neuester Zeit fingen auch die Fakten an, gegen die Technik zu sprechen. Den Technikern selbst beginnt die Technik unheimlich zu werden. Einzelne Ingenieure, Wissenschaftler, Unternehmer sind von den Auswirkungen ihrer Erfindungen, Entdeckungen und Erzeugnisse

[*] Martin Heidegger: Die Technik und die Kehre. Pfullingen 1962.
[**] Rolf P. Sieferle: Fortschrittsfeinde? München 1984.

schockiert. So geht die Stiftung des Nobelpreises auf einen solchen Schock nach der Verbreitung des Dynamits zurück. Und Atomwaffen wurden während des Zweiten Weltkrieges in Deutschland auch deshalb nicht gebaut, weil die Atomphysiker ethische Einwände hatten. Aber noch gibt es keine breite gesellschaftliche und politische Anerkennung des Grundsatzes, daß sich technisches Handeln sittlichen Grundsätzen unterwerfen muß. Nur die unkonkretisierte und unverbindliche Aussageform, nicht alles, was technisch möglich sei, dürfe auch getan werden, gewinnt an Boden.

Ethische Ansprüche an technisches Handeln

Welches sind die wichtigsten ethischen Ansprüche, denen technisches Handeln genügen sollte? Technik soll dem Menschen, aufgefaßt als ebenbildliches Geschöpf Gottes, dienen. Technik soll demnach nicht jedes Bedürfnis stillen, sondern nur die im Rahmen der Schöpfungsordnung vertretbaren Bedürfnisse. Achtung vor dem Leben in jeglicher Form ist der an die Technik zu stellende Generalanspruch.

Technik soll menschliches Leben fördern und erhalten. Als Verdienst der Technik wird angeführt, die mittlere Lebenserwartung der Menschen sei in der Neuzeit verdoppelt worden. Diese Aussage ist in der üblichen verallgemeinernden Form unhaltbar. Sie läßt sich nur für die hochindustrialisierten Länder ohne Berücksichtigung der Kriegstoten belegen, und sie ist vor allem den Fortschritten in der Medizin und den Ertragssteigerungen in der Landwirtschaft zuzuschreiben. Andere Bereiche technischen Handelns müssen sich fragen lassen, in welchem Maße sie lebenserhaltend bzw. lebenszerstörend wirken. Die Unfallzahlen im Straßenverkehr beispielsweise verharren trotz der hochentwickelten Sicherheitstechnik auf unerträglicher Höhe. Die Zumutbarkeit des »Restrisikos« atomarer Anlagen wird mit Recht aus ethischer Position in Frage gestellt.

Aus der Verpflichtung zum Dienst am Leben folgt, daß es nicht Aufgabe der Technik sein kann, Angriffswaffen herzustellen. Die Begründung durch »gerechte Kriege« ist überholt. Die Schwierigkeit liegt mehr in der Abgrenzung der Angriffswaffen von den Verteidigungswaffen. Auf keine Weise lassen sich atomare und chemische Waffen sittlich rechtfertigen, deren Vernichtungspotential den Fortbestand der Menschheit in Frage stellt. Der Bau derartiger Waffen muß als bedachte oder unbedachte Vorbereitung zu Völkermord und Weltvernichtung eingestuft werden, mögen Rüstungsstrategen auch noch so ausgefeilte Abschreckungs- und Gleichgewichtstheorien dagegensetzen.

Der Dienst am Leben umfaßt aber keineswegs nur die körperliche Unversehrtheit des Menschen, sondern ebenso sein geistig-seelisches Gleichgewicht. Zwar setzte erst die Technik den Menschen für das geistig-seelische Leben frei, Technik ist Voraussetzung und Bestandteil von Kultur, dennoch sind heute die negativen geistig-seelischen Auswirkungen unübersehbar. Die Medien bevorzugen die Darstellung ethischer Bindungslosigkeit. Sie sind wirtschaftlichen Interessen einseitig verpflichtet. Die tägliche Wartung und Handhabung der technischen Mittel läßt dem Menschen kaum noch Muße zur geistig-seelischen Selbstverwirklichung. Die geistgeschaffene Technik erweist sich darin als materialisierter Widersacher der Seele, so wie Ludwig Klages ganz allgemein den Geist als Widersacher der Seele angesehen hat.[*]

Der Dienst am Leben umfaßt auch nicht nur den Menschen als Einzelwesen, sondern ebenso die menschliche Gemeinschaft. Obwohl technisches Handeln in hohem Maße ein Gruppenprozeß ist, der von Fachkompetenz und mitmenschlicher Solidarität getragen wird, treten in der modernen Technik auch sozial unverträgliche Erscheinungen hervor, besonders im Zusammenhang mit Rationalisierung, Automatisierung und überstürzter Innovation. Arbeitslosigkeit und Entwertung von Arbeitsinhalten sind Begleiterscheinungen moderner Technik, die ethisch nicht vertretbar sind.

Ein unüberbrückbar erscheinender Widerspruch zwischen Technik und Leben tut sich schließlich in der erwähnten Ausbeutung der Natur durch die Technik auf. Die geforderte Achtung vor dem Leben meint ja nicht nur den Menschen, sondern nachgeordnet auch Tier und Pflanze und indirekt auch die unbelebten Teile der Schöpfung. Der nur durch Technik überlebensfähige Mensch kommt ohne Naturzerstörung nicht aus. Er kann nur bestrebt sein, das Ausmaß dieser Zerstörung so klein wie möglich zu halten. Das Bibel-

---

[*] Ludwig Klages: Vom Wesen des Bewußtseins. Leipzig 1921, München 1955.

wort »Macht Euch die Erde untertan« schließt die Verpflichtung zur Bewahrung der unterworfenen Schöpfung mit ein.

Die dargestellten sittlichen Ansprüche begründen die bekannten Forderungen nach einer »Technik nach menschlichem Maß«, nach einer »konvivialen Technik«, nach Technik zur Befriedigung nur der elementaren Lebensbedürfnisse des Menschen, zur Beseitigung von Hunger, Krankheit und Not, zur Erhaltung menschlichen, tierischen und pflanzlichen Lebens, zur Schaffung einer gerechteren und friedlicheren Welt. Sie belegen andererseits weite Bereiche moderner Technik mit dem Makel der ethischen Unvertretbarkeit. Dies ist eine sehr unbequeme Wahrheit.

Gute Natur gegenüber böser Technik?

Die vorstehende unversöhnliche Gegenüberstellung von Natur und Technik darf aber nicht zu dem Fehlschluß verleiten: hier gute göttliche Natur, dort böse menschliche Technik.

Die Natur gilt zwar aus der Sicht des Schöpfers und des Menschen als gut. Sie zeigt einen wunderbaren Bauplan und entsprechende Gesetzmäßigkeit. Sie erscheint als ununterbrochene Folge stabiler Gleichgewichtszustände. Sie weist schließlich den konsequenten Gang der Höherentwicklung auf und ermöglichte damit die Entstehung des Menschen. Sie ist dennoch nicht »gut« im ethischen Sinn. Die Lebewesen verfolgen und fressen sich wechselseitig. Des einen Leben ist des anderen Tod. Nur die Tatsache, daß Leben und Tod in der Natur weitgehend unbewußt bleiben, erlaubt es, die Natur dennoch als gut im Sinne von planvoll und nützlich zu bezeichnen.

Die Technik andererseits ist nicht »böse«. Sie unterliegt allerdings als Menschenwerk der Sünde. In der Frühzeit der Kulturen wurde Technik als göttlichen Ursprungs angesehen. Göttliche Wesen brachten dem Menschen das Feuer und unterwiesen ihn in den Kunstfertigkeiten, oder auch menschliche Heroen entwendeten den Göttern Feuer und Kunstfertigkeit. Technik ist in der Tat die Grundlage der kulturellen Höherentwicklung. Erst die Technik setzte den Menschen von den unmittelbaren Anforderungen des Überlebenskampfes in unwirtlicher Umwelt frei. Sie verschaffte ihm die Muße zum Nachsinnen, zu schöpferischer Tätigkeit, zur weitsichtigen Planung und zum religiösen Kult. Dies förderte wiederum die technische Entwicklung.

Die frühen Hochkulturen entwickelten sich um Ackerbau, Städtebau und Bewässerungsanlagen. Im Mittelalter herrschte die handwerkliche Technik vor. Schließlich entstand vor etwa zweihundert Jahren die wissenschaftlich fundierte Industrietechnik, die im übervölkerten Mitteleuropa dem Elend und den Hungersnöten breiter Bevölkerungsschichten ein Ende setzte. Das industrielle Schaffen erwies sich als friedliches Gemeinschaftswerk, das die Menschen von den Gefahren des Müßiggangs fernhielt, ihrem täglichen Leben Aufgabe, Bewährung und Struktur gab, vielfältige Kooperationen und Kommunikationen hervorrief und nach anfänglichen unmenschlichen Auswüchsen schließlich relativ hohe soziale Gerechtigkeit schuf.

Trotz der heutigen Technikgefahr darf also nicht vergessen werden, daß die Technik die materiellen Voraussetzungen von Wohlstand und sozialer Sicherheit für breite Bevölkerungsschichten geschaffen hat. Das ist ein Hinweis, daß nicht Technikverzicht aus der Gefahr herausführt, sondern nur eine ethische Ausrichtung der Technik.

Die heutige Situation der Technik

Heute wird deutlich, daß die kühnen Fortschrittserwartungen, die seit der Aufklärung mit der industriellen Technik verbunden wurden, unerfüllt bleiben. Es ist im Gegenteil eine existentielle Gefährdung des Menschen durch die Technik eingetreten, die apokalyptisch wirkt. Die extremsten Kritiker der Technik scheinen recht zu behalten.

Wie ist das möglich für eine menschliche Fähigkeit, die das Überleben in der Natur gesichert und die materielle Voraussetzung kultureller Höherentwicklung geschaffen hat, die durch friedliches und gemeinschaftliches Wirken gekennzeichnet ist? Darauf gibt es zwei Antworten, eine mit technikimmanenter und eine mit techniktranszendenter Begründung.

Als technikimmanent wird die Tatsache bezeichnet, daß technisches Handeln auf die bewußte Besserung der vorgefundenen Situation angelegt ist, während die Problematik der neuen Situation nicht vorhersehbar ist. Die vorgefundene Situation ist dabei heute längst nicht mehr der Naturzustand, sondern eine seit Jahrtausenden durch menschliche Eingriffe materiell tiefgreifend veränderte und geistig erweiterte Umwelt. Der technisch handelnde Mensch sieht die Unzulänglichkeiten der Gegenwart unter der schöpferischen Vision einer besseren Zukunft. Oft wird eine Unzulänglichkeit oder Not der Gegenwart beseitigt, einem bestehenden Bedürfnis abgeholfen, aber eine zunächst als vernachlässigbar eingeschätzte Nebenwirkung wird gerade durch den Erfolg der technischen Lösung zum neuen, bisher unbekannten Problem. Beispielsweise war das Automobil die erfolgreiche Antwort auf die Unzulänglichkeiten des Transports mit Pferdefuhrwerken und Treträdern. Zum Problem wurde das Automobil erst durch die nicht voraussehbare Massenmotorisierung. Bei ihr stand zunächst das soziale Anliegen gleicher Mobilitäts- und Verdienstmöglichkeiten für breite Bevölkerungsschichten im Vordergrund. Die durch die Massenmotorisierung verursachte Belastung und Zerstörung der Umwelt sowie die Unfallproblematik blieben zunächst unbedacht.

Als techniktranszendent wird dagegen eine andere Ursache des heutigen Technikproblems bezeichnet. Das wissenschaftlich-technische Können des Menschen einerseits und seine sittliche Verantwortungsbereitschaft andererseits klaffen weiter auseinander denn je. In Wissenschaft und Technik wurden ungeheure Fortschritte erzielt, während gleichzeitig die Verbindlichkeit der christlichen Religion als Bewahrer der sittlichen Normen weithin verlorenging, ohne daß die neuen aufklärerischen Ideale von Gleichheit und Brüderlichkeit hinreichend verbindlich wurden. Wenn auch die christlichen Kirchen in ihrer langen Geschichte durchaus nicht immer von schweren Verfehlungen verschont blieben – man denke etwa an die Ketzer- und Judenverfolgungen –, so bewahrten sie doch in der Gemeinschaft der Gläubigen den hohen sittlichen Anspruch ihres Gründers Jesus und das in der Bergpredigt absolut gesetzte Liebesgebot.

Das heutige Auseinanderklaffen von technischer Fähigkeit und sittlicher Verantwortung läßt sich besonders deutlich an der atomaren Hochrüstung der beiden Weltmächte und an der Ungleichverteilung der Güter auf die Menschen dieser Erde aufzeigen.

Das menschheitsbedrohende Vernichtungspotential der

atomaren Waffen erfordert aus sittlicher Sicht deren Ächtung. Das kunstvoll ausbalancierte Gleichgewicht atomarer Abschreckung zwischen den Weltmächten war als Übergangszustand bis zum Abschluß weitreichender Abrüstungsvereinbarungen gedacht. Die technische Aufgabe der atomaren Hochrüstung wurde auf beiden Seiten spielend gelöst, die sittliche Aufgabe der Abrüstungsvereinbarung blieb bis heute ungelöst.

Die Verteilung der lebenswichtigen Güter wie Nahrung, Wasser, Energie, Behausung, Verkehrsmittel, Medikamente, Dienstleistungen, Arbeit auf die Menschen dieser Erde ist extrem ungleichgewichtig. Während in den ariden Zonen und in den Großstadtslums der Dritten Welt die elementarsten Lebensbedürfnisse unerfüllt bleiben, Hunger und Elend herrschen, leistet sich die Bevölkerung der Industrieländer eine beispiellose Verschwendung. Technik und Wirtschaft der Industrieländer lassen dabei eine absurd erscheinende »Überentwicklung« erkennen: Überkapazitäten und Überschußproduktion, durch Werbung hochgehaltener Scheinbedarf der Bevölkerung, hohe Arbeitslosigkeit, unerträgliche Umweltbelastungen, Vernichtung landwirtschaftlicher Überschüsse, Waffenlieferungen in Dritte-Welt-Länder. Der sittliche Anspruch der Gleichverteilung der Güter wird nicht eingelöst, obwohl die technischen Möglichkeiten dazu gegeben sind.

Die Diskrepanz zwischen technischem Können und ethischer Verantwortung zeigt sich im Kleinen darin, daß technische Verbesserungen zu erhöhten Ansprüchen führen. So haben im Straßenverkehr Funktionsverbesserungen vielfach nicht die angestrebte Sicherheitserhöhung zur Folge, sondern verleiten zu riskanter Fahrweise.

Eine Besserung der Situation der Technik ist offenbar nur dann zu erwarten, wenn in wesentlich höherem Maße als bisher ethische Grundsätze von Ingenieuren, Bürgern und Verbrauchern, von Industrie, Wirtschaft und Politik bei den technischen Entwicklungen zur Geltung gebracht werden. Die alte Wahrheit muß wiederentdeckt werden, daß der Sinn menschlichen Lebens nicht in der Verbesserung der technischen Systeme, sondern in seinem sittlichen Anspruch liegt. Wenn sich der Mensch dieser Wahrheit verschließt, gleicht er dem Zauberlehrling, der von den Mächten, die er rief, vernichtet zu werden droht.

Neues Ethos des Ingenieurs

Unter den geschilderten Umständen bedürfen die, die Technik schaffen, also die Ingenieure, eines besonderen Ethos. In der Medizin, die technisches Handeln zur Heilung des Menschen ist, gilt für die Ärzte seit Beginn der abendländischen Heilkunde der Eid des Hippokrates, mit dem die sittliche Verpflichtung übernommen wird, nur zum Wohle des Lebens tätig zu sein. Eine entsprechende Verpflichtung für Ingenieure ist längst überfällig. Auch der Ingenieur sollte ausschließlich zum Wohle des Lebens tätig sein.

Der Ingenieur sollte verpflichtet sein, sich nicht an Entwicklung und Bau atomarer und chemischer Waffen zu beteiligen und seine Mitwirkung an sonstigen Waffensystemen von der Erfüllung bestimmter Kriterien abhängig zu machen. Er sollte verpflichtet sein, Mitwirkung an Projekten abzulehnen, die Leben und Gesundheit der Menschen vorhersehbar gefährden, die der Überwachung, Manipulation und Indoktrination der Menschen Vorschub leisten, die stark sozialzerstörerisch wirken können, die die natürliche Umwelt stark belasten. Dies ist zunächst nur eine grundsätzliche Willenserklärung, die eines abgesicherten Bewertungsverfahrens bedarf (was heißt beispielsweise »stark«?), um im Einzelfall anwendbar zu sein. Die Einigung über die Grundsätze und die Ausarbeitung der Bewertungsverfahren ist eine Aufgabe, zu deren Lösung die Berufsvertretungen der Ingenieure unter Hinzuziehung ethischen, juristischen und gegebenenfalls theologischen Sachverstands aufgerufen sind.

Konsumzurückhaltung und Bürgerinitiativen

Da die meisten Erzeugnisse der Technik nicht in sich gut oder böse, sittlich oder unsittlich sind, trifft die Verantwortung für die Technik aber keineswegs allein den Ingenieur. Jeder Bürger ist aufgerufen, die Weiterentwicklung der Technik im Rahmen seiner Möglichkeiten nach sittlich vertretbaren Grundsätzen zu beeinflussen.

Hier stellt sich sofort die Frage, wie denn das Votum des Bürgers wirkungsvoll zur Geltung gebracht werden kann. Der Weg über Wahlen und Parlamente ist langwierig und nur für längerfristige Korrekturen und Rahmensetzungen geeignet. Die Technikproblematik ist andererseits in den Parteien noch nicht hinreichend erkannt. Nur die Teilaspekte des Umweltschutzes und der Sozialverträglichkeit beginnen beachtet zu werden. Durchdachte Konzepte, die dem Bürger eine Wahlmöglichkeit eröffnen, gibt es vorerst nicht.

Der Bürger hat aber hinsichtlich der Technik eine viel direktere außerparlamentarische Einflußmöglichkeit. Ein besonders wirkungsvolles Instrument der Techniksteuerung dürfte nämlich die bewußte Verbrauchszurückhaltung breiter Bevölkerungsschichten sein. Sie wirkt direkt auf die Kapazitäts- und Produktionsplanung der Industrie, zumindest soweit deren Absatz in den privaten Inlandsverbrauch geht. In den Industrieländern kann der Verbrauch an Rohstoffen, Energie, Verbrauchsgütern und Dienstleistungen allein durch Abbau der vorstehend erwähnten technischen »Überentwicklung« drastisch reduziert werden, ohne daß wesentliche Einschränkungen der gegenwärtigen Lebensverhältnisse hingenommen werden müßten. Verbrauchszurückhaltung ist daher Kampf gegen ausuferndes Technikwachstum. Sie kann einzeln oder in koordinierten Gemeinschaftsaktionen erfolgen. Der problembewußte Bürger behält seine volle Freiheit darin, wann, wo und in welchem Maße er den Konsum reduziert oder verweigert.

Andererseits sind aus dem Gebot der (weltweiten) sozialen Gerechtigkeit sowie des Umwelt- und Naturschutzes Projekte definierbar, die neuartige unternehmerische und technische Möglichkeiten eröffnen. Besonders wichtig sind die Entwicklungsprojekte in den Ländern der Dritten Welt, die aus privaten und öffentlichen Mitteln der Industrieländer zu finanzieren sind. Dazu auch einen Teil der Rüstungsausgaben in aller Welt auf friedliche Projekte umzuleiten, ist eine naheliegende und seit langem erhobene Forderung.

Hinsichtlich der Rüstungstechnik haben Gruppen von Bürgern schon seit längerer Zeit den außerparlamentarischen Weg eingeschlagen. Bürgerinitiativen haben durch ihre Protestaktionen gegen atomare Rüstung wirkungsvoll den sittlichen Anspruch gegen das blinde Technikvertrauen zur Geltung gebracht.

Neuorientierung von Industrie und Wirtschaft

Die Forderung nach einer dem Leben verpflichteten besonderen Ethik bei den industriellen und wirtschaftlichen Unternehmungen widerspricht gängiger Auffassung, daß der Unternehmer allein Gesichtspunkte des Kapitals, der Arbeit und der Technik in dem meist engen Rahmen der (als sittlich unterstellten) Marktmöglichkeiten zu beachten hat. Die Aussage hier ist, daß dies nicht genügt, sondern daß zusätzlich besondere ethische Normen zu beachten sind. In extremen Fällen ist diese Anforderung offenkundig – man stelle sich den Auftrag der politischen Führung zur Entwicklung chemischer oder atomarer Waffen vor – und die Forderung der Ethik kaum in Frage zu stellen. In weniger extremen Fällen – man denke an das »Restrisiko« der Atomkraftwerke oder an die Unfalltoten des Straßenverkehrs – ist ein wesentlich restriktiveres unternehmerisches Handeln erwünscht, als es bis heute üblich ist.

Hiergegen läßt sich einwenden, daß der sittlich Verantwortungsbewußte in einer als unsittlich geltenden Welt, insbesondere aber in einem Wirtschaftssystem, das den Eigennutz als Triebfeder verwendet, keine Überlebenschance hat. Die Geschichte beweist das aber nicht, wie aus den frühen Erfolgen sozial verpflichteter Unternehmer wie Carl Zeiss oder Robert Bosch hervorgeht. Heute wird als neuer Typus der dem Leben besonders verpflichtete Unternehmer benötigt.

Den angeführten ethischen Normen steht aber auch der Zwang zum Wachstum in Industrie und Wirtschaft entgegen. Das Wachstum soll in der vom Eigennutz bestimmten Wirtschaft durch hohe Löhne, hohe Kapitalrendite und niedrige Arbeitslosigkeit den sozialen Frieden sichern. Auch hier gilt, daß nach Gesichtspunkten der Gerechtigkeit statt des Eigennutzes jede beliebige Menge von Gütern und Arbeit, also auch eine stagnierende oder schrumpfende Menge, verteilt werden kann. Eine Reform der Verteilungsmechanismen, die dem solidarischen Handeln mehr Spielraum gibt, ist dazu wahrscheinlich erforderlich.

Bei den industriellen Projekten ist unter den angeführten Gesichtspunkten besonderer ethischer Verantwortung teilweise eine inhaltliche Neuorientierung notwendig. So benötigen die Länder der Dritten Welt vor allem Kleintechnik, dezentrale Technik, konviviale Technik, örtlich sozialverträgliche Technik, vor Ort auch ohne Unterstützung der Industrieländer realisierbare Technik. In allen Ländern werden Umweltschutzprojekte zunehmend wirtschaftliche Bedeutung erlangen.

Das veränderte unternehmerische Handeln bedarf der Unterstützung durch alle am Wirtschaftsprozeß teilnehmenden Gruppen. Insbesondere die Gewerkschaften sind aufgerufen, sich der Reform des Wirtschaftsgeschehens nicht zu verschließen. Die ethische Verantwortung trifft auch sie.

Staatliche Maßnahmen

Mit Absicht erst an letzter Stelle werden die Aufgaben des Staates im Zusammenhang mit den anzustrebenden Umstellungen umrissen. Das ist ein Hinweis darauf, daß die Ausführungsverantwortung nicht beim Staat, sondern eben bei den Ingenieuren, Bürgern, Unternehmern und Gewerkschaften gesehen wird. Das geforderte Mehr an Sittlichkeit muß über die Menschen direkt in solidarischem Handeln verwirklicht werden. Aufgabe des Staates ist es jedoch, den Vorgang in verschiedener Hinsicht abzusichern und zu fördern.

Die gesetzliche Verankerung der geforderten ethischen Grundsätze in praktikabler Form ist eine vordringliche Aufgabe. Der rechtliche Schutz von Gütern, die im Zusammenhang mit den genannten Grundsätzen stehen, schließt sich dem an: Schutz vor Umweltschädigung und Naturzerstörung, Schutz der Verweigerungsrechte, Schutz des Lebens in jeder Form. Die Gesetzgebung dieser Art hat heute wahrscheinlich ähnliche Zukunftsbedeutung wie seinerzeit der Beginn der Sozialgesetzgebung. Heute wie damals ist der gesetzliche Rahmen für Technik und Wirtschaft neu festzulegen. Was damals auf nationaler Ebene vollzogen wurde, muß allerdings heute gleich europaweit, ja weltweit ausgehandelt werden.

Leider verhalten sich die Regierungen in dem Technikbereich, der ihrer Hoheit direkt untersteht, nämlich dem Rüstungsbereich, vielfach wenig vorbildlich hinsichtlich der Beachtung ethischer Grundsätze. Diesbezügliche Integrität ist aber Voraussetzung für die erfolgreiche Vertretung der viel diffizileren ethischen Gesichtspunkte bei den zivilen Technikprojekten.

Zu den flankierenden staatlichen Maßnahmen gehört selbstverständlich auch der soziale Härteausgleich für die von den Umstellungsereignissen direkt Betroffenen sowie die Förderung von unternehmerischen Projekten, wenn deren Unwirtschaftlichkeit durch eine ansonsten noch unübliche Beachtung ethischer Gesichtspunkte zustande kommt. Umweltschutz- und Dritte-Welt-Projekte erfordern fast immer die staatliche Mitfinanzierung. Die derzeitige einseitige Staatsförderung vermeintlicher High-Tech-Projekte muß als äußerst fragwürdig angesehen werden.

Wege nach innen

Die Verhaltensweise der Menschen in den nach außen gerichteten Taten der Technik wird sich nur dann dauerhaft im geforderten Sinne ändern, wenn die nach innen gerichteten Wege des Geistes und der Seele zurückgewonnen werden, die Wege des Erkennens und des Liebens, der Versenkung und der Hingabe. Der Mensch muß, um der Selbstvernichtung zu entgehen, zu Gott und zu sich selbst zurückfinden.

Trotz auffälliger Analogien zwischen der natürlichen und der technischen Evolution steht die geistgeschaffene Technik der gottgeschaffenen Natur unversöhnlich gegenüber. Als Menschenwerk ist die Technik ethischen Ansprüchen zu unterwerfen. Der Generalanspruch an die Technik ist die Achtung vor dem Leben. Die heutige existentielle Gefährdung des Menschen durch die Technik ist durch das Auseinanderklaffen von technischem Können und sittlicher Verantwortung verursacht. Die technische Macht muß zukünftig dem Primat ethischer Grundsätze unterworfen werden. Dies kann über ein neues Ethos der Ingenieure, über Konsumzurückhaltung und Bürgerinitiativen, über eine Neuorientierung von Industrie und Wirtschaft sowie durch flankierende staatliche Maßnahmen geschehen. Dazu muß der Mensch den Weg nach innen zurückgewinnen.

Thomas Görnitz
Moderne Technik – veraltete Weltsicht

> Selig sind die Sanftmütigen,
> denn sie werden das Erdreich besitzen.
> Matthäus 5, 5

Mich hat Carl Friedrich von Weizsäckers Büchlein beim ersten Lesen in manchem an das »Kommunistische Manifest« erinnert: Auf wenigen Seiten wird eine Utopie entworfen, deren zwingender Notwendigkeit man sich nicht entziehen kann.

Während im Kommunistischen Manifest die himmelschreiende soziale Ungerechtigkeit des europäischen Frühkapitalismus als zu lösendes und auch lösbares Problem aufgezeigt wird, entwirft Weizsäcker ein Bild der heute notwendigen Bedingungen für das weitere Überleben der ganzen Menschheit.

Wenn auch bei Marx die Lösungswege zum Teil genau entgegengesetzt zu den vorgesehenen verlaufen sind, kann man doch sehen, daß das Problem der absoluten Verelendung eines Hauptteils der Bevölkerung zumindest in den nördlichen Industrienationen nicht mehr besteht. Es ist ebenfalls zu hoffen, daß die Menschheit auch den Weizsäckerschen Problemkatalog bewältigen wird. Die einzige Alternative dazu wäre der Untergang unserer Zivilisation.

Im Gegensatz zu Marx und Engels versucht Weizsäcker aber nicht, einen fertigen – und damit unrealistischen – Lösungsweg vorzugeben. Er verläßt sich statt dessen auf den Überlebenswillen der Menschheit, den daraus folgenden, zusammenwirkenden Sachverstand aller Wissenschaften und darüber hinaus auf etwas, was man als das gnädige Wirken Gottes in der Geschichte bezeichnen kann.

Da die heraufziehende Krise erst durch die Naturwissenschaften ermöglicht wurde, ist klar, daß diesen auch eine wesentliche moralische Verantwortung für deren Bewältigung zukommt.

Im Zentrum der technisch, ökonomisch und militärisch genutzten Naturwissenschaft steht bis heute die Physik. Es sind die Kernwaffen, die bewirken, daß ein großer Krieg nicht mehr die »Fortsetzung der Politik mit anderen Mitteln« sein kann, sondern die Vernichtung der gesamten Menschheit zur Folge hätte. Es sind die Auswirkungen einer auf Physik und Chemie basierenden Großtechnologie, die das Fortdauern des Lebens überhaupt in Frage stellen. Und es sind schließlich auch die Auswirkungen der auf der Durchtechnisierung der Informationsverarbeitung beruhenden technischen Revolution, welche das Sozialgefüge der Industrienationen in einer noch nicht abzusehenden Weise verändern werden.

Wenn man sich diese ungeheuren praktischen Auswirkungen der modernen Physik vor Augen hält, ist es nur schwer zu begreifen, wie gering bis jetzt ihre Einwirkungen auf das gesellschaftliche Bewußtsein ist, wie wenig sie im heutigen »Weltbild« verankert ist. Mit Weltbild ist hierbei nicht eine – für das tägliche Leben völlig belanglose – Kosmologie gemeint, sondern die Gesamtheit unseres theoretischen Modells von der Welt, das unseren täglichen Handlungen zumeist unreflektiert zugrunde liegt. Deshalb ist es eine große Aufgabe und eine moralische Verpflichtung für alle, denen die Gesellschaft die Möglichkeit gibt, Wissenschaft zu betreiben, dazu beizutragen, die Lücke zwischen den materiellen technischen Möglichkeiten und ihrer geistigen Durchdringung und Bewältigung zu schließen.

Die Technik unserer Zivilisation beruht bis heute noch im wesentlichen auf den Bereichen der Physik, die man als »klassische« Physik bezeichnet: Mechanik, Elektrodynamik, Thermodynamik. Diese Wissenschaftszweige sind im 19. Jahrhundert zur Blüte gebracht worden und haben, soweit ich sehe, bis heute einen gewaltigen Einfluß auf das gesellschaftliche Bewußtsein hinterlassen. Die Denkweise der klassischen Physik kann charakterisiert werden durch die drei Begriffe Determinismus, Berechenbarkeit und Reversibilität.

Mit Determinismus meine ich den Glauben daran, daß die erkannten Naturgesetze das zukünftige Geschehen vollständig festlegen. Dann genügt es, geeignete Anfangsbedingungen zu schaffen, damit sich alles genau in der gewünschten Weise entwickelt.

Berechenbarkeit meint, daß man prinzipiell in der Lage ist, durch eine theoretische Untersuchung den tatsächlichen Ablauf des Geschehens mit beliebiger Genauigkeit vorherzusagen.

Der Glaube an die Reversibilität umfaßt die Meinung, daß die in Gang gesetzten Abläufe wieder rückgängig gemacht werden können, und dies möglichst auf dem gleichen Weg, nur in umgekehrter Reihenfolge.

Dies ist natürlich keine exakte Beschreibung dessen, was in den oben aufgeführten Zweigen der Physik tatsächlich getan wird. Aber von der Struktur der Theorie und von ihren Problemstellungen her kann man verstehen, daß sich unter dem Einfluß der Physik des 19. Jahrhunderts ein solches Weltbild entwickeln mußte und bis heute unser technisches Denken bestimmen konnte.

In der ersten Hälfte unseres Jahrhunderts hat in der Physik eine wissenschaftliche Revolution stattgefunden, die die Grundlagen dieser Wissenschaft völlig verändert hat und die durch die Schaffung der Relativitätstheorie und vor allem der Quantentheorie charakterisiert wird. Deren technische Folgeprodukte – z.B. in der Kerntechnik und der Mikroelektronik – sind aus unserem täglichen Leben nicht mehr wegzudenken. Aber in einer merkwürdigen Verkennung der Bedeutung dieser Revolution sind diese neuen Wissenschaftszweige bis heute ohne erkennbare Auswirkungen auf unser Weltbild geblieben. Man hat sich zwar daran gewöhnt, daß die Physiker über die Entwicklung des Kosmos wie über eine entscheidbare Sachfrage unter anderen sprechen, und auch daran, daß die Natur im unendlich Kleinen einige merkwürdige Verrücktheiten zu zeigen scheint. Dies alles ist aber weit weg vom praktischen Leben und scheint somit höchstens etwas für Feuilletons und Sonntagsreden zu sein.

Darüber hinaus hat die Physik in unserem Jahrhundert nicht nur in ihren Grundlagen und erkenntnistheoretischen Fundamenten, sondern auch im Bereich ihrer Anwendungen eine ganz bedeutende Entwicklung durchlaufen.

Man beginnt jetzt, auch im Rahmen der klassischen Physik, über die früher behandelten einfachsten Probleme hinauszugehen und viel kompliziertere zu untersuchen. Die dabei verwendeten mathematischen Methoden haben zum Teil solch klangvolle Namen wie Chaos- und Katastrophentheorie. Diese Theorien liefern zum einen Modelle für den häufig zu beobachtenden Übergang vieler Systeme in ein völlig unvorhersehbares Verhalten – in ein »Chaos«. Zum anderen wird das plötzliche Umschlagen des Zustandes von komplizierten Systemen – eine »Katastrophe« – beschrieben, die nach scheinbar folgenlosen kleinen Änderungen schlagartig ein völlig neues Verhalten zeigen.

Was bedeuten diese neuen Entwicklungen in der Basis und in der Ausgestaltung der Physik für unser Bild von der Welt?

Betrachten wir zuerst die Quantentheorie. Nach dem heutigen Wissensstand scheint es sicher zu sein, daß sie die Grundlage für die gesamte Physik bildet. An ihr haben wir gelernt, daß die Vorstellung falsch ist, die mit dem oben skizzierten Begriff des Determinismus verbunden ist. Die Quantenphysik zeigt, daß es nicht nur eine Frage unserer momentanen Unfähigkeit ist, in der Regel nur Wahrscheinlichkeiten für die Ergebnisse von Versuchen angeben zu können, sondern daß diese prinzipiell nicht deterministisch festgelegt sind.

Historisch wurde die Quantentheorie im Rahmen der Atomphysik gefunden. Seitdem hat sich zum Teil bis heute noch das Vorurteil gehalten, daß sie nur für den Mikrokosmos zuständig sei. Tatsächlich ist aber keine Gültigkeitsgrenze für die Quantentheorie zu erkennen, und außerdem sind makroskopische Quantenphänomene gefunden worden, die wie die Supraleitung von großer technischer Bedeutung sind. Aber oft ist die größere Genauigkeit der Quantentheorie im Vergleich mit der klassischen Theorie weder notwendig noch zu beherrschen, so daß man zu Recht auf die weniger genauen Voraussagen der klassischen Physik zurückgreift.

Die Sprache, mit der wir über die Natur sprechen, entspricht den Erfahrungen der klassischen Physik und ist deshalb nicht fähig, die quantentheoretischen Sachverhalte auszudrücken. Um diese Schwierigkeit zu überwinden, führte Niels Bohr den Begriff der Komplementarität ein. Er bezeichnet die Notwendigkeit, für eine adäquate Beschreibung der Wirklichkeit gleichzeitig Begriffe verwenden zu müssen, die sich in Strenge ausschließen und die doch einander bedingen. In der Physik zeigte sich dies am Zwang, den Quantenobjekten gleichzeitig Teilchen- und Welleneigenschaften zusprechen zu müssen. Das bedeutet, sie werden gleichzeitig als ausgedehnt und als punktförmig beschrieben.

Komplementarität ist aber ein Begriff, der durchaus geeignet ist, uns auch außerhalb der Physik neue Sichtweisen zu eröffnen, die uns helfen können, unzureichende und verknöcherte Denkstrukturen zu überwinden. Ein gutes Beispiel dafür ist die von Weizsäcker zitierte Bemerkung Bohrs von der Komplementarität von Liebe und Gerechtigkeit, die einander in Strenge ausschließen. Trotzdem sind wir darauf angewiesen, beides gleichzeitig zu empfangen, soll das Leben nicht unerträglich werden.

Komplementarität meint nicht den dialektischen Dreiklang von These, Antithese und Synthese. Statt dessen nötigt sie uns, die Spannung von Gegensätzen auszuhalten und zu erkennen, daß erst in dieser – zum Teil kaum erträglichen – Spannung das Wesentliche erfaßt werden kann.

Auf der anderen Seite ist der Blick der modernen Physik über die einfachen Zusammenhänge hinaus auf komplizierte und vernetzte Probleme geeignet, den Aberglauben an die Berechenbarkeit zu relativieren. Schon manche einfachen und erst recht die meisten komplizierten physikalischen Systeme zeigen »chaotisches Verhalten«. Dieser Terminus beschreibt die charakteristische Eigenschaft solcher Systeme, daß sich beliebig kleine Änderungen in den Anfangsbedingungen später auswachsen können zu beliebig großen Abweichungen der Zustände voneinander. Da sich in praxi Anfangsbedingungen nie absolut genau festlegen lassen, bedeutet dies eine prinzipielle Schranke für unsere Fähigkeit, Abläufe genau vorherzuberechnen.

Auch die Zeit selbst und die mit ihr verbundenen Zusammenhänge bekommen in der heutigen Physik einen neuen Stellenwert. Da ja die Gleichungen der Physik zu jedem Zeitpunkt gelten sollen, reduziert sich die in ihnen vorkommende »Zeit« zu einem rätselhaften Parameter. Es ist Weizsäckers Verdienst, darauf hingewiesen zu haben, daß der Begriff der Zeit eine Vorbedingung jeder Erfahrungswissenschaft ist und somit fundamentalere Bedeutung hat als jeder der innerhalb dieser Wissenschaft eingeführten Begriffe.

Die neue Sicht auf die Zeit im Zusammenhang mit den Fundamenten der Physik fällt zusammen mit einem neuen Blick auf die Zeit in der Ausformung der Theorie.

Die Behandlung von Nichtgleichgewichtsprozessen lenkt die Sicht der Physik auf Probleme der Irreversibilität, die früher im wesentlichen ausgeklammert wurden. Hierzu gehört das weite Feld der Fließgleichgewichte, die vor allem für die Beschreibung biologischer Vorgänge von nicht zu überschätzender Bedeutung sind. Dieses Wort ist gut gewählt, da damit Systeme bezeichnet werden, die unter ständigem Durchsatz von Material und Energie mit sich identisch bleiben; so wie ein Fluß nur dann derselbe bleibt – und nicht zu einer trockenen Rinne wird –, wenn ständig neues Wasser durch sein Bett fließt.

Die sich dabei bildenden Strukturen nennt man in der Fachsprache dissipativ, das heißt zerstreuend. Sie können nur dadurch erhalten bleiben, daß sie ständig hochwertige Energie zugeführt erhalten, die sie dann als nutzlose Wärme in ihre Umgebung zerstreuen.

Solche Strukturen, zu denen auch alle Lebewesen zählen, sind viel verletzlicher als die normalen »toten« thermodynamischen Gleichgewichte, welche allein früher von der Physik untersucht worden waren. Wie bei diesen treten auch bei den dissipativen Strukturen Phasenübergänge auf, wobei sich der Zustand wesentlich ändert, ohne daß es schon zu einer Zerstörung des Systems kommt. Allerdings zeigen die Phasenübergänge der dissipativen Systeme in der Regel Hysterese.

Dieser Begriff bezeichnete ursprünglich die Eigenschaft von Magneten, einer Änderung der Magnetisierungsrichtung Widerstand entgegenzusetzen. So bedarf es eines wesentlich größeren Aufwandes für die Änderung, als er für die Erzeugung der anfänglichen Magnetisierung erforderlich war.

Bei den dissipativen Systemen kommt es nun auch zu solchen sprunghaften Zustandsänderungen, die es nicht erlauben, zum alten Zustand dadurch zurückzugelangen, daß man nur die Bedingungen wieder so herstellt, wie sie vor dem Phasensprung waren. Dieses Verhalten gilt für alle dissipativen Systeme und ist nicht nur auf Lebewesen beschränkt, die bekanntlich nicht wieder lebendig werden, wenn nur die Bedingungen wieder beseitigt werden, die zu ihrem Tode führten.

Mit der Wahrnehmung der Irreversibilität als einer wesentlichen Seite der Zeitstruktur im Gegensatz zu dem überholten Glauben der klassischen Physik an die fundamentale Bedeutung der »Zeitumkehr« verliert die Physik einen wesentlichen Teil jenes Denkens, das das Lebendige nicht erfassen kann, das »tödlich« ist. Damit kann sich der Blick öffnen für die Entwicklung und die Geschichtlichkeit auch der Objekte der Physik.

Ich denke, daß aus diesen kurzen Bemerkungen schon deutlich geworden ist, wie wichtig es ist, daß wir die von uns genutzte Technik nicht mit einem Weltbild betrachten und anwenden, welches ihr in keiner Weise mehr entspricht. Ich glaube nicht, daß die technisch genutzte Wissenschaft das Übel ist, für welches sie manche halten. Es ist vielmehr unser unzureichend ausgebildetes Denken und unsere mangelhafte Fähigkeit der Wahrnehmung, die zu einer inadäquaten Anwendung führen. Wir leiden unter der fehlenden Einsicht, daß komplexe Zusammenhänge nicht durch simple Modelle beschreibbar sind, daß auch eine gute Kenntnis der Naturgesetze nicht genügt, um stets die gewünschten Ziele zu erreichen und daß deshalb Behutsamkeit zum wichtigsten Gebot unseres Handelns werden muß.

Im Rahmen der Naturwissenschaft selbst ist das alte Weltbild bereits überwunden, sie legt die Abkehr von einem »harten« Umgang mit unseresgleichen und unserer Umwelt nahe und nötigt uns auf einen sanfteren Weg.

Die geistige Durchdringung dieser Probleme wird uns helfen, zu der von Weizsäcker als notwendig erwiesenen neuen Einstellung zur Schöpfung und zum Mitmenschen zu gelangen.

Betrachten wir die Folgen unseres bisherigen Handelns, so sehen wir, wie aktuell der Eingangsvers aus der Bergpredigt ist. Wenn wir nicht »Sanftmut« lernen und statt dessen fortfahren, mit einer überholten Denkweise miteinander und mit unserer Umwelt umzugehen, so werden wir wohl bald nichts mehr »besitzen« können und werden alles verlieren.

Wenn es sich nun um eine moralische Pflicht der Wissenschaft handelt, zu dieser Änderung des Bewußtseins beizutragen, warum dann eine Veröffentlichung dieses Artikels in einem Buch, das sich an die Christen und an die Kirche wendet?

Die Kirche hat seit alters her die Erfahrung, nicht nur die Erlösung durch Jesus Christus zu predigen, sondern darüber hinaus auch, dem »Volke« sittliche Einstellungen, moralische Werte, schwierige Zusammenhänge zu vermitteln.

Meine Überzeugung ist es, daß die Probleme des Überlebens der Menschheit, so wie sie in ›Die Zeit drängt‹ eindringlich geschildert sind, wahrscheinlich nur durch eine moralische Kooperation von Naturwissenschaft und Kirche zu bewältigen sind. Dies würde auch dazu führen, den historisch gewachsenen Konflikt zwischen ihnen zu überwinden und an seine Stelle einen Dialog treten zu lassen, von dem alle nur profitieren werden.

Carl Friedrich von Weizsäcker
Bewußtseinswandel. Eine Antwort

Bewußtseinswandel ist notwendig, wenn die Probleme der Lösbarkeit nähergeführt werden sollen, die sich heute einem sorgfältigen Blick als politisch unlösbar am Horizont der Zukunft darstellen. Notwendig, wenngleich nicht hinreichend zum wirksamen Bewußtseinswandel, ist das wahrheitssuchende engagierte Gespräch. Deshalb sind die Beiträge dieses Bandes ein Geschenk. Ihr Beitrag zu den Fragen und Lösungsvorschlägen des Bändchens ›Die Zeit drängt‹ reicht von der präzisierenden Zustimmung, einerseits bis zur radikalisierenden Weiterführung, andererseits bis zum grundsätzlichen Widerspruch. Als der Verlag mich einmal über den Gedanken dieses neuen Bandes befragte (auf dessen Ausführung ich sonst keinen Einfluß genommen habe), wünschte ich mir eine Auswahl der Autoren, die eben dieses Spektrum der Antworten garantieren könnte. Wenn ich es so persönlich sagen darf: der zustimmenden Präzisierung bedürfen wir alle, wenn wir den Weg konkret gehen wollen; weiterführende Radikalisierung kann entweder die Grenzen meiner Einsicht und meiner Vorsicht sprengen oder aber mir Gelegenheit geben zu sagen, warum ich diesen weiterführenden Weg heute für ungangbar halte; Widerspruch im Grundsatz ist vielleicht der wichtigste Beitrag, denn er hilft, deutlich zu machen, was mit Bewußtseinswandel gemeint ist.

Eine ausführliche Reaktion auf die dreierlei Beiträge wäre verlockend, ist aber in der sehr knappen Zeit bis zum angesetzten Erscheinungstermin dieses Bandes unmöglich. In einer späteren, eigenen Publikation hoffe ich, auf einige ihrer Grundgedanken zurückzukommen. Heute möchte ich jedem der Beitragenden nur in einer kurzen Wendung danken. Dieser Dank wird zur Frage zurückführen, was nun mit Bewußtseinswandel gemeint sein kann.

Der Band ›Das Ende der Geduld‹ umfaßt zwölf Beiträge, die ich nach der Herkunft der Sachkenntnis des Verfassers lose in drei Gruppen bündeln möchte:

- Politik im engeren Sinne,
- spezifische Fächer,
- Theologie und Bewußtsein.

Es zeigt sich, daß sich diese Abfolge, wie lineare Anordnungen so oft, im Ring schließt.

Aus den Erfahrungen langer Politikerleben sprechen Eppler und Biedenkopf, aus den Erfahrungen eines neu übernommenen politischen Amtes spricht Meyer-Abich.

Biedenkopf spricht aus der Erfahrung des nicht-rastenden Versuches, den Horizont der Politik über die törichte Beschränkung auf rasch durchsetzbare Partikularinteressen hinaus in den Bereich der realen Probleme unserer Zukunft zu erweitern. Das ist der politische Ansatz zum Bewußtseinswandel. Gerne würde ich mit ihm über Natur- und Geisteswissenschaft weiterreden, nämlich über die unerläßliche Rolle der Wahrnehmung in beiden Bereichen.

Eppler spricht aus verwandten Erfahrungen. Aus ebenso politischer wie kirchlicher Sachkenntnis läßt er sich auf eine Fülle konkreter Sachfragen ein, stets mit Blick auf ethische Grundentscheidungen. In einer vernünftigen Antwort müßte ich seine Stellungnahmen Punkt für Punkt durchgehen. Wie er aus unserer gemeinsamen, nun fünfzehn Jahre zurückliegenden Arbeit im Entwicklungsproblem und aus seitherigen Begegnungen weiß, würde ich ihm in der Mehrzahl der Punkte zustimmen, manchmal mit etwas anderen Akzenten. Ich frage mich vielleicht weniger, was Christen »dürfen«, als was sie zu erkennen vermöchten, wenn sie nicht Angst vor den Konsequenzen ihrer Erkenntnis hätten.

Meyer-Abich, aus sorgfältigen energiepolitischen Analysen und naturphilosophischer Reflexion in ein politisches Amt übergegangen, schildert u. a. seinen Briefwechsel mit mir über die realen Probleme einer konkreten politischen Entscheidung. Eine Nuance hätte ich, für meine Person, etwas anders gesetzt. Das Schlüsselwort war für mich nämlich nicht »Verzweiflung« – sie ist die unerläßliche Durchgangspforte – sondern »Weltveränderung«. Aber in der Absicht besteht hier zwischen uns offensichtlich kein Gegensatz.

Wir sind hier schon im Übergang zwischen fachlicher Arbeit und Politik. Sieben der Beiträge möchte ich vor dem

Hintergrund der spezifischen Fachkenntnisse ihrer Autoren nennen – jeder aber greift, gerade weil ihm sein Fach ernst ist, über das Fach hinaus.

Wichtigste politische Lebenserfahrung spricht aus dem Beitrag des Juristen Benda. Der Rechtsstaat ist einer der hohen moralischen Werte, und er ist eine funktionale Notwendigkeit in einer Welt ständig wechselnder Sachurteile. Als wir uns im Starnberger Institut, alsbald nach seiner Gründung 1970, den Umweltproblemen zuwandten, sahen wir bald, daß naturwissenschaftliche und technische Expertise zwar unerläßlich, aber auch endlos ist, und daß ohne rechtliche Verankerung keine Umweltpolitik gelingen kann. Bendas Beitrag spiegelt die Erfahrungen mit diesem Problem, skeptisch ermutigend.

Hier schließt sich natürlicherweise der aus eigener technischer Erfahrung stammende Beitrag von Radaj an, dem ich Schritt für Schritt zustimmend folge. Hier ist der Zusammenhang von ethischer Reflexion und Realitätsbezug durchgehalten. Aus verwandter Gesinnung habe ich unlängst einen Vortrag ›Technik als Menschheitsproblem‹ gehalten (Jahrbuch der Deutschen Schillergesellschaft, Marbach 1987), der unvorhergesehene Parallelen enthält, bis hin zu einer von Radaj präzise zitierten taoistischen Legende vom Schöpfbrunnen.

Aus meinem eigenen Fach, der theoretischen Physik, heraus spricht der Beitrag von Görnitz. Die Weltsicht, welche viele Kritiker, aber leider auch viele Naturwissenschaftler und Techniker für die der Naturwissenschaft halten, ist physikalisch veraltet. Ich komme am Schluß auf diesen wichtigen Punkt zurück.

Christine und Ernst Ulrich von Weizsäcker sind die Autoren, denen ich den Begriff der Fehlerfreundlichkeit verdanke. Der fachliche Hintergrund ist bei ihnen die Biologie, insbesondere die Evolutionstheorie. Der Begriff scheint mir für unsere Zukunft, für das Ethos der technischen Welt, lebenswichtig. Er hinterfragt die beiden Fundamentalismen der technischen Perfektion und der ethischen Normierung, deren Streit die Unlösbarkeit der aktuellen politischen Probleme immer neu erzeugt.

Lili Schoeller spricht vor dem Hintergrund der fachlichen Lebenserfahrung in Medizin und Humanbiologie. Aber sie argumentiert nicht aus einem Fach heraus, sondern aus der ein Leben lang geübten Gabe direkter, unterscheidender Wahrnehmung. Sie hat meiner Lust an differenzierter Logik damit ein Leben lang Hilfe und Korrektur gewährt. Ich überhöre nicht ihre mit der Lebensreife gewachsene Forderung nach Kompromißlosigkeit. Sie weiß so gut wie ich, daß in manchen Bewegungen auch die Kompromißlosigkeit eine Verkleidung der Daseinsangst ist. Gute Kompromißlosigkeit wird die Folge gereifter Wahrnehmung sein.

Altners fachlicher Hintergrund ist doppelt: Biologie und Theologie. Seinen Beitrag darf ich wohl zu den weiterführend radikalisierenden rechnen. Ich führe ihn hier noch unter den fachlich bestimmten Beiträgen auf, könnte ihn aber, wie auch den nachher zu besprechenden von Raiser, ebensogut zu den theologischen rechnen. Seine Weiterführung enthält eine notwendige Kritik meiner Ansätze. In ›Die Zeit drängt‹ habe ich planvoll mit einer säkularen, im heutigen Bewußtseinszustand vielleicht noch konsensfähigen Analyse begonnen. Ich wollte vom Bewußtseinswandel nicht durch verfrühte Polemik abschrecken, sondern ihn als notwendige Konsequenz einer Selbstkritik der heutigen Welterfahrung sichtbar machen. Daß das heutige Selbstverständnis des kapitalistischen Marktes, der Technik und der Wissenschaft die entscheidenden Wahrnehmungen verdrängt, leugne ich nicht; ich möchte zu dieser Einsicht führen. Ein exegetisches Detail: Ich meine, 1. Mose 1,28, soweit ich vermochte, im Sinne des Verfassers interpretiert zu haben, eines im Unterschied zur nachfolgenden jahwistischen Erzählung rationalisierend ungeschichtlichen Textes. Ich wollte die Stelle erklären, nicht dogmatisieren.

Es ist kennzeichnend für die heutige Bewußtseinslage in unserem Land, daß fast alle bisher besprochenen Beiträge vorwiegend von der Bewahrung der Natur, in zweiter Linie vom Frieden und am wenigsten von der Armut des Südens (und von der armen Minderheit unserer Länder) reden. Ich unterstelle den Verfassern nicht, daß ihnen diese Probleme, an denen einige von ihnen ausdrücklich viele Jahre lang gearbeitet haben, fernlägen. Aber der Beispielschatz, der sich deutschen Intellektuellen anbietet, stammt naturgemäß aus unserer engeren Umwelt. Konrad Raiser, heute Lehrer der ökumenischen Theologie, erfüllt von vierzehn Jahren der Erfahrung im Weltkirchenrat, greift behutsam radikalisierend das Thema der Not, der Armut auf. Das Thema wird in der christlichen Weltversammlung zentral sein. In ›Die Zeit drängt‹ habe ich es an die Spitze der heutigen Weltprobleme gestellt. Ich bin aber, wie Raiser richtig beschreibt, in meinen Thesen hier zurückhaltender geblieben als in den Thesen zur Überwindung des Krieges. Ich werde mich – wenn mir die Kraft bleibt – noch viel tiefer darauf einlassen müssen. Meine Zurückhaltung beruhte nicht nur darauf, daß ich die Grenzen meiner Sacherfahrung kenne. Im Bereich profaner Politik habe ich den radikalen Sozialismus mit Entschiedenheit eine schlechtere Lösung gefunden als die durch Gewerkschaften und Sozialdemokratie temperierte Marktwirtschaft. Das wahre Problem ist dasjenige, worauf Altner hinweist: die Selbstgerechtigkeit aller dieser profanen Lösungen ist moralisch nicht vertretbar; sie ist unwahr. Raiser setzt ein Bibelzitat über seinen Aufsatz. Er lenkt zur theologischen Frage.

Neben den schon besprochenen enthält der Band zwei ausdrücklich theologische Beiträge: von Rendtorff und von Lorenz. Beide sind kritisch gegen meine Schrift, aber von verschiedenen Voraussetzungen aus. Ich erlaube mir, mich auch auf einen dritten zu beziehen, der nicht in diesem Band steht: Robert Spaemann: ›Der Geist weht, wo er will. Was gegen ein Friedenskonzil der Christen spricht‹.* Die evangelischen Theologen Rendtorff und Lorenz hatte ich selbst dem Verlag vorgeschlagen, weil ich wünschte, daß ihre kritischen Meinungen in dem Buch vertreten seien. Der katholische Philosoph Spaemann hat sich die Mühe einer sehr sorgfältigen Rezension meines Buches ›Die Zeit drängt‹ gemacht, die ich freilich hier nur nennen und kurz erörtern, aber nicht referieren kann. Ich wende mich zunächst an die weitgehend parallelen Kritiken von Rendtorff und Spaemann.

Die theologische Auseinandersetzung nötigt mich zu präzisieren, was ich unter »Bewußtseinswandel« verstehen möchte. Das Wort »Bewußtsein« gebrauche ich hier in einem sozialen Sinn, etwa als das einer Menschengruppe gemeinsame, in ihrem Bereich also »öffentliche« Bewußtsein; als das, worüber man sich in ihr versteht. Dieses Bewußtsein ist um so unspezifischer, also ärmer an Detail, je umfassender man die Gruppe gewählt hat. Das »Bewußtsein der heutigen Menschheit« ist arm an Detail, dasjenige der westeuro-

---

* In: ›Frankfurter Allgemeine Zeitung‹, 6. Juni 1987.

päischen Intellektuellen oder dasjenige der traditionellen katholischen (oder lutherischen etc.) Theologen ist reicher, spezifischer. Bewußtsein in diesem Sinn ist ein sozialer und politischer Faktor von höchster Wichtigkeit.

Ich behaupte nun: Die drei großen Aufgaben der Überwindung oder doch Linderung der Armut, der Überwindung der Institution des Krieges (sei es auch nur des großen Krieges) und der Rettung der Natur werden unerreichbar sein ohne einen tiefgreifenden Bewußtseinswandel bei den Menschen, von deren Verhalten diese Entscheidungen abhängen. Die Argumente hierfür wiederhole ich hier nicht. Wer diese Meinung nicht teilt, wird natürlich zu anderen Folgerungen kommen als ich.

Das Wort »Bewußtseinswandel« ist nun aber noch zweideutig. Es kann eine Änderung der gängigen politischen Denk- und Verhaltensweise sein: »politischer Bewußtseinswandel«. Es kann meinen, was christlich Umkehr (*metanoia*, in der Vulgata *poenitentia*, bei Luther Buße) heißt. Umkehr ist grundsätzlich eine Erfahrung des einzelnen Menschen; aber eine Gruppe, etwa gar eine Kirche, die sich aufrichtig zur Umkehr bekennt, kann dem Einzelnen auf seinem Weg die Hilfe bieten, derer er bedarf.

Es ist meine politische Ansicht, daß die drei großen Aufgaben durch politischen Bewußtseinswandel lösbar werden können; ich nenne das auch gemeinsam angewandte Vernunft (›Die Zeit drängt‹, S. 52). Vernunft definiere ich hierbei nicht als korrektes Folgern (»Verstand«), sondern als Wahrnehmung eines Ganzen. Der politische Bewußtseinswandel ist Bedingung für erfolgreiches Handeln der Politiker, die von der öffentlichen Meinung abhängen. Ein solcher Wandel ist unterwegs. Im Norden der Erde redet man über den Krieg sehr viel vorsichtiger seit dem doppelten Schock des Ersten Weltkrieges und, dreißig Jahre später, der Atombombe. 1965 konnte man bei uns noch keine Wahl mit Umweltparolen gewinnen, 1985 konnte man keine Wahl ohne solche Parolen gewinnen. Gewiß, der Lippendienst ist leichter als der reale Dienst. Die Vernunft, um Wahrnehmung und nicht nur Nachplappern zu werden, bedarf eines tragenden Affektes.

Das aber ist die alte Erkenntnis der Hochreligionen: Um der Wahrheit willen ist die Umkehr notwendig. Umkehr ist nicht Selbstqual, sondern Hoffnung; der Selbstvorwurf bis zur Verzweiflung ist nur die unerläßliche Durchgangspforte. Im Grunde wissen dies die Menschen; es ist freilich nur zu verständlich, daß sie es nicht wissen wollen. Aber einer Minderheit, die es vorlebt, werden sie folgen. Das war die Faszination, die das Wort »Friedenskonzil« auslösen konnte. Man kann für einen solchen Gedanken wirken, wenn man selbst von ihm ergriffen ist. Und dann wird man in aller Ungeduld – denn die Zeit drängt – bereit sein, sich die Zeit zu nehmen, derer es zur Überzeugung jener Minderheit bedarf.

Die theologischen Kritiken an dieser Hoffnung enthalten eine aktuell realistische und eine traditionell theologische Komponente. Die realistische Kritik sagt: »Schaut die Kirche an! Wird sie so handeln, wie ihr erhofft?« Die für mich stärkste Version dieser Kritik ist die Bemerkung von Rendtorff, daß die Versammlung nicht die nach allen historischen Erfahrungen notwendige Dauer haben wird. Das bedeutet, realistisch gesehen, daß auch diejenigen, die sie einberufen, ihr das Gewicht, das jedes Konzil und jede große Friedenskonferenz gehabt haben, nicht werden verleihen können: simple finanzielle Gründe geben den Ausschlag.

Ob man gegenüber solchen Argumenten resigniert, hängt aber ausschließlich davon ab, ob man von dem Gedanken ergriffen ist oder nicht. Ich unterstelle den theologischen Kritikern, daß sie gegenüber den Weltproblemen nicht verzagen und daß sie den politischen Bewußtseinswandel für nötig halten; also daß sie ihn mit anderen, mehr »weltlichen« Mitteln zum Ziel zu bringen hoffen. Diese Hoffnung kann heute niemand rational ausschließen. Aber sie stützt sich bei Theologen, wenn ich richtig sehe, auf die traditionelle Theologie, welche »die Umkehr der Herzen« (Spaemann) vom politischen Frieden säuberlich trennt. Diese Theologie scheint mir aber bloß die Bewußtseinslage der Kirche seit der konstantinischen Enttäuschung auszudrücken, daß nämlich eine christliche Machtergreifung die Strukturen der Politik nicht verändert hat. Ich weiß, daß ich mich mit dem Unglauben an diese Theologie auf eine Debatte einlasse, die ich im jetzigen Aufsatz nicht aufnehmen kann. Ich bezeichne nur den Punkt der Differenz. Nach meinem Eindruck hat diese äußere Situation der Kirche zur Umdeutung der Worte Jesu auf bloß jenseitiges Heil oder, neuzeitlicher gesagt, auf Innerlichkeit geführt.

Diese theologische Differenz soll aber nach meiner Meinung so wenig wie alle anderen theologischen oder ekklesiologischen Differenzen das Zusammenwirken aller derer hindern, die bereit sind, das Ihre für Gerechtigkeit, Frieden und Natur zu tun – und wenn sie genötigt wären, dafür selbst an einer Weltversammlung unter diesen Themen teilzunehmen. Der Geist weht, wo er will.

Ich komme damit zum Abschluß, zum Beitrag von Hilmar Lorenz.

Lieber Herr Lorenz!

Da Sie als einziger in diesem Band die Form der direkten Anrede gewählt haben, antworte ich Ihnen sehr gerne in derselben Form. Meine Antwort wird heute kurz und unvollständig sein. Denn um Ihnen gerecht zu werden, müßte ich mich auf Ihr noch unveröffentlichtes Buch über Theologie einlassen. Das ist Sache eines anderen Arbeitsgangs.

Ich bin vorerst geneigt, Ihnen gegenüber den gelegentlich von meinem Lehrer Niels Bohr verwendeten Ausdruck zu gebrauchen: »Wir sind ja viel mehr einig, als Sie denken.« Einige Hinweise werden Sie schon meinen Bemerkungen zu Altner entnehmen.

Ich bin planvoll von der »aufgeklärten Vernunft« ausgegangen, weil diese der durchschnittlichen heutigen Bewußtseinslage entspricht. Auf »ewige Wahrheiten« dieser Vernunft berufe ich mich nie; ich fasse Vernunft als Wahrnehmungsfähigkeit auf. »Rationales, d.h. redefähiges Denken« heißt nicht »Denken, das reden kann, weil es ewigen rationalen Normen genügt«. Ich meine vielmehr, daß ratio (griechisch logos) schlicht »Rede« heißt. Rationalität ist vom Reden her zu erklären, nicht umgekehrt. Die neuzeitliche Vernunft hat uns unermeßliche Wahrnehmungen erschlossen, die sie freilich durch das Postulat der Eindeutigkeit ebenso zur Zweideutigkeit verzerrt, wie es der, verglichen damit, etwas kindliche Rationalismus der biblischen Fundamentalisten mit ihren Wahrnehmungen tut. Die Selbstkritik dieses Eindeutigkeitstraumes hat freilich z.B. in der Quantentheorie schon begonnen; davon spricht der oben zitierte Beitrag von Görnitz.

Ich würde das platonische Eine nicht »eindeutig« nennen; im »Deuten« liegt schon die Zweiheit. So würde ich persönlich auch den Ausdruck »eindeutig« nicht für das Evangelium im paulinischen Unterschied zum Gesetz verwenden; vielleicht müßten wir uns hier über Sprachgewohnheiten verständigen. Daß die Weise, wie vom Evangelium gesprochen werden sollte, heute in der Kirche nicht konsensfähig ist, darin stimme ich Ihnen zu. Noch immer verwandeln sich Wahrnehmungen in eindeutig intendierte Sätze, aus Angst, wie mir scheint. Das ist der Hort der »traditionellen Theologie«. Eben darum dränge ich nicht darauf, vor dem »Konzil« die Theologie zu bereinigen. Ich hoffe, daß die Lebensfragen, vor denen die Versammlung stehen wird, die Wahrnehmung ein Stück weiter öffnen werden.

Der Geist weht, wo er will. Die Zeit ist reif.

Ihr
Carl Friedrich von Weizsäcker

Die Autoren

Prof. Dr. Dr. Günter Altner, geboren 1936 in Breslau, Mitbegründer des Instituts für angewandte Ökologie e. V. (Öko-Institut) Freiburg. Mitglied der Enquete-Kommission »Zukünftige Kernenergiepolitik« des Bundestages (1979–1982). Professor an der Erziehungswissenschaftlichen Hochschule Rheinland-Pfalz, Abteilung Koblenz.

Prof. Dr. Ernst Benda, geboren 1925 in Berlin. Mitglied des Bundestages 1957–1971. Bundesminister des Innern 1968 bis 1969. Präsident des Bundesverfassungsgerichts 1971–1983. Seit 1984 Professor für öffentliches Recht mit Schwerpunkt Verfassungsrecht an der Universität Freiburg/Br.

Prof. Dr. Kurt H. Biedenkopf, geboren 1930 in Ludwigshafen. Professor für Bürgerliches Recht, Wirtschafts- und Arbeitsrecht an der Universität Bochum 1964–1970. Generalsekretär der CDU 1973–1977. Vorsitzender des CDU-Landesverbandes Westfalen-Lippe 1977–1986, des Landesverbandes Nordrhein-Westfalen 1986–1987. Mitglied des nordrhein-westfälischen Landtages 1980–1987, des Bundestages seit 1987. Vorstand des Instituts für Wirtschaft und Gesellschaft, Bonn, seit 1977.

Dr. Erhard Eppler, geboren 1926 in Ulm. Mitglied des Bundestages 1961–1976. Bundesminister für wirtschaftliche Zusammenarbeit 1968–1974. Vorsitzender der Grundwertekommission der SPD seit 1973. Mitglied der Kammer für öffentliche Verantwortung der EKD. Mitglied des Präsidiums des Deutschen Evangelischen Kirchentages seit 1977 (amtierender Präsident 1981–1983).

Dr. Thomas Görnitz, geboren 1943 in Leipzig. Forschungstätigkeit an der Universität Leipzig in theoretischer und mathematischer Physik. Seit 1979 wissenschaftlicher Mitarbeiter am Max-Planck-Institut zur Erforschung der Lebensbedingungen der wissenschaftlich-technischen Welt in Starnberg. Seit Schließung des Instituts Mitarbeiter von Carl Friedrich von Weizsäcker.

Dr. Hilmar Lorenz, geboren 1940. Mitarbeiter der Evangelischen Akademie Hamburg. Seit 1974 Gemeindepfarrer, seit 1984 Gefängnispfarrer im Bereich der Evangelischen Kirche von Westfalen.

Prof. Dr. Klaus Michael Meyer-Abich, geboren 1936 in Hamburg. Philosoph, Dipl.-Physiker, Professor für Naturphilosophie an der Universität Essen. Seit 1984 Senator für Wissenschaft und Forschung der Freien und Hansestadt Hamburg.

Prof. Dr. Dieter Radaj, geboren 1935. Leitender Mitarbeiter im Bereich »Forschung und Technik« der Daimler-Benz AG, Stuttgart. Professor an der Technischen Universität Braunschweig. Sein Beitrag gibt seine persönliche Auffassung, nicht die von Daimler-Benz wieder.

Prof. Dr. Konrad Raiser, geboren 1938. Mitarbeiter des Ökumenischen Rates der Kirchen in Genf, davon zehn Jahre als Stellv. Generalsekretär. Seit 1983 Professor für Systematische Theologie-Ökumenik an der Evangelischen Theologischen Fakultät der Universität Bochum.

Prof. Dr. Trutz Rendtorff, geboren 1931. Vorstand des Instituts für systematische Theologie an der Evangelischen Theologischen Fakultät der Universität München. Als Vorsitzender der Kammer für öffentliche Verantwortung der EKD beteiligt an den Denkschriften der EKD ›Frieden wahren, fördern und erneuern‹ (1981) und ›Evangelische Kirche und freiheitliche Demokratie‹ (1985).

Dr. Lili Schoeller, geboren 1913 in Straßburg. Wissenschaftliche Tätigkeit im Zentrallaboratorium für Mutagenitätsprüfung, Freiburg, 1969–1979. Mitglied der Vereinigung Deutscher Wissenschaftler e. V. Beiratsmitglied im Institut für Präventionsforschung und Sozialmedizin, Bremen.

Christine von Weizsäcker, geboren 1944. Diplom-Biologin, Mutter von fünf Kindern.

Prof. Dr. Ernst Ulrich von Weizsäcker, geboren 1939. Verheiratet mit Christine von Weizsäcker, Vater von fünf Kindern. Präsident der Universität Kassel 1975–1980. Direktor am United Nations Centre for Science and Technology for Development 1980–1984. Seit 1984 Direktor des Instituts für Europäische Umweltpolitik, Bonn-London-Paris.

C. F. von Weizsäcker

Der Philosoph und Physiker Carl
Friedrich von Weizsäcker, der schon in
seinem Manifest DIE ZEIT DRÄNGT einen tiefgreifenden Bewußtseinswandel angemahnt hat, zeigt
in seinem neuen Werk BEWUSSTSEINSWANDEL, daß der
Ursprung der heutigen Weltprobleme in der Geschichte unseres kulturellen, politischen und religiösen Bewußtseins liegt. Der
Leser erfährt aus diesem Werk, was das gegenwärtige Bewußtsein geprägt hat und in welchen Strukturen sich
ein Wandel des Denkens vollziehen sollte, um den
Sinn eines politisch-geschichtlichen Bewußtseins in der katastrophenbedrohten
Gegenwart wiederzuerlangen.

Bewußtseinswandel
1988. 240 Seiten. Leinen

bei Hanser

Carl Friedrich von Weizsäcker im dtv

Foto: Isolde Ohlbaum

Wege in der Gefahr
Eine Studie über Wirtschaft, Gesellschaft und Kriegsverhütung

Dieses Buch »ist geeignet, den Blick für die politischen Realitäten im Atomzeitalter zu schärfen, die sonst gelegentlich an Konturen verlieren . . . Für Weizsäcker, wie für viele Kulturkritiker der Gegenwart, ist das bloße wissenschaftliche Denken ohnmächtig. Das Ziel eines Bewußtseinswandels ist eine ›von Liebe ermöglichte Vernunft‹.« (Wehrwissenschaftliche Rundschau) dtv 1452

Deutlichkeit
Beiträge zu politischen und religiösen Gegenwartsfragen

Was heißt Verteidigung der Freiheit gegen Terrorismus und Repression? Hat das parlamentarische System eine Zukunft? Welche Chancen und Risiken birgt die friedliche Nutzung der Kernenergie? Gehen wir einer asketischen Weltkultur entgegen? Wie läßt sich die Frage nach Gott mit dem naturwissenschaftlichen Denken vereinen? – Vielfältige Fragen, die Weizsäcker klar zu beantworten versucht. dtv 1687

Die Einheit der Natur

In diesen Studien aus den Jahren 1959 bis 1970 behandelt Carl Friedrich von Weizsäcker, Professor sowohl der Philosophie als auch der Physik, die für die moderne Wissenschaft grundlegende Frage nach der Einheit der Natur. dtv 10012

Der bedrohte Friede
Politische Aufsätze 1945-1981

Konzepte, Aufsätze, Reden und Stellungnahmen zu Problemen der Politik, der Rüstung, der Moral, der Ideologiekritik und der Philosophie. dtv 10182

Wahrnehmung der Neuzeit

Die Wahrnehmung der Neuzeit und ihrer Krise ist Weizsäckers Hauptanliegen in diesem Band mit Aufsätzen und Vorträgen von 1945 bis heute: »Das Ziel ist, die Neuzeit sehen zu lernen, um womöglich besser in ihr handeln zu können.« dtv 10498

Die Zeit drängt
Das Ende der Geduld
Aufruf und Diskussion

Weizsäckers Aufruf zu einer »Weltversammlung der Christen für Gerechtigkeit, Frieden und die Bewahrung der Schöpfung«, die Reaktionen auf diesen Aufruf und Weizsäckers Antworten darauf. dtv 11109 (Aug. 1989)

Marion Gräfin Dönhoff im dtv

Namen die keiner mehr nennt
Ostpreußen –
Menschen und Geschichte

»Dieses Buch unterscheidet sich höchst wohltuend von vielen sentimentalen Traktaten über die verlorenen Ostgebiete... Natürlich spürt man, daß die Gräfin Dönhoff mit allen Fasern ihres Herzens an dem Land hängt, in das ihre Vorfahren vor 700 Jahren gekommen waren... Aber sie weiß auch, daß diese 700 Jahre deutscher Kultur in Ostpreußen unwiederbringlich verloren sind – verloren durch deutsche Schuld.« (Nordd. Rundfunk)
dtv 247

Von Gestern nach Übermorgen
Zur Geschichte der
Bundesrepublik Deutschland

Von den Geburtswehen der Republik 1949 über die Debatten zur Wiederbewaffnung 1955 bis hin zur Bundestagsresolution zum Nato-Doppelbeschluß beschreibt Gräfin Dönhoff, Herausgeberin der ZEIT, die Entwicklung dieses »freiesten Staates, den es je auf deutschem Boden gab«. Sie tut das nicht aus der Perspektive des Historikers, sondern aus dem Blickwinkel der Beobachterin, deren Aufgabe es war, das politische Geschehen von Woche zu Woche zu verfolgen und zu analysieren.
dtv 10316

Weit ist der Weg nach Osten
Berichte und Betrachtungen aus
fünf Jahrzehnten

Seit fünf Jahrzehnten ist Marion Gräfin Dönhoff nicht müde geworden, für den Ausgleich mit unseren östlichen Nachbarn zu werben. Ihr engagiertes Plädoyer will deutlich machen, daß es für uns nach wie vor keine Alternative zu einer aktiven Ostpolitik gibt. dtv 10971

Der südafrikanische Teufelskreis
Reportagen und Analysen aus
drei Jahrzehnten

Gibt es einen Ausweg aus dem Teufelskreis, in den Südafrika geraten ist? Oder kommt es am Kap der einst guten Hoffnung unvermeidlich zu einer Katastrophe? Marion Gräfin Dönhoff versucht in Reportagen und Analysen von 1960 bis heute eine Antwort auf diese Fragen zu geben. Sie charakterisiert die gegenwärtige Situation in Südafrika, setzt jedoch auch heute noch auf vernünftige Einsicht auf beiden Seiten.
dtv 11110

Drängende Fragen unserer Zeit

Horst Afheldt:
Atomkrieg
Das Verhängnis
einer Politik mit
militärischen
Mitteln
dtv 10696

Jean Améry:
Jenseits von Schuld
und Sühne
Bewältigungsversuche
eines Überwältigten
dtv 10923

Gordon A. Craig/
Alexander L. George:
Zwischen Krieg und
Frieden
Konfliktlösung in
Geschichte
und Gegenwart
dtv 10925

Jürgen Dahl:
Der unbegreifliche
Garten und
seine Verwüstung
über Ökologie und
Über Ökologie hinaus
dtv/Klett-Cotta
11029

Andrea Ernst/
Kurt Langbein/
Hans Weiss:
Gift-Grün
Chemie in der Land-
wirtschaft und die
Folgen
dtv 10914

Heinz Friedrich:
Kulturverfall und
Umweltkrise

Jean Améry:
Jenseits von
Schuld und Sühne
Bewältigungsversuche eines Überwältigten

dtv/Klett-Cotta

Robert Jungk:
Und Wasser
bricht den Stein
Streitbare Beiträge zu
drängenden Fragen der Zeit

dtv

Plädoyer für eine
Denkwende
dtv 1753

Sebastian Haffner:
Im Schatten der
Geschichte
Historisch-politische
Variationen
aus zwanzig Jahren
dtv 10805

Eva Kapfelsberger/
Udo Pollmer:
Iß und stirb
Chemie in
unserer Nahrung
dtv 10535

Robert Jungk:
Und Wasser bricht
den Stein
Streitbare Beiträge
zu drängenden
Fragen der Zeit
Hrsg. v. Marianne
Oesterreicher-Mollwo
dtv 10888

Mark Mathabane:
Kaffern Boy
Ein Leben in der
Apartheid
dtv 10913

Franz Nuscheler:
Nirgendwo zu Hause
Menschen
auf der Flucht
dtv 10887

Dorothea Razumovsky/
Elisabeth Wätjen:
Kinder und Gewalt
in Südafrika
dtv 10870

Richard von
Weizsäcker:
Die deutsche
Geschichte geht
weiter
dtv 10482

Von Deutschland aus
Reden des
Bundespräsidenten
dtv 10639